nuovo

PROGETTO ITALIANO 3

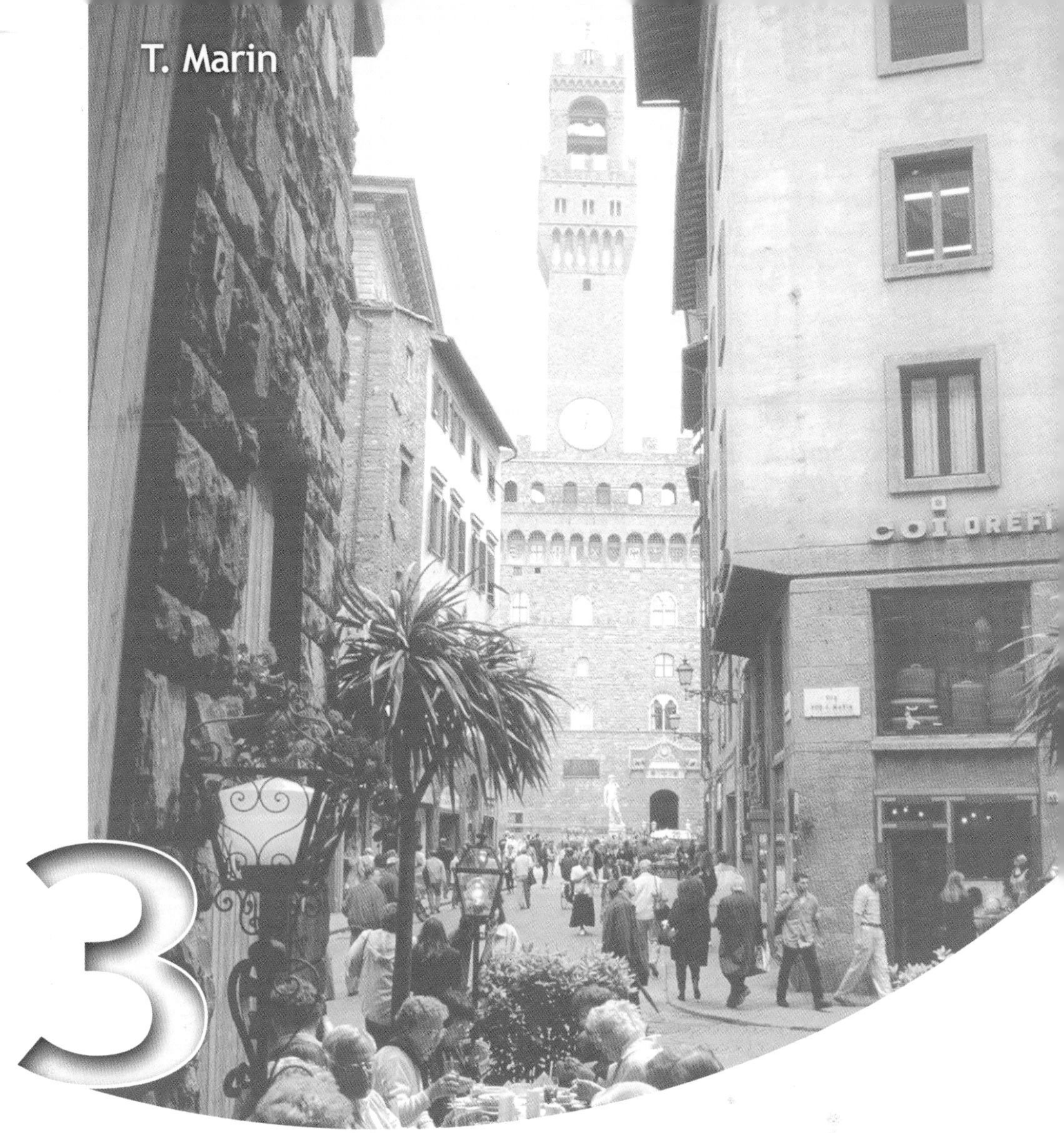

T. Marin

Corso multimediale di lingua e civiltà italiana

livello intermedio - avanzato

B2-C1 QUADRO EUROPEO DI RIFERIMENTO

Libro dello studente

www.edilingua.it

T. Marin dopo una laurea in Italianistica ha conseguito il Master Itals (Didattica dell'italiano) presso l'Università Ca' Foscari di Venezia e ha maturato la sua esperienza didattica insegnando presso varie scuole d'italiano. È direttore di Edilingua, autore di diversi testi per l'insegnamento della lingua italiana: *Nuovo Progetto italiano 1, 2* e *3* (Libro dello studente), *Progetto italiano Junior* (Libro di classe), *La Prova Orale 1* e *2, Primo Ascolto, Ascolto Medio, Ascolto Avanzato, l'Intermedio in tasca, Ascolto Autentico, Vocabolario Visuale* e *Vocabolario Visuale - Quaderno degli esercizi* e coautore di *Nuovo Progetto italiano Video* e *Progetto italiano Junior Video*. Ha tenuto numerosi workshop sulla didattica in tutto il mondo.

L'autore e l'editore sentono il bisogno di ringraziare i tanti colleghi che, con le loro preziose osservazioni, hanno contribuito al miglioramento di questa nuova edizione.
Un sincero ringraziamento, inoltre, va agli amici insegnanti che, visionando e provando il materiale in classe, ne hanno indicato la forma definitiva.
Infine, un pensiero particolare va ai redattori della casa editrice, Antonio, Laura e Marco, senza i quali la realizzazione di questo libro non sarebbe stata possibile.

a mia figlia, che dà più senso a tutto questo
T. M.

Sede legale
Via Cola di Rienzo, 212 00192 Roma
Tel. +39 06 96727307
Fax +39 06 94443138
info@edilingua.it
www.edilingua.it

Deposito e Centro di distribuzione
Via Moroianni, 65 12133 Atene
Tel. +30 210 5733900
Fax +30 210 5758903

III edizione: novembre 2008
ISBN: 978-960-693-004-1

Ogni azione umana ha un impatto sull'ambiente. A Edilingua siamo convinti che il futuro del nostro Pianeta dipende anche da ognuno di noi. **"La Terra ha bisogno del tuo aiuto"** è una piccola ma costante campagna di sensibilizzazione rivolta agli studenti: ogni nostro libro vuole essere un invito alla riflessione, uno stimolo al risparmio energetico e alla riduzione delle emissioni di CO_2. Ulteriori informazioni sul nostro sito (in "chi siamo").

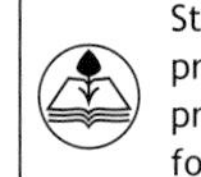

Stampato su carta priva di acidi, proveniente da foreste controllate.

Redazione: A. Bidetti, L. Piccolo, M. Dominici
Ha collaborato: M. G. Tommasini
Prove e testi di ascolto: M. Dominici
Prove di autovalutazione: L. Piccolo
Interviste (unità 5, 12, 25): M. Diaco
Impaginazione e progetto grafico: Edigraf srl-Grafica, Vicenza; E. Setta (Edilingua)
Illustrazioni: L. Sabbatini (pag. 31), M. Valenti (pagg. 29 e 84)
Registrazioni: *Networks* srl, Milano

Gli autori apprezzerebbero, da parte dei colleghi, eventuali suggerimenti, segnalazioni e commenti sull'opera (da inviare a redazione@edilingua.it)

Premessa

Caro insegnante,
dopo i primi due volumi in cui sono state presentate le strutture morfosintattiche e le funzioni comunicative più importanti, Le presentiamo *Nuovo Progetto italiano 3*, un libro più aggiornato e completo, frutto di una ponderata e accurata revisione, resa possibile grazie al prezioso feedback di tanti colleghi e colleghe che hanno usato il libro. In questa nuova edizione si è tenuto conto sia degli sviluppi delle teorie più recenti sia della realtà del Quadro Comune Europeo di Riferimento per le Lingue. La lingua moderna, il sistematico lavoro sulle quattro abilità, la presentazione della realtà italiana attraverso testi (tratti dalla stampa e dalla letteratura) sulla cultura e la civiltà del nostro Belpaese, l'utilizzo di materiale autentico, l'impaginazione moderna e accattivante fanno di *Nuovo Progetto italiano 3* uno strumento didattico equilibrato, efficiente e semplice nell'uso.

La Nuova edizione
Nuovo Progetto italiano 3 pensiamo sia ancora più moderno dal punto di vista metodologico, più comunicativo e più induttivo: l'allievo, sempre più al centro della lezione, è costantemente sollecitato a una riflessione attiva, a scoprire i nuovi fenomeni linguistici incontrati. Le novità di questa edizione sono tante: abbiamo due libri separati (*Libro dello studente* e *Quaderno degli esercizi*); ogni unità è stata suddivisa in sezioni per facilitare l'organizzazione della lezione; le unità sono state riprogettate, ma sono stati tenuti molti dei testi dell'edizione precedente; le attività sono più brevi e motivanti; è stato aggiunto l'audio; le illustrazioni sono state rinnovate con foto nuove, più naturali e spontanee; allo stesso tempo una grafica più moderna, ma più chiara, facilita la consultazione. I *test di verifica*, brevi esercizi di ricapitolazione, sono stati inseriti nel *Quaderno degli esercizi*. Ogni test è composto da 4 microprove (tutte da 5 punti) in modo da poter essere svolto anche da chi non si è cimentato con tutte e 4 le unità in esso comprese. Sempre nel *Quaderno* troviamo un'*Appendice grammaticale* che raccoglie note grammaticali sui fenomeni trattati nelle varie unità.

La struttura dell'unità
Nuovo Progetto italiano 3 consta di 32 unità, più una sezione introduttiva (*Prima di cominciare...*), attraverso le quali presenta vari aspetti della cultura e della civiltà italiana nonché argomenti di interesse generale. La struttura delle unità non è sempre rigida: tranne la sezione iniziale (*Per cominciare...*) e finale (*Riflessioni linguistiche*), le altre variano allo scopo di motivare continuamente lo studente.

- ***Per cominciare...***: varie attività che hanno come scopo non solo di riattivare le conoscenze pregresse dello studente, ma di motivarlo, di suscitare in lui l'interesse prima ancora di affrontare l'argomento dell'unità.
- ***Comprensione del testo***: attività (diverse tipologie) che mirano a verificare la comprensione globale del testo. L'allievo legge/ascolta il brano e verifica le ipotesi formulate nelle attività precedenti.
- ***Riflettiamo sul testo***: sfruttando molti degli stimoli offerti dal testo, lo studente riflette sulla lingua, ricerca in esso frasi, espressioni o parole che corrispondono ad altre date e le riutilizza liberamente. Si mira quindi, attraverso un'ampia varietà di brevi attività, a una comprensione più dettagliata e a una lettura più analitica e attiva.
- ***Lavoriamo sul lessico***: esercitazioni lessicali di diversa natura che si riferiscono a termini del testo o, spesso, dell'argomento generale: di solito attività guidate (abbinamento o scoperta di sinonimi e contrari, formazione di parole, abbinamento di parole e foto ecc.).
- ***Riflettiamo sulla grammatica***: lo studente, da solo o in coppia, riflette su uno o due fenomeni grammaticali individuati nel testo. Un piccolo rimando indica gli esercizi da svolgere per iscritto nel *Quaderno degli esercizi*.
- ***Ascoltiamo***: dopo un'attività di preascolto, vengono proposte diverse esercitazioni sulla comprensione di brani audio autentici (trasmissioni radiofoniche e televisive, interviste, passi di brani letterari e così via) e sul significato che gli elementi linguistici possono assumere in specifici contesti.
- ***Parliamo e scriviamo***: attività di produzione orale e *role-plays* che hanno l'obiettivo di accompagnare gli studenti all'autonomia linguistica desiderata; inoltre, attività di produzione scritta (tema, lettera, costruzione di un testo ecc.) in cui lo studente può utilizzare il lessico e le idee viste nel corso di ogni unità.
- ***Lavoriamo sulla lingua***: si cerca di approfondire l'argomento attraverso varie tipologie cloze (libero, mirato, grammaticale, lessicale ecc.) che si alternano tenendo conto delle diverse certificazioni di lingua italiana. Spesso vengono presentati modi di dire, espressioni idiomatiche e varie locuzioni attraverso delle frasi da completare.
- ***Riflessioni linguistiche***: è l'epilogo dell'unità, in cui vengono presentati modi di dire, proverbi relativi all'argomento centrale, l'etimologia di alcune parole chiave o semplici curiosità linguistiche.

Ogni due unità c'è una pagina di *Autovalutazione* che comprende brevi attività soprattutto sugli elementi comunicativi e lessicali di ciascuna unità. Gli allievi hanno a disposizione le chiavi, ma non sulla stessa pagina, e dovrebbero essere incoraggiati a svolgere queste attività non come il solito test, ma come una revisione autonoma.

I materiali extra

Tra i materiali che completano *Nuovo Progetto italiano 3* ricordiamo la *Guida per l'insegnante* che, oltre a idee e suggerimenti pratici, offre prezioso materiale da fotocopiare, e le *Attività online*, presenti sul sito di Edilingua (www.edilingua.it). Motivanti esercitazioni in Internet sull'argomento base di ogni unità, cui rimanda un apposito simbolo nella pagina dell'*Autovalutazione*, le quali sono rivolte a tutti coloro che vogliono approfondire la conoscenza non solo della lingua, ma anche degli aspetti socioculturali dell'Italia di oggi. Inoltre, *Nuovo Progetto italiano 3* e completato da *i-d-e-e*, una piattaforma che comprende tutti gli esercizi del Quaderno in forma interattiva e una serie di risorse e strumenti per studenti e insegnanti.

Nuovo Progetto italiano 3 può essere utilizzato anche indipendentemente dai primi due livelli. È stato disegnato in modo da poter essere inserito in curricoli didattici diversi e può essere corredato in modo ideale da *La Prova orale 2* e da *Ascolto Avanzato* (nell'indice del *Libro dello studente* sono riportati i possibili rimandi per ciascuna unità).

Buon lavoro!
L'autore

Caro studente,

ormai sei a un livello intermedio-avanzato e molto probabilmente hai già visto tutta o buona parte della grammatica. Compito quindi di *Nuovo Progetto italiano 3*, è:

- portarti a contatto con la lingua vera, attraverso testi autentici scritti e orali;
- aiutarti ad arricchire il tuo vocabolario, imparando parole nuove e ricordandone altre già incontrate;
- farti riflettere sulla lingua, soffermandosi anche su espressioni idiomatiche e modi di dire che potrai utilizzare quando parli e scrivi;
- ricordarti molti dei fenomeni grammaticali che hai già studiato in precedenza, chiarendo eventuali dubbi;
- fornirti gli spunti per usare liberamente frasi ed espressioni per il raggiungimento della tua autonomia linguistica;
- presentarti aspetti della cultura e della civiltà italiana, ma anche argomenti di interesse generale;
- aiutarti a preparare eventuali esami di lingua in modo piacevole e vario.

Tutto il libro, ogni singola attività (perfino la scelta dei testi) è stato provato con molti studenti del tuo livello prima ancora di essere pubblicato. Così non troverai testi troppo facili o troppo difficili, né attività troppo complicate. Fin dall'inizio vedrai che molte attività le potrai svolgere in coppia, insieme a un tuo compagno. Lo scopo è che impariate insieme, grazie all'aiuto l'uno dell'altro. Per esempio insieme dovrete cercare parole ed espressioni del testo che corrispondono ad altre date. Per facilitarti, a volte, ti diamo il numero delle righe (per esempio 6-12) in cui cercare. Oppure insieme dovrete dare un titolo a un paragrafo o a un testo. Non ti devi preoccupare del numero di risposte giuste che riuscirai ad ottenere, perché si sa che *sbagliando s'impara*.
Quasi tutti i testi che leggerai e ascolterai sono autentici. È sicuro che in essi troverai parole ed espressioni sconosciute e forse, a prima vista, difficili. Ciò non ti deve spaventare o scoraggiare, anzi. Ogni testo è una piccola sfida: da solo dovrai arrivare a una comprensione prima globale, generale, e in seguito più dettagliata e analitica. Non è indispensabile imparare a memoria tutte le parole nuove.

Buon lavoro e... buon divertimento!

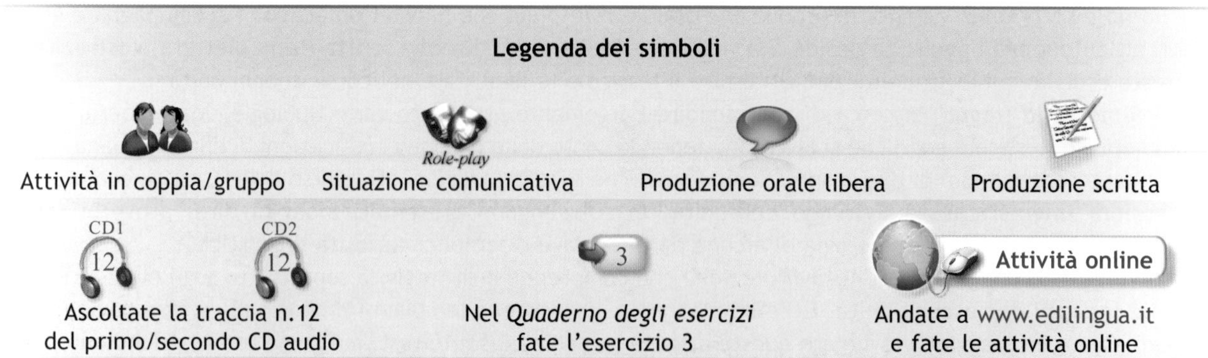

Prima di... cominciare

1 Comprensione e comunicazione

a. Ascoltate una prima volta e prendete appunti. Ascoltate di nuovo e abbinate le frasi alle funzioni comunicative.

- a. chiedere spiegazioni
- b. esprimere indifferenza
- c. approvare
- d. dare indicazioni stradali
- e. spiegarsi meglio
- f. prenotare una camera d'albergo
- g. confermare
- h. permettere

b. Scrivete una frase con le espressioni che ricordate.

....

....

2 Grammatica. Completate le frasi con i verbi al tempo e al modo opportuni.

1. Nell'80 d.C. l'imperatore Tito *(inaugurare)* .... la più grandiosa arena del mondo antico, l'Anfiteatro Flavio, ovvero il Colosseo.
2. Non credi di *(esagerare)* .... ieri con la tua reazione? In fondo si è trattato solo di uno stupido scherzo!
3. Non condividono le nostre idee e allora?! Se tutti la *(pensare)* .... allo stesso modo, sai che noia!
4. *(Vedere)* .... le circostanze, non posso che darvi ragione.
5. Signor Direttore, non *(dirmi)* .... che anche stasera dovrò rimanere in ufficio fino a tardi!
6. Non preoccupatevi, nel caso in cui non *(potere)* .... accompagnarmi, prenderò un taxi.
7. I trafficanti di droga *(arrestare)* .... stamattina al porto di Genova dalla Guardia di Finanza.
8. *(Credere)* .... di fare la cosa giusta, le ho raccontato tutta la verità.

3 Produzione orale

Lavorate in coppia. Fatevi delle domande e raccontatevi a vicenda come e dove avreste trascorso le ultime vacanze se aveste avuto a vostra disposizione più tempo e denaro. In seguito, ognuno di voi può riferire brevemente alla classe quanto detto dal compagno.

4 Comunicazione. Cosa direste nelle seguenti situazioni? Rispondete oralmente.

1. Indica a un passante la strada per andare al Teatro alla Scala.

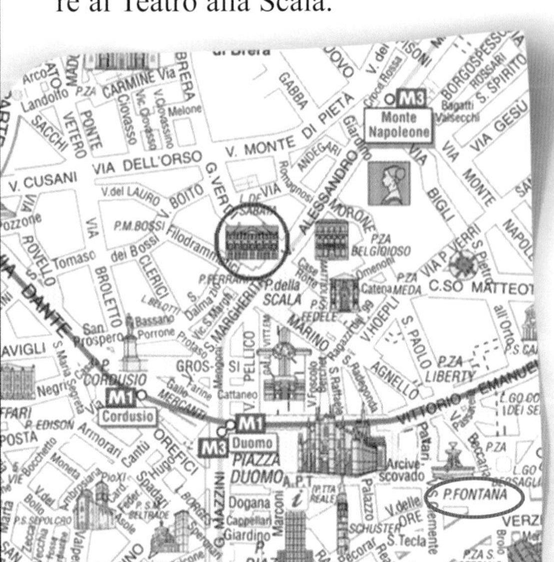

2. Il tuo migliore amico ti annuncia che si trasferirà fuori città. Come reagisci? Approvi o disapprovi la sua decisione?

3. Un tuo amico non fa altro che raccontarti bugie. Quale proverbio useresti per fargli capire che prima o poi la verità viene fuori?

4. Tua madre ti dice che il tuo/la tua ex si è sposato/a. Per farle vedere che la notizia non ti tocca, cosa rispondi?

5 Produzione scritta

Volete iscrivervi a una chat italiana, preparate quindi una breve presentazione *(60-80 parole)* di voi stessi in cui raccontate tra le altre cose il vostro rapporto con l'Italia, l'italiano e gli italiani; le vostre esperienze di studio; infine, esponete cosa vi ha spinto a iscrivervi alla chat.

6 Lessico

a. In coppia, completate con le parole richieste e confrontate le risposte con i compagni di classe.

3 facoltà universitarie: ...., ..., ...

4 professioni: ...., ..., ..., ...

3 verbi dell'informatica: ...., ..., ...

4 sport: ...., ..., ..., ...

b. Abbinate le parole alle immagini corrispondenti. Attenzione: le parole sono di più!

1. legno 2. paesaggio 3. natura morta 4. Bilancia 5. cuffie 6. altoparlante 7. vetro

8. Acquario 9. tastiera 10. favola 11. ferro 12. romanzo storico 13. schermo 14. ritratto

7 Grammatica. Completate il testo con i pronomi (combinati, interrogativi, relativi, indefiniti, *ci*, *ne*).

Oggi è la Giornata Mondiale per l'Ambiente, un appuntamento importante al quale ....(1) di noi dovrebbe mancare. Questa Giornata, ...(2) si celebra dal 1972 ogni anno il 5 giugno, è uno dei principali strumenti attraverso ....(3) l'ONU sensibilizza l'opinione pubblica sulla questione ambientale. ....(4) sarebbe il mondo se tutti facessimo qualcosa nel nostro piccolo? Io ....(5) chiedo spesso e la risposta che mi do è "sicuramente migliore", ...(6) sono convinta. "Cambiamo le nostre abitudini!" è lo slogan ....(7) hanno scelto quest'anno: credete che dei semplici gesti quotidiani possano aiutarci a costruire un mondo più pulito? Io ....(8) credo! Fatelo anche voi, cominciate a cambiare subito le vostre abitudini e vedrete... non ....(9) pentirete! Ricordate, allora: ....(10) può dare il proprio contributo. ....(11) potete fare? Se avete bisogno di consigli ecologici, eccone ....(12): chiudete l'acqua quando vi insaponate, usate lampadine a basso consumo, fate la raccolta differenziata, usate i mezzi pubblici, spegnete la spia "stand-by" del televisore ecc.

8 Comunicazione. Cosa direste in queste situazioni? Rispondete per iscritto e/o oralmente.

1. Ti sei comportato male con uno dei tuoi migliori amici. Cosa gli dici per rimediare?

....

....

....

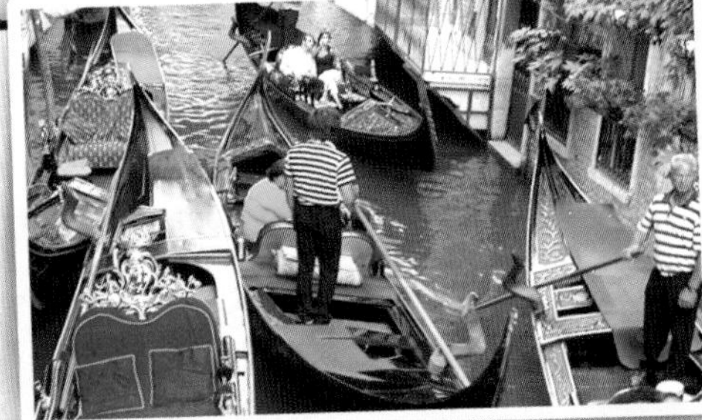

2. Tu e il tuo/la tua fidanzato/a andrete a Venezia per una settimana. Chiama l'albergo per prenotare una camera.

....

....

....

3. Ti sei laureato prima di tutti i tuoi amici. Spiegagli come hai fatto e che in fondo per te non è stato tanto difficile.

....

....

....

4. Sei in treno e la persona seduta accanto a te ti chiede se può aprire il finestrino. Cosa rispondi?

....

....

....

Verificate le vostre risposte a pagina 185 e... benvenuti in *Nuovo Progetto italiano 3*!

Esami

Per cominciare...

1 Lavorate in coppia. Associate quanti più termini potete alle due parole chiave presenti negli schemi e confrontate le vostre liste con quelle dei compagni.

2 Qual è o era il vostro rapporto con gli esami a scuola o all'università? Parlatene.

3 Secondo voi, nel testo dell'attività successiva, di che cosa parla lo psicologo? Formulate delle ipotesi.

A Comprensione del testo

1 Leggete il testo e indicate le affermazioni corrette tra quelle proposte.

Esami: la parola allo psicologo

Arrivano gli esami, ed insieme agli esami, la paura, che a volte rischia di mandare all'aria tutto. Come combatterla? Questi i consigli agli studenti di Tiziano De Luca, docente di psicologia dello sviluppo all'Università La Sapienza di Roma.

"Lo strumento migliore per combattere la paura è sentirsi preparati. Naturalmente, aver studiato in precedenza è importante, ma è molto importante anche aver fatto un buon ripasso, il che sembra una cosa banale ma non lo è. Perché bisogna fare dei sommari, mettere in evidenza i temi più rilevanti, magari suddividendo un argomento in sottounità, perché questo aiuta molto la memorizzazione. Leggere e rileggere in modo lento, passivo è una gran perdita di tempo, mentre il ripasso è una cosa attiva. I ragazzi dovrebbero chiedere agli insegnanti di essere aiutati in questo senso, aiutati ad organizzare il pensiero. E potrebbero aiutarsi tra di loro, ripetendo in coppia le materie e interrogandosi a vicenda. Questo insieme di conoscenze e di capacità di controllarle dovrebbe ridurre la paura. E poiché la paura nasce dall' ignoto è molto utile avere un'idea precisa di come si svolgerà l'esame, aver fatto delle 'prove generali'. Inoltre, è importante non fare una vita troppo sedentaria e prevedere qualche pausa e qualche distrazione. Il giorno prima dell'esame, poi, bisogna assolutamente staccare, non pensarci più per una mezza giornata almeno. E quando si arriva a scuola, se c'è qualche compagno particolarmente ansioso e agitato, meglio allontanarsi, perché si tratta di emozioni contagiose".

E se malgrado tutto questo, al momento dell'esame arriva l'attacco di panico?

"Bisognerebbe aver imparato qualche semplice esercizio di rilassamento. Ad esempio, già fare dei lunghi respiri è una cosa che tranquillizza, si riacquista un ritmo diverso, più calmo, e si può fare anche un momento prima di sostenere l'esame. Inoltre, imparare qualche 'mossa', diciamo così, di rilassamento muscolare indubbiamente serve. Ci si ferma un momento e si fa un esercizio, in modo da controllare l'ansia".

In linea di massima, meglio rilassati o meglio adrenalinici?

"Dipende dal temperamento individuale e dalla quantità di stress. Un po' di stress serve, perché ad esempio si è in grado di fare collegamenti più rapidi, ma se è eccessivo può bloccare. Ecco perché servirebbe aver già fatto un po' di prove".

Cosa devono fare le famiglie per aiutare i ragazzi, e cosa devono assolutamente evitare?

"Devono cercare di tranquillizzarli e non devono creare un clima competitivo, sostenendo nello studio, ma evitando di drammatizzare l'evento. In genere la paura aumenta se si associa il fallimento all'esame ad una bocciatura su tutta la linea, una bocciatura della persona. Ma l'esame non è un giudizio sulla persona, è un giudizio sulla sua preparazione, quindi non va né sopravvalutato né sottovalutato, va interpretato con realismo".

tratto da *La Repubblica*

1. Secondo lo psicologo, il rimedio migliore contro la paura degli esami è
a) aver studiato molto durante tutto l'anno
b) studiare molto negli ultimi giorni
c) fare un ripasso sistematico e attivo
d) memorizzare le informazioni più importanti

2. È molto importante
a) non pensare troppo agli esami
b) non pensare affatto agli esami
c) pensare solo agli esami
d) non essere distratti

3. Se durante l'esame ci si sente molto stressati
a) meglio ripetere l'esame un altro giorno
b) bisogna chiedere aiuto all'esaminatore
c) aiuta conoscere qualche tecnica anti-stress
d) bisogna pensare a cose positive

4. In genere lo stress
a) è positivo solo se moderato
b) aiuta chi pensa in modo veloce
c) aiuta anche quando è eccessivo
d) serve sempre

5. I genitori
a) devono spiegare quanto sono importanti gli esami
b) devono ignorare l'importanza degli esami
c) non devono occuparsi affatto dello studio
d) non devono trasmettere la loro ansia

2 **Date al testo un titolo alternativo. Quale dei titoli proposti dai compagni vi piace di più?**

B Riflettiamo sul testo

1 **Con l'aiuto di quanto appena letto nel testo sottolineate il significato delle espressioni in blu.**

...rischia di mandare all'aria tutto (2): a. rovinare, b. elevare, c. avere successo
...interrogandosi a vicenda (21-22): a. l'un l'altro, b. ogni tanto, c. se possibile
...bisogna assolutamente staccare (30): a. dividere, b. fare una pausa, c. concentrarsi
...in linea di massima (46): a. al massimo, b. in genere, c. soprattutto
...una bocciatura su tutta la linea (60-61): a. parziale, b. permanente, c. totale

2 **Cercate di costruire delle frasi usando le espressioni che seguono.**

in precedenza (9): ....
il che (10): ....

in coppia (21): ....

si tratta di (34): ....

in modo da (45): ....

C Lavoriamo sul lessico

 1 **Lavorate in coppia. Trovate la parola estranea in ogni gruppo.**

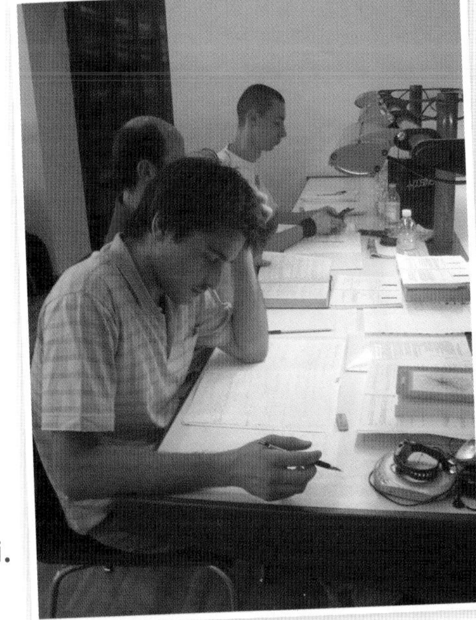

conferenza facoltà ateneo università

studente alunno allievo candidato

prova test provino esame

sostenere superare passare bocciare

docente preside maestro insegnante

stressato preparato ansioso agitato

2 **Completate le frasi con i derivati delle parole date tra parentesi.**

1. Il governo ha finalmente annunciato una ....*e* (ridurre) delle tasse!
2. Ogni volta che volevo parlarle provavo un ....*o* (bloccare) psicologico.
3. A questo punto vorrei fare una ....*e* (precisare).
4. È solo grazie al ....*o* (sostenere) dei suoi che ce l'ha fatta.
5. Il sindaco attuale ha annullato tutte le decisioni di quello ....*e* (precedere).

D Ascoltiamo

 1 **Ascolterete un'intervista ad una ragazza che parla del modo migliore di copiare durante gli esami di maturità. Quali pensate siano le strategie migliori?**

2 **Acoltate l'intervista e segnate con una X le affermazioni presenti.**

- [ ] 1. Il conduttore della trasmissione non è molto bravo con gli sms.
- [ ] 2. Gli studenti devono consegnare i cellulari prima dell'esame.
- [ ] 3. Gli sms inviati agli studenti sono molto brevi.
- [ ] 4. Non è possibile andare in bagno durante l'esame.
- [ ] 5. In Internet è possibile trovare le prove d'esame risolte.
- [ ] 6. Per copiare, gli studenti si affidano ad una persona fuori dalla classe.
- [ ] 7. Nelle scuole italiane ci sono postazioni Internet.
- [ ] 8. I professori sorvegliano molto attentamente durante gli esami.

E Lavoriamo sulla lingua

1 All'inizio dell'articolo di pagina 9 abbiamo visto l'espressione 'mandare all'aria'. Lavorando in coppia sostituite le parti in blu con le espressioni date a destra.

1. Povero Gianni! Se sapessi quante offese di sua suocera ha dovuto tollerare!
2. Mario era calmo, ma quella parola l'ha fatto arrabbiare.
3. Non ho mai offeso nessuno che non meritasse di essere offeso.
4. Era contrario a questo progetto e ha fatto di tutto per farlo fallire.
5. Rai 3 ha deciso di non trasmettere più film violenti prima di mezzanotte.

mandare:
in bestia
a rotoli
giù
in onda
a quel paese

2 Completate il testo scegliendo la parola giusta tra le quattro proposte.

Il massimo è 100, ma lei ha preso 104!

FIRENZE - In camera ha il poster della Fiorentina, e meno male. Perché sennò era troppo. "Ora si dirà che sono seria, che sono secchiona, lo so. Ho solo fatto il mio ....(1)". Il massimo era cento, a lei hanno dato centoquattro. A lei, Federica Nesti, diciannove anni, la supermatura d'Italia. Un esame di maturità ....(2), non l'avevano mai visto da queste parti. San Marcello Pistoiese, montagna toscana, sulla ....(3) per l'Abetone. Il presidente della commissione esaminatrice si è ....(4) scusato: "Signorina, dandole solo il massimo dei voti e l'applauso accademico, le ruberemmo ....(5). Lei merita di più".

E così, Federica, allieva ....(6) dell'istituto tecnico commerciale Igea di San Marcello, una scuola pubblica, se n'è tornata al paese con un 104. Possibile? Possibile: 99 era il punteggio ....(7) dalla ragazza (che partiva con un credito di venti punti) dopo lo scritto e l'orale, e cinque sono stati i voti di quel bonus che la commissione può assegnare ....(8) l'esame sia particolarmente brillante. Quello di Federica è finito con l'applauso del pubblico.

La tesina sull'Italia tra le due guerre, Pirandello, la prova di francese, un trionfo. Ci ....(9), Miss 104, a prendere il massimo dei voti. "Sono molto ....(10) con me stessa, ho sempre studiato con passione. Grande attenzione in classe, ...(11) distrazioni, molti appunti". Primo banco, ovviamente. Molte serate in casa, ovviamente. "Sì, quando gli altri uscivano, io restavo in camera a ....(12). Ci sarà tempo per gli amici". Niente fidanzato, naturalmente: "Non ho incontrato il tipo giusto".

1.	a. obbligo	b. dovere	c. compito	d. impegno
2.	a. tale	b. tanto	c. così	d. uguale
3.	a. strada	b. via	c. direzione	d. parte
4.	a. ovviamente	b. ormai	c. subito	d. quasi
5.	a. qualcosa	b. tutto	c. molto	d. poco
6.	a. modello	b. tipo	c. forte	d. simbolo
7.	a. conquistato	b. conseguito	c. preso	d. guadagnato
8.	a. quando	b. nonostante	c. se	d. qualora
9.	a. pensava	b. intendeva	c. teneva	d. voleva
10.	a. cattiva	b. esigente	c. buona	d. tollerante
11.	a. niente	b. nulla	c. troppe	d. qualche
12.	a. leggere	b. passare	c. ripassare	d. riposarmi

tratto da *La Stampa*

F Riflettiamo sulla grammatica

1 Nel testo "Esami: la parola allo psicologo" abbiamo incontrato le frasi che seguono.

a. Lo strumento migliore per combattere la paura è sentirsi preparati.
b. Leggere in modo lento, passivo è una gran perdita di tempo.
c. ...aver studiato in precedenza è importante.
d. ...è utile aver fatto delle 'prove generali'.

Come si forma l'infinito passato e in cosa si differenzia da quello presente?  1 - 2

2 Protagonista del primo articolo è uno psicologo. Qual è il plurare della parola *psicologo*? Sapreste indicare il singolare o il plurale delle parole seguenti?

psicologi	classici ....
cardiologi	simpatico ....
alberghi	cataloghi ....
parchi	dialogo ....

Riuscite a formulare una regola? Attenzione, ce n'è più di una!
Consultate l'appendice grammaticale nel *Quaderno degli esercizi.* 3 - 4

G Parliamo e scriviamo

1 Quali sono o erano le vostre materie preferite a scuola? Potete spiegare perché?
2 Voi avete/avevate qualche strategia o dei trucchi per studiare e prepararvi agli esami? Scambiatevi delle idee.
3 Generalmente, che cosa pensate della scuola e dell'università? Il sistema favorisce l'apprendimento? La personalità degli studenti viene rispettata? Portate degli esempi a sostegno delle vostre idee.

4 Rispondete in 160-180 parole alla seguente lettera che leggete su una rivista italiana: "Caro direttore, la mia vita non ha senso. È tutta casa-scuola, scuola-casa. Non è che non posso uscire. È che ne ho perso la voglia. Penso solo a questi maledetti esami che si avvicinano, proprio come un meteorite disastroso. Spesso non riesco nemmeno a dormire. Secondo Lei, ne vale la pena? La prego di darmi un consiglio."

H Riflessioni linguistiche

Sapete cosa vuol dire *marinare la scuola*? Disertare, non andare a scuola per uno o più giorni. Marinare letteralmente significa mettere un cibo nell'aceto per conservarlo. Quindi, nello stesso modo, si "conserva" la scuola, si mette da parte per il futuro. Si dice anche *salare la scuola*, *bigiare la scuola* o *fare forca a scuola*.

2 Animali domestici

Per cominciare...

1 Lavorate in coppia. Leggete i titoli di alcuni articoli sugli animali domestici ed esprimete il vostro parere compilando la tabella a destra.

a **Chi l'ha visto?**
Un sito per i cani perduti.

b **DogCatRadio per piccoli animali**
Così si sentiranno meno soli

c **Fido, sorpasso in famiglia**
Più cani e gatti che bambini

d **Cane e padrone si ammalano e muoiono lo stesso giorno**

e **Mette il cane al volante e si schianta contro un albero**

f **Eredità di 12 milioni di euro al gattino**

Qual è la notizia più...
strana? ....
incredibile? ....
buffa? ....

2 Cosa pensate delle diverse maniere in cui la gente manifesta il proprio amore per gli animali domestici? Chi di voi ama molto gli animali? Come esprimete questo amore?

3 Commentate le notizia b. Secondo voi, può veramente funzionare una radio per animali?

A Lavoriamo sulla lingua

1 Completate il testo con le forme giuste dei verbi tra parentesi.

DogCatRadio per piccoli animali
L'inventore: "Così si sentiranno meno soli"

È stata la sua gatta, Snickers, a chiederglielo. Un giorno come un altro, (*1. mettersi*) __________ a miagolare scontenta, (*2. rotolarsi*) __________ sul pavimento. "Cos'è che vuoi" le (*3. chiedere*) __________ Adrian Martinez, "Vuoi ascoltare un po' di musica?". Ed effettivamente, quando (*4. partire*) __________ la canzone *It's now or never* di Elvis Presley, Snickers ha mostrato di gradire, (*5. rallegrarsi*) __________. È così che a mister Martinez (*6. venire*) __________ l'idea. Ed (*7. nascere*) __________ DogCatRadio.com, una radio online dedicata agli animali domestici. Obiettivo: far sì che cani, gatti, criceti e pappagallini (*8. potere*) __________ sentirsi meno soli quando i loro proprietari (*9. essere*) __________ via.
Il successo, neanche a dirlo, (*10. essere*) __________ travolgente. Soprattutto in un Paese, come gli Stati Uniti, in cui l'anno scorso i proprietari di animali domestici (*11. spendere*) __________ circa quaranta miliardi di dollari per i loro piccoli amici! Ma visto che parliamo di internet, DogCatRadio (*12. pescare*) __________ pubblico in tutto il mondo. "Ci (*13. piacere*) __________ molto quel che fate, ma non (*14. dimenticarsi*) __________ dei cavalli", scrive un ascoltatore dall'Australia.

Certo, finora l'attenzione di Martinez - che (*15. possedere*) ____________ sei cani e due gatti - (*16. concentrarsi*) ____________ sui pets più diffusi. Ai quali (*17. riservare*) ____________ una playlist "ragionata", che comprende brani nei quali compare la parola "cat" o "dog", tipo *Who let the dogs out*.
Il successo, si diceva, non (*18. farsi*) ____________ attendere. "Abbiamo totalizzato 130 mila ascoltatori in un giorno - spiega Martinez - e il server (*19. crollare*) ____________." Grazie anche alla *Cbs*, che alla radio ha dedicato un ampio servizio, (*20. farle*) ____________ una pubblicità non indifferente.

tratto da *la Repubblica*

B Ascoltiamo

1 **Portereste con voi in vacanza il vostro animale domestico? Che cosa comporta organizzare le vacanze tenendo conto anche di un animale?**

CD1

2 **Ascoltate e segnate la risposta giusta tra quelle proposte.**

1. Il cliente telefona all'Hotel Fenix
a) per chiedere informazioni sul suo cane
b) perché è l'unico albergo di Roma che accetta i cani
c) perché è un albergo in cui i cani sono ammessi
d) per prenotare una camera per il suo cane

2. I servizi dell'hotel prevedono, tra le altre cose
a) una cuccia e un'area solo per cani nel parco
b) un piccolo letto per il cane e un parco
c) una brandina per il cane e la ciotola
d) un lettino e un piccolo bagno per il cane

3. Il cliente ha un
a) grande cane maremmano che si chiama Neve
b) grande cane lupo che si chiama Neve
c) cane di media taglia che si chiama Leve
d) grande cane nero che si chiama Neve

4. L'Hotel Fenix si trova
a) in Via Veneto
b) al quartiere Parioli
c) a pochi minuti dal centro
d) a Trieste

3 **Qual è il significato delle espressioni in blu?**

1. Durante la conversazione il cliente dice: "Ogni taglia? No, perché il nostro cane è proprio grosso..." e più avanti: "No, perché io non conosco bene Roma e venendoci con il cane...". Secondo voi dice così per: a. esprimere disaccordo con quanto ha ascoltato, b. continuare il discorso e spiegare qualcosa.

2. La ragazza alla reception dice: "Guardi, Roma negli ultimi tempi è diventata sempre più una città 'pet friendly'..." perché: a. vuole fare vedere qualcosa di importante, b. vuole richiamare l'attenzione del suo interlocutore su quanto sta per dire.

C Lavoriamo sul lessico

1 **Lavorate in coppia. Scrivete i nomi di questi animali.**

2 **Completate le frasi con i nomi di alcuni degli animali visti nell'attività precedente.**

1. Coraggioso, chi, Dario?! Lui è vigliacco come un ....
2. Non ha combinato un bel niente nella vita; è la .... nera della famiglia.
3. Ricorda ogni minimo particolare; ha una memoria da ....
4. Anche se avevo studiato, ho fatto di nuovo la figura dell'............................ .
5. Il vecchio imprenditore era furbo come una ....: era impossibile fregarlo.

3 **L'uomo si è spesso ispirato agli animali per creare dei proverbi. Ne conoscete qualcuno? *Chi dorme... Una rondine...* Vedetene alcuni nel *Quaderno degli esercizi*.**

1

D Comprensione del testo

1 **Leggete i titoli degli articoli della pagina successiva: secondo voi, a quale dei due testi si potrebbero riferire le seguenti informazioni?**

	A	B
1. La padrona portava spesso con sé l'animale.		
2. La donna trattava il suo animale veramente bene.		
3. A molte persone non è piaciuto il suo gesto.		
4. Il povero animale non ha nessuna colpa.		
5. La donna pagherà cari i suoi errori.		
6. Padrona e animale saranno insieme per sempre.		
7. Ora il quadrupede avrà un nuovo padrone.		
8. La donna ha sopravvalutato le capacità del suo animale.		

2 Leggete i due articoli e confermate le vostre ipotesi.

A CORRIERE DELLA SERA ■ DOMENICA 11 FEBBRAIO 2007 | 19

Eredità di 8 milioni di euro al gattino

Ricchissima milionaria lo preferisce ai nipoti

LIVORNO - Si chiama Fifì, è una piccola siamese un po' viziata, e ora è pure milionaria. A lasciarle un'eredità di 8 milioni di euro è stata la sua "padroncina". La ricchissima Amelia Cannepari, morta il 20 agosto all'età di 87 anni, nel suo testamento l'ha infatti preferita persino ai cari nipoti.
Si può immaginare la sorpresa di parenti e amici, al momento dell'apertura dell'anomalo testamento. Alla siamese è andata la più cospicua singola quota del patrimonio di oltre 32 milioni di euro. A due nipoti sono andati "solo" due milioni di euro ciascuno. Ma la cifra però potrà essere incassata solo se andranno, almeno una volta l'anno, in visita alla tomba del padre. Al fedele autista, la misera somma di 100 mila euro.
Altri due nipoti, Carletto e Annalisa Cannepari, sono rimasti invece a bocca asciutta. Per loro nemmeno un euro. La spiegazione vergata dalla terribile signora è molto essenziale e recita: "Loro sanno perché".
La donna, soprannominata la "Regina del Male" per il modo in cui trattava i suoi dipendenti, ha indicato che dovrà essere suo fratello Stefano Veronesi a prendersi cura della piccola Fifì. Il gattino, quando terminerà la sua vita agiata, avrà anche la fortuna di venire sepolto accanto alla "generosa" vecchietta.
Il testamento ha, quindi, colto di sorpresa i parenti della donna. Per la verità il gesto era prevedibile, considerato che l'eccentrica signora livornese era solita inviare alla gattina cartoline dai luoghi di vacanza.

B 24 LA REPUBBLICA LUNEDÌ 13 OTTOBRE 2

Mette il cane al volante e si schianta

"È molto intelligente, voleva provare"

PECHINO - Quando si incrocia qualcuno che "guida da cani", di solito ci si arrabbia con lui. A volte, però, la colpa può essere di qualcun altro. E se al volante c'è davvero un cane e alla prima curva l'auto fa un frontale, a finire nei guai è il padrone.
L'incredibile vicenda si è svolta sabato scorso. La donna da tempo notava che il suo cane, a suo avviso molto intelligente, aveva preso l'abitudine di osservarla attentamente mentre guidava. Qualche volta, ha spiegato, le aveva perfino fatto capire che non gli sarebbe dispiaciuto giocare un po' con il volante. E così, per accontentare le presunte richieste dell'animale, la signora Li ha deciso di fargli provare l'emozione della guida.
Per rendergli meno difficile il debutto nell'inedito ruolo di autista, la donna si è seduta al posto del conducente e lo ha preso in braccio. Dopo aver spiegato al quadrupede la divisione dei compiti - a lei freno e acceleratore, a lui il volante - ha messo in moto. Peccato che il cagnolino, sicuramente molto dotato di intelletto ma decisamente non all'altezza del compito, non sia riuscito a controllare la vettura: alla prima curva la coppia è finita frontalmente contro un'auto che viaggiava nella corsia opposta.
Fortunatamente, nell'incidente non ci sono stati feriti. All'arrivo della polizia, la signora Li ha candidamente raccontato l'accaduto. Purtroppo per lei, la spiegazione non è piaciuta soprattutto all'assicurazione: ora dovrà risarcire di tasca sua tutti i danni causati.

tratti dal Corriere della sera e da la Repubblica

E Riflettiamo sulla grammatica

1 **Negli articoli letti abbiamo trovato dei diminutivi irregolari: *padroncina, cagnolino.* Sapreste completare lo schema che segue?**

nome	alterazione	nome	alterazione
vecchio/vecchia			porticina
	alberello	padrone/padrona	
cane			leoncino

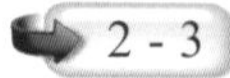

2 **Nei due testi presentati (pagina 14 e 17) ci sono due forme del congiuntivo rette da espressioni particolari: *far sì che* e *peccato che.* Ne conoscete altre?**

F Riflettiamo sul testo

1 **Lavorando in coppia, abbinate le espressioni in blu al loro corretto significato.**

1. ...sono rimasti a bocca asciutta (9)
2. ...qualcuno che guida da cani (19)
3. ...a finire nei guai è il padrone (21)
4. ...a suo avviso molto intelligente (22-23)
5. ...ha messo in moto (29)
6. ...non all'altezza del compito (30)
7. ...risarcire di tasca sua (35)

a. avere dei problemi
b. non abbastanza bravo
c. avviare la macchina
d. malissimo
e. a proprie spese
f. prendersi cura di qualcuno
g. senza niente
h. in gamba
i. secondo lei

2 **Completate le frasi con i derivati (verbo, sostantivo, aggettivo) delle parole date a fianco.**

1. La ragazzina è l'unica .... dell'immenso patrimonio. EREDITÀ
2. Grazie a quel negozio così centrale ha vissuto una vita .... AGIO
3. Paolo è il figlio minore e secondo me anche il più .... VIZIO
4. Ho fatto di tutto per .... Sara, ma ho anch'io i miei limiti! CONTENTO
5. Ha scambiato l'............................... con il freno e l'auto si è schiantata! ACCELERARE
6. Il .... amante era solo suo cugino, Dario! PRESUMERE

G Parliamo e scriviamo

1 Quanti di voi hanno o hanno avuto un animale? Quali sono le maggiori difficoltà che si incontrano nel convivere con un animale?

2 Situazione. Trovi per strada un gattino o un cagnolino abbandonato. Senza pensarci troppo lo porti subito a casa e chiedi ai tuoi familiari/genitori di tenerlo. Non è facile, ma devi convincerli.

3 Nella vostra città esistono decine di cani randagi e nessun ente se ne occupa. Scrivete una lettera al sindaco per informarlo di questa situazione e per protestare. *(160-180 parole)*

Autovalutazione

Cosa ricordate dell'unità 1?

Leggete le definizioni e risolvete il cruciverba.

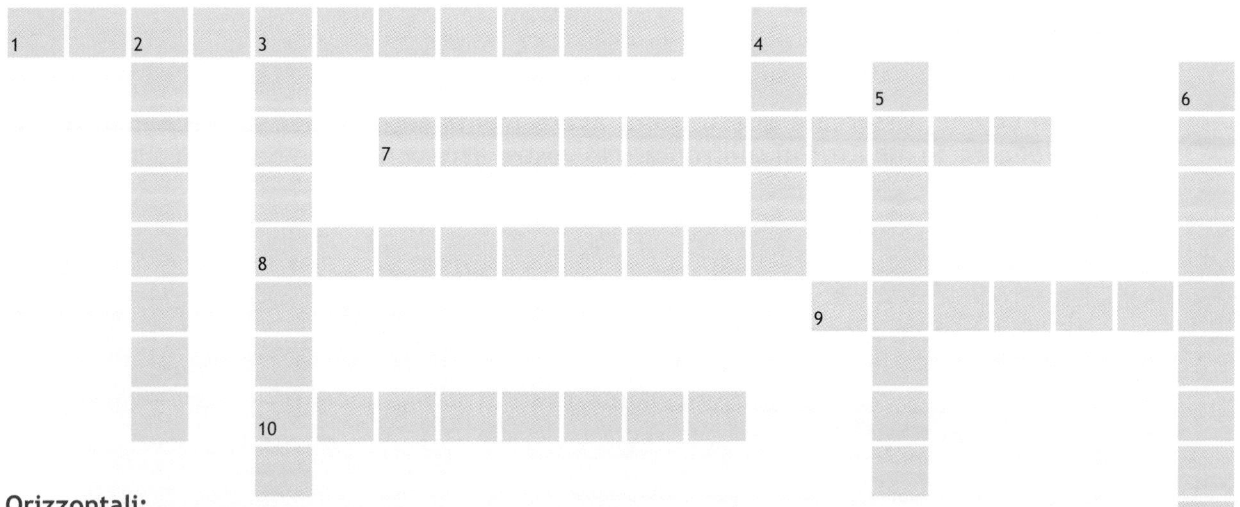

Orizzontali:
1. Svago, divertimento.
7. Si riunisce per esaminare i candidati.
8. Ragazza che pensa solo allo studio.
9. I commenti dei professori che accompagnano i voti.
10. Mandare all'aria.

Verticali:
2. Lasciare da parte un impegno e pensare ad altro.
3. Aiuta in vista di un esame.
4. La si prova prima di un esame.
5. Quelli che non passano alla classe successiva.
6. I dottori del "cuore".

Cosa ricordate dell'unità 2?

1. Completate le frasi con la parola appropriata.

1. Alla lettura del testamento/documento erano presenti tutti gli eventuali eredi dello zio, ma la maggior parte di loro se n'è tornata a casa a bocca asciutta/vuota.
2. Maria, parti tranquilla! Ci prenderemo cura/attenzione noi delle tue piante.
3. Dai, non fare il coniglio/pollo! In fondo ci butteremo con il bungee jumping da un ponte alto solo 50 metri!
4. L'impegno costante ha fatto sì/così che ricevesse nel giro di pochi mesi la promozione a caporeparto.

2. Completate gli spazi con le parole date. Attenzione: le parole sono di più!

cuccia sicurezza frontale nonostante siccome volante assicurazione vizio difetto ciotola

1. Devo dare da mangiare a Fox, passami la sua ...., per favore.
2. .... si sia trattato di un terribile incidente ...., nessuno è rimasto ferito in maniera grave.
3. C'è un detto "Donna al .... pericolo costante", ma in realtà le società di .... preferiscono le clienti femminili.
4. Veramente ti aspettavi che Giorgio avesse messo la testa a posto? Lo sai: "Il lupo perde il pelo, ma non il ....".

Verificate le vostre risposte a pagina 185.
Siete soddisfatti?

La Costa Smeralda, Sardegna

3 Spendaccioni

Per cominciare...

1 Lavorate in coppia. Osservate queste foto: avete trenta secondi per scrivere quante più parole vi vengono in mente. Poi confrontate le vostre liste con quelle dei compagni.

....

2 Vi capita mai di sentire il "bisogno irrefrenabile" di fare spese? Scambiatevi idee.

A Comprensione del testo

1 In base al titolo, secondo voi, di cosa tratta il testo della pagina che segue?

2 Leggete il testo per verificare le vostre ipotesi e indicate le informazioni veramente presenti.

1. C'è chi compra cose di cui non ha assolutamente bisogno. ☐
2. Chi compra senza limiti, spesso si sente male. ☐
3. Tale fenomeno si manifesta in tutti i paesi occidentali. ☐
4. Ormai si sa che si tratta di una malattia vera e propria. ☐
5. Il numero di persone che soffrono di questa malattia è in crescita. ☐
6. Esiste già una legge a sostegno dei malati di shopping. ☐
7. Molti "shopaholic" ricorrono a prestiti bancari. ☐
8. La malattia si paragona a una dipendenza molto forte. ☐

Spendaccioni? No, malati di shopping!

Siete davanti a una vetrina. Dietro la trasparente barriera, una maglietta, uno stereo, un paio di scarpe. Non importa cosa si stia offrendo in modo così impudico ai vostri occhi. Importa quell'attrazione irresistibile, irrimandabile, inaggirabile che avete dentro. Che vi fa entrare nel negozio, fatalmente. E comprare. Comprare quel che c'è da comprare, fuori da ogni necessità e logica. Comprare perché non potete fare altro. Perché è più forte di voi. Comprare finché qualcosa che assomiglia alla vergogna, al rimorso, all'ubriacatura, vi spinge a uscire. A riveder le stelle dopo l'inferno che ancora una volta vi ha inghiottito. Che si è fatto gioco del vostro cattivo umore. O della vostra euforia. Per abbandonarvi, infine, poveri: lo dice il conto in banca. Lo dice, soprattutto, quel fastidio che sentite dentro. Assomiglia alla colpa, a qualcosa che subite e insieme agite, senza possibilità di scelta. Di cui è meglio non dire, che è bene celare: perché la vostra è una debolezza che vi fa star male. Quasi fosse una malattia.

Non "quasi": fate parte di quella schiera numerosa di persone che soffrono di "shopping compulsivo". A definirla ufficialmente come una patologia è l'American Psychiatric Association che l'ha inserita tra i cosiddetti "disordini ossessivi compulsivi". Dunque, dopo anni di studi e ricerche, confidenze tra amiche, sul lettino dell'analista, abbiamo la certezza che nella lunga e autorevole lista delle malattie moderne abbiamo anche questa: l'irresistibile impulso, l'ossessiva e compulsiva spinta a comprare.

A soffrirne un esercito che chiama alle armi sempre più persone. Secondo il professor Antonio Parini della Stanford University, vittima dello shopping compulsivo è l'8 per cento delle persone e la quasi totalità sono donne. Parini si dice convinto che la sindrome da shopping compulsivo può essere curata con un comune farmaco antidepressivo.

Lo shopping sfrenato è stato incluso tra i disordini ossessivi-compulsivi, spiega Parini, perché è una di quelle malattie che spingono le persone a fare quello che in realtà non vogliono. Come i cleptomani, i piromani, i giocatori. Sono, insomma, in balia di una forza che li supera, fuori controllo. Che spesso li riduce in soggetti schiavi, e soli: molti dei "shopaholic" (alcolisti dello shopping) sono arrivati a contrarre debiti che non riescono a pagare. A perdere lavoro, amici, famiglia. Come capita a molti alcolisti, o tossicodipendenti. I compratori compulsivi possono arrivare a provare esperienze emotive simili a quelle di chi fa uso di droghe. Si sentono euforici quando comprano o spendono. Ma esaurita questa attività, consumato l'effetto inebriante dello shopping, crollano. Per recuperare la felicità perduta, devono uscire di nuovo, e comprare. "Di solito", dice Jack Gorman, professore della Columbia University, "chi è affetto da shopping compulsivo riconosce che quello che compra non gli serve, ma allo stesso tempo non può farne a meno".

tratto da *la Repubblica*

3 **Riassumete brevemente il testo. Che cosa pensate degli "shopaholic"?**

B Riflettiamo sul testo

1 **Individuate nell'articolo frasi o parole che corrispondono a quelle date di seguito.**

vetro (1-5): ....
svegliarsi, riprendere coscienza (10-15): ....
ha sfruttato la debolezza (12-17): ....
come se fosse (20-25): ....
sostiene di essere sicuro (37-42): ....
sotto il controllo (46-51): ....

2 **Osservate le parole in blu: con quale sinonimo le sostituireste nell'articolo?**

...dietro la trasparente barriera... (1): a. diafana, b. onesta, c. comprensibile
...con un comune farmaco... (39): a. collettivo, b. normale, c. generale
...provare esperienze emotive... (52): a. osare, b. sentire, c. fare
...consumato l'effetto... (55): a. usato, b. esaurito, c. sprecato
...per recuperare la felicità... (57): a. riprendere, b. riutilizzare, c. riottenere

C Lavoriamo sul lessico

1 **Lavorate in coppia. Scrivete i sinonimi delle parole, aiutandovi con le lettere date.**

celare: *n*.........................	comprare: *a*.........................
tossicodipendente: *d*.........................	necessità: *b*.........................
farmaco: *m*.........................	certezza: *s*.........................

2 **Divisi a coppie, selezionate uno di questi oggetti e fate una lista di parole per descriverlo (colore, materiale, tessuto, forma ecc.). Se necessario, usate un dizionario. In seguito descrivete l'oggetto scelto ai vostri compagni: se capiscono di quale si tratta allora avete fatto un buon lavoro. Esempio: è blu, di metallo, quadrato (triangolare, rettangolare ecc.), leggero, a righe, costa circa 20 euro.**

D Riflettiamo sulla grammatica

In coppia osservate le frasi tratte dal testo e riflettete: con quali pronomi concorda il participio passato e con quali no?

"...l'inferno che ancora una volta vi ha inghiottito..." (12-13)
"...l'American Psychiatric Association l'ha inserita..." (25-26)

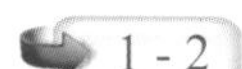

1 - 2

E Ascoltiamo

1 **Nel brano che ascolterete si parla di italiani "indebitati". Per cosa credete si indebitino gli italiani? Vi è mai capitato di contrarre un grosso debito? Per cosa chiedereste un prestito?**

CD1 4

2 **Ora ascoltate il brano e completate le frasi (massimo 4 parole).**

1. Noi abbiamo fatto .... 50 tra promotori finanziari e responsabili del credito al consumo.
2. Ma la domanda è: ci si indebita pur di andare in .... o ci si indebita per...
3. Ma è vero anche che non si parla più di debito ma di ".."?
4. Il fatto adesso .... non è più visto in maniera come un debito.
5. Sì, infatti il target di chi si indebita sono... sicuramente sono benestanti, sono persone ...., anche.
6. Generalmente sono più ....

F Parliamo e scriviamo

1 Oggi, almeno nel mondo occidentale, consumiamo di più rispetto al passato. Riflettete tutti insieme: quali delle cose che oggi possiamo comprare non avevano i nostri genitori o nonni?

2 Uno dei motivi per cui consumiamo anche più del necessario è la pubblicità. Siete d'accordo? Voi ne siete molto influenzati o sapete "proteggervi"?

Role-play

3 Situazione. Ultimamente non state molto bene dal punto di vista psicologico e ne parlate con un'amica. Uno dei suoi consigli è di dedicare un'intera giornata allo shopping, idea che non vi trova per niente d'accordo.

4 Fate un riassunto *(120-140 parole)* del testo "Spendaccioni? No, malati di shopping!" seguendo queste indicazioni: comprare senza motivo / malattia / conseguenze dello shopping sfrenato.

G Lavoriamo sulla lingua

Completate il seguente testo scegliendo una delle parole proposte.

Shoppingmania: 4.000 euro spesi in autogrill

FROSINONE - Spese pazze. In tutti i sensi. Sono quelle ....(**1**) da una giovane avvocatessa che ha ....(**2**) tutta la notte nell'area di servizio «La Macchia» ad Anagni, sull'autostrada Roma-Napoli, spendendo 4.000 euro in preda ad un particolare tipo di ....(**3**) depressiva, meglio conosciuta come ....(**4**) da shopping o acquisto compulsivo.

SHOPPING SFRENATO - La professionista ha cominciato a fare spese ....(**5**) all'interno dell'esercizio commerciale. All'inizio ha utilizzato i ....(**6**), forse per non lasciare tracce, ma, una volta finiti i soldi liquidi, è passata alla carta di ....(**7**). Alla fine ha acquistato oltre quattromila euro tra cd, dvd, libri, salumi e cioccolate varie. A ....(**8**) la corsa alla spesa della libera professionista sono stati gli agenti della Polstrada ....(**9**) dai dipendenti dell'area di servizio, ...(**10**) della furia maniacale con cui la donna stava ....(**11**) agli acquisti. Accompagnata all'ospedale, ha atteso l'arrivo dei genitori che hanno ....(**12**) che la figlia «soffre di turbe maniacali e quando ha le crisi dà fondo a tutti i suoi averi»

tratto da *Il Messaggero*

1. a) realizzate, b) compiute, c) concluse, d) inventate
2. a) vissuto, b) sfruttato, c) percorso, d) trascorso
3. a) situazione, b) crisi, c) urgenza, d) emergenza
4. a) sindrome, b) sintomo, c) malattia, d) affezione
5. a) paranoiche, b) imprudenti, c) folli, d) affrettate
6. a) soldi, b) liquidi, c) contanti, d) denari
7. a) credito, b) plastica, c) identità, d) assegni
8. a) fermare, b) smettere, c) finire, d) sospendere
9. a) informati, b) annunciati, c) notificati, d) avvisati
10. a) perplessi, b) preoccupati, c) stanchi, d) stufi
11. a) continuando, b) procedendo, c) facendo, d) pensando
12. a) informato, b) rifiutato, c) verificato, d) confermato

- La tua mamma deve essere appena tornata: il suo borsellino è ancora caldo...

H Riflettiamo sulla grammatica

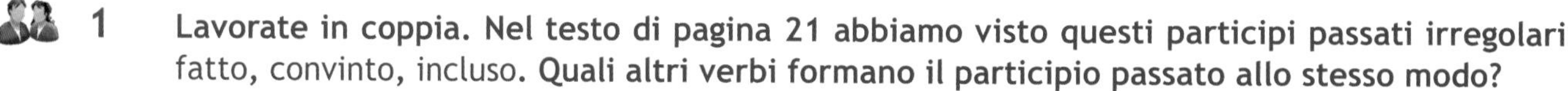

1 **Lavorate in coppia. Nel testo di pagina 21 abbiamo visto questi participi passati irregolari:** fatto, convinto, incluso. **Quali altri verbi formano il participio passato allo stesso modo?**

2 **Nell'articolo di questa pagina, invece, abbiamo visto: "...una volta finiti i soldi..." e "Accompagnata all'ospedale, ha atteso...". Che valore hanno questi due participi? Come riformulereste le frasi se cominciassero con "Dopo che..."?**

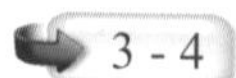

3 - 4

I Riflessioni linguistiche

Quando qualcuno rimane senza soldi diciamo che è *al verde*. Questo modo di dire è nato probabilmente nel Medioevo, quando le candele che si accendevano nelle chiese avevano la base colorata di verde. Quando la candela si consumava del tutto, rimaneva solo la base verde. Di qui il modo di dire "rimanere al verde", utilizzato anche per chi resta senza soldi.

No alla tv!

Per cominciare...

1 **Di seguito vi diamo i titoli di quattro articoli relativi alla televisione, separati dai loro sottotitoli. In coppia, cercate di abbinarli.**

a. **Bambini: male a scuola se vedono troppa tv.**

b. ***La tv non piace agli italiani.***

c. **Tv, una parolaccia ogni 21 minuti.**

d. **Bambini e televisione, 30mila spot all'anno.**

1. Le cifre del bombardamento su Mediaset e Rai, in testa snack e dolci.
2. La tendenza non è emersa con i computer collegati a internet.
3. "Sempre uguale, troppo trash."
4. Al primo posto i programmi di attualità e quelli sportivi.

2 **Quale di questi titoli vi colpisce di più? Quale riflette gli aspetti più negativi della tv?**

A Lavoriamo sulla lingua

1 **Completate il testo con le forme giuste dei verbi tra parentesi.**

Forse la vostra vita è un fantastico insieme di attività, amicizie, cene, palestra e divertimento. La mia no. E (1. *staccare*) .... la spina dopo una giornata di lavoro, sprofondati nel divano, a guardare la TV, dà gusto. (2. *pensarci*) .... bene. Oltre al piacevolissimo effetto anestetizzante dei suoi raggi, la TV (3. *avere*) .... un sacco di altri effetti positivi. Come (4. *andare*) .... avanti la conversazione, in coda all'ufficio postale, se non si (5. *potere*) .... parlare di chi (6. *essere*) .... ospite della trasmissione della sera prima! E come (7. *potere*) .... gli studenti far perdere tempo ai prof se non (8. *potere*) .... amabilmente chiacchierare dell'ultima puntata del telefilm del momento? E i vicini di casa o i conoscenti? Che (9. *dire*) .... una volta esauriti gli "a casa tutto bene?" e il tempo che fa? Parlare di TV è fantastico: non (10. *essere*) .... noi responsabili della qualità infima dei programmi, quindi nessuno (11. *farsi*) .... male o si offende durante le conversazioni. I grandi eventi TV (12. *affratellare*) .... tutti: *Sanremo*, *Miss Italia*, la nazionale di calcio, impossibile (13. *sfuggire*) .... a un commento o a una presa di posizione. Tutti ne (14. *parlare*) ...., perché noi (15. *dovere*) .... stare zitti?

La TV (16. *avere*) .... anche profondi effetti curativi sulla nostra autostima. Ci (17. *fare*) .... sentire meglio, perché chiunque di noi (18. *potere*) .... sfondare in TV. (19. *Bastare*) .... vedere l'affollamento di mezze calzette che c'è. Qualunque ragazzina seminuda può fare la velina e diventare un personaggio da rotocalco. Qualunque ex parrucchiere può diventare conduttore di un programma pomeridiano. Tutti noi viviamo TV. Respiriamo TV. Per questo, io (20. *avercela*) ....

da *La Settimana Enigmistica*

2 Riassumete brevemente il parere dell'autore del testo. Lo condividete?

B Riflettiamo sulla grammatica

Nel testo appena letto abbiamo trovato parole come meglio e infima. Sapreste dire da quale aggettivo o da quale avverbio derivano? Provate a fare lo stesso con: superiore - pessimo - migliore - massimo.

....

1 - 2

C Ascoltiamo

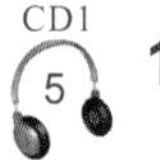

CD1 5

1 **Ascoltate una breve intervista fatta durante la presentazione di un libro e scegliete la risposta corretta.**

1. Il libro presentato è
a) una ricerca storica sui mass media
b) un saggio di sociologia
c) un libro sul rapporto tra politica e media
d) un libro sul rapporto tra media e nuove tecnologie

2. La tesi centrale del libro è che
a) i media cambieranno la tecnologia
b) la tecnologia influenza il modo di fare informazione
c) i contenuti non sono condizionati dal come si fa informazione
d) esistono più consumatori che produttori di comunicazione

3. Secondo l'autore del libro
a) il mondo dell'informazione subisce grandi cambiamenti
b) chi dà informazioni deve stare sempre più attento
c) la televisione sarà sempre meno credibile
d) è sempre netta la distinzione tra consumatore e produttore

4. La gente comune, secondo l'autore del libro
a) è sempre più protagonista del processo d'informazione
b) ha in mano strumenti tecnologicamente molto avanzati
c) si appassiona solo a fenomeni catastrofici
d) usa sempre di più i video-telefonini

2 **Nel corso dell'intervista si usa l'espressione "fare i conti" con qualcosa. Significa:**
a. calcolare qualcosa
b. tenere in considerazione
c. misurare

3 **L'intervistato dice che "l'utente passivo sta entrando in ballo". Intende dire che:**
a. sta ballando
b. si sta divertendo
c. sta per essere coinvolto in qualcosa

D Comprensione del testo

1 Commentate questa vignetta.

- Come sarebbe a dire, Fabrizio, di portare la cena?! Questo è il telegiornale del mattino!

2 Chi di voi è teledipendente? Chi di voi non ama guardare molto la tv e perché?

3 Leggete queste due e-mail. Quale esprime idee più estreme, secondo voi?

A

Ho letto con vivo interesse della vostra associazione. È da tempo che mi chiedevo se non ci fosse l'esigenza di contrapporsi a questo dominio culturale del mezzo televisivo; ma ho sempre pensato pessimisticamente che la tv è uno strumento troppo potente per chi gestisce il potere economico e politico, e per poter minimamente cambiare il ruolo che essa ha assunto occorre una vera e propria mobilitazione delle coscienze. Così mi ha fatto senz'altro piacere leggere della vostra iniziativa. Ora, dato che pur non essendo un teledipendente, la tv la guardo anch'io, più che sconsigliare drasticamente l'uso del mezzo, proporrei un uso intelligente. Secondo me, è quasi impossibile evitare di vedere la televisione; semmai è importante il cosa si vede. Attualmente la tv è un mezzo di manipolazione della coscienza collettiva, di creazione di tendenze, miti, valori che ovviamente serve per renderci docili, obbedienti, fidati animali da consumo. Tuttavia, nel marasma di spot pubblicitari, film di nessun valore, valanghe di parole e di varietà, qualcosa da salvare c'è. Occorre quindi selezionare, e cercare di indirizzare l'utente verso i programmi giusti. Ora, mi accorgo che questo è un problema legato ai gusti e alle idee di ciascuno; ognuno ha i propri "programmi giusti". Tuttavia un'area di accordo penso che si possa facilmente trovare.

tratti da www.rcvr.org

B

Vi sto scrivendo per avere ulteriori informazioni e per associarmi dal momento che sono convinto dell' "assurdità" del mezzo televisivo e dell'abuso che ne fanno tutti, ma soprattutto i giovani e i giovanissimi. Non vedo la televisione mai. A casa mia non l'abbiamo. Con mia moglie siamo perfettamente d'accordo sull'inutilità più assoluta del mezzo per non parlare della sua nocività fisica e psichica. Abbiamo anche una bambina che naturalmente non vede quasi mai la tv; con lei giochiamo e parliamo molto, siamo soddisfatti, nessun senso di colpa se non abbiamo visto il telegiornale o il documentario sull'animale "esotico", per non parlare delle buffonate ingannapopolo dei vari spettacoli di varietà. Insomma, si dovrebbe puntare, secondo me, sulla mentalità della gente che si chiude sempre di più in casa dinanzi all'apparecchio televisivo e non si accorge che sta diventando schiava. La gente deve allontanarsi dalla tv perché la tv è un mezzo volgare, kitsch, in mano al potere e alla pubblicità. In poche parole, deve rendersi conto che è un'invenzione inutile, un'invenzione che addormenta! Perché non andare al cinema, o leggere, o chiacchierare, o passeggiare, o giocare con i figli, o semplicemente oziare come si faceva un tempo (soltanto qualche decennio fa)? Tutti davanti alla partita o all'incontro storico tra i leader... non si creano forse così i fanatismi di ogni tipo?

4 **Indicate a quale dei due testi si riferiscono le seguenti informazioni.**

A	B	
		1. La televisione è anche pericolosa.
		2. Chi scrive non è tanto d'accordo con l'idea di abolire del tutto la tv.
		3. Bene o male non si può non guardare la televisione.
		4. Purtroppo la televisione ha sostituito molti dei passatempi del passato.
		5. Secondo la persona che scrive, la televisione non serve a niente.
		6. La maggior parte dei programmi è scadente.
		7. Non perdiamo niente se non guardiamo la televisione, anzi...
		8. La persona che scrive ammette di guardare la televisione.
		9. Non è facile opporsi alla potenza della televisione.
		10. Chi scrive preferisce fare altro piuttosto che guardare la tv.

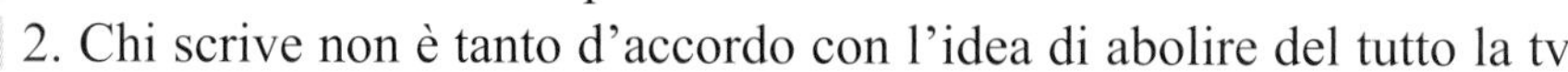

5 **Date un titolo alle due e-mail e poi confrontate i vostri titoli con quelli dei compagni.**

E Riflettiamo sul testo

1 **A quali parole o frasi dei testi corrispondono quelle date sotto?**

ciò nonostante (12-14): ....
cattivo, pessimo (13-15): ....
mi rendo conto che (14-16): ....
non ci pentiamo affatto (22-25): ....
nel passato (29-32): ....

2 **Lavorate in coppia. Scrivete nel vostro quaderno delle frasi utilizzando almeno quattro delle seguenti espressioni.**

senz'altro (6) dato che (7) pur non essendo (7) più che (8) semmai (9)
dal momento che (18) per non parlare (24) insomma (25)

F Riflettiamo sulla grammatica

Nel testo abbiamo visto la parola composta ingannapopolo **(25). In coppia, abbinate opportunamente le parole in blu a quelle in nero per costruirne delle nuove.**

televisione stazione cassa spettatore posare polvere aspirare forte capo cenere

3 - 4

G Lavoriamo sul lessico

1 **In coppia, cercate di dare una breve (*10-15 parole*) definizione delle seguenti trasmissioni.**

varietà telefilm documentario telenovela talk show telegiornale

2 **Completate opportunamente il testo con alcune delle parole date sotto.**

telecomando telespettatori zapping spot pubblicitario satellitare teledipendenti telenovele via satellite in onda varietà abbonamento puntata schermo televisione trasmissioni videoregistratore protagonisti televisore parabolica canali

I miei genitori sono dei veri ....(1): passano ore su ore davanti al ....(2), non perdono quasi niente. Cominciano con le stupide ....(3), quelle che vanno avanti per decenni, si trovano alla ....(4) n. 5.692 e ormai i ....(5) hanno 70 anni! Poi guardano altrettanto stupidi ....(6) in cui non si fa altro che cantare, ballare e gridare. Recentemente hanno fatto installare anche un'antenna ....(7), per ricevere anche ....(8) satellitari e a pagamento, pagando ovviamente l'........................(9) relativo. Come se ciò non bastasse, usano il ....(10) per quelle trasmissioni che vanno ....(11) mentre guardano altri programmi! Ma la parte più divertente è quando c'è la partita di calcio: allora mio padre nasconde il ....(12) e mia madre comincia le pulizie, proprio davanti al televisore!

H Parliamo e scriviamo

1 Quali sono i maggiori aspetti positivi della tv e quali quelli negativi? Discutetene in coppia e poi scambiatevi opinioni con i compagni.

2 Quali sono attualmente le vostre trasmissioni preferite e perché?

3 Tutti la criticano, pochi ci rinunciano: questa è la tanto amata-odiata televisione. Che, bene o male, fa parte della nostra quotidianità, della nostra cultura, che ci influenza in modo più o meno diretto e il cui avvento ha cambiato il mondo. Quali sono le caratteristiche di questo mezzo così potente e così ambiguo? Esprimete le vostre considerazioni in proposito. *(160-180 parole)*

4 Osservate le vignette e raccontate la storiella.

Autovalutazione

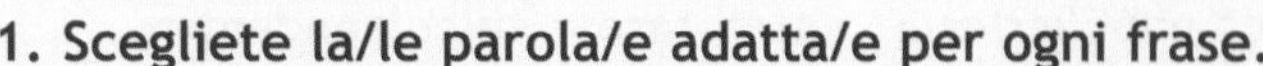

Cosa ricordate dell'unità 3?

1. Scegliete la/le parola/e adatta/e per ogni frase.

1. È assalito dal compianto/rimorso/rimpianto. Sa benissimo di averla ferita/ferito/ferite profondamente.
2. Per andare in vacanza ho dovuto chiedere un debito/credito/prestito in banca. Non abbiamo potuto proprio farne a poco/altro/meno.
3. Domani è il primo giorno dei saldi: comincerà la salita/corsa/gara all'acquisto!
4. Essendo finito/Finito/Finendo di pagare il mutuo, possiamo finalmente concenderci qualche sfizio e soddisfare qualche capriccio!

2. Completate gli spazi con le parole date. Attenzione: le parole sono di più!

mano piromane antidepressivi fondo sfondo inghiottito gioco siccome

1. Per fare i regali di Natale abbiamo dato .... a tutti i nostri risparmi.
2. Sono scoppiati due incendi in Sardegna, entrambi sembrano essere opera di un ....
3. Sto attraversando un periodo difficile e il dottore mi ha prescritto degli ....
4. Mario è sparito, è come se l'avesse .... la terra!

Cosa ricordate dell'unità 4?

Trovate, in orizzontale e in verticale, le 12 parole relative alla televisione (programmi, qualità).

S	R	O	T	I	D	E	E	V	P	A	R
T	E	L	E	G	I	O	R	N	A	L	E
R	V	O	L	G	A	R	E	A	S	A	T
U	E	G	E	Q	U	I	N	N	S	F	O
M	D	O	C	U	M	E	N	T	A	R	I
E	R	D	O	O	A	U	S	E	T	E	C
N	L	I	M	N	N	T	A	N	E	P	A
T	S	A	A	O	P	E	S	N	M	I	N
O	T	E	N	D	E	N	Z	A	P	U	A
S	C	A	D	E	N	T	E	M	O	M	L
C	R	U	O	R	B	E	L	U	I	P	E
O	C	O	N	D	U	T	T	O	R	E	C

Verificate le vostre risposte a pagina 185.
Siete soddisfatti?

S. Vitale, Ravenna, Emilia Romagna

Favole al telefono

Per cominciare...

1 Da piccoli qual era la vostra favola o storia preferita? Se non conoscete il titolo in italiano, potete raccontarla brevemente?

2 Lavorate in coppia. Le parole che seguono si incontrano spesso nelle favole. Secondo voi, quali sono le 5 usate più spesso? Siete d'accordo con le altre coppie?

castello re lupo fata principe principessa mago drago
cavallo tesoro gigante cacciatore regina leone nonna

3 Leggeremo una favola intitolata "La strada che non andava in nessun posto". In coppia, provate a mettere in ordine le illustrazioni (a - f) che seguono. Poi raccontate la vostra versione della favola.

a.

b.

c.

d.

e.

f.

A Comprensione del testo

1 Leggete il testo e verificate le vostre ipotesi.

La strada che non andava in nessun posto

All'uscita del paese si dividevano tre strade: una andava verso il mare, la seconda verso la città e la terza non andava in nessun posto. Martino lo sapeva perché l'aveva chiesto un po' a tutti, e da tutti aveva avuto la stessa risposta:
– Quella strada lì? Non va in nessun posto. È inutile camminarci.

– E fin dove arriva?

– Non arriva da nessuna parte.

– Ma allora perché l'hanno fatta?

– Non l'ha fatta nessuno, è sempre stata lì.

– Ma nessuno è mai andato a vedere?

– Sei una bella testa dura: se ti diciamo che non c'è niente da vedere...

– Non potete saperlo, se non ci siete mai stati.

Era così ostinato che cominciarono a chiamarlo Martino Testadura, ma lui non se la prendeva e continuava a pensare alla strada che non andava in nessun posto.

Quando fu abbastanza grande da attraversare la strada senza dare la mano al nonno, una mattina si alzò per tempo, uscì dal paese e senza esitare imboccò la strada misteriosa e andò avanti. A destra e a sinistra si allungava una siepe, ma ben presto cominciarono i boschi. I rami degli alberi si intrecciavano al di sopra della strada e formavano una galleria oscura e fresca, nella quale penetrava solo qua e là qualche raggio di sole.

Cammina e cammina, la galleria non finiva mai, la strada non finiva mai, a Martino dolevano i piedi, e già cominciava a pensare che avrebbe fatto bene a tornarsene indietro quando vide un cane.

Il cane gli corse incontro scodinzolando* e gli leccò le mani, poi si avviò lungo la strada e ad ogni passo si voltava per controllare se Martino lo seguiva ancora.

– Vengo, vengo, – diceva Martino incuriosito. Finalmente il bosco cominciò a diradarsi, in alto riapparve il cielo e la strada terminò sulla soglia di un grande cancello di ferro.

Attraverso le sbarre Martino vide un castello con tutte le porte e le finestre spalancate, e il fumo usciva da tutti i comignoli, e da un balcone una bellissima signora salutava con la mano e gridava allegramente.

– Avanti, avanti, Martino Testadura!

– Toh, – si rallegrò Martino, – io non sapevo che sarei arrivato, ma lei sì.

Spinse il cancello, attraversò il parco ed entrò nel salone del castello in tempo per fare l'inchino alla bella signora che scendeva dallo scalone. Era bella, e vestita anche meglio delle fate e delle principesse, e in più era proprio allegra a rideva:

– Allora non ci hai creduto.

– A che cosa?

– Alla storia della strada che non andava in nessun posto.

– Era troppo stupida. E secondo me ci sono più posti che strade.

– Certo, basta aver voglia di muoversi. Ora vieni, ti farò visitare il castello.

C'erano più di cento saloni, zeppi di tesori d'ogni genere, come quei castelli delle favole dove dormono le belle addormentate. C'erano diamanti, pietre preziose, oro, argento, e ogni momento la bella signora diceva: – Prendi, prendi quello che vuoi. Ti presterò un carretto per portare il peso.

* muovere la coda per la gioia

da *Favole al telefono*, di Gianni Rodari, Einaudi ed.

2 Leggete di nuovo e indicate le informazioni presenti.

1. Nessuno aveva mai seguito quella strada.
2. Martino ascoltava con diffidenza la storia della strada.
3. La strada era diventata un'ossessione per lui.
4. Un giorno decise di esplorare la strada da solo.
5. Era una strada molto larga.
6. Il cane che incontrò sapeva parlare.
7. Quando arrivarono al castello era ormai notte.
8. La donna che lo accolse sapeva che sarebbe arrivato.
9. Lo portò in giro per il castello.
10. La donna gli disse di portarsi dietro quanti più tesori possibile.

3 Secondo voi, come finisce la favola? Più avanti potrete verificare le vostre ipotesi.

B Riflettiamo sul testo

Lavorate in coppia. Abbinate le seguenti parole ed espressioni a quelle in blu del testo.

avvicinarsi a: ....
convinto di avere ragione: ....
far male: ....
incredibile: ....
arrabbiarsi: ....
davanti a: ....

C Riflettiamo sulla grammatica

1 La parola "Toh" che usa Martino alla riga 29 è un'interiezione. Scegliete una delle seguenti interiezioni e costruite una frase: mah!, uffa!, beh!

....

2 Nel testo abbiamo letto "ma lui non se la prendeva" e "avrebbe fatto bene a tornarsene indietro". Pensate a un altro verbo che contiene un pronome combinato e costruite una frase.

....

1 - 2

D Lavoriamo sul lessico

1 Completate le frasi con la parola opportuna (sostantivo, aggettivo), formandola da quella fornita.

1. CAMMINARE	Martino si riposò un po' e poi riprese il ....
2. STRADA	Siamo rimasti bloccati per un'ora per via di un incidente ....
3. MISTERO	Tutti la descrivevano come una donna ....
4. DOLERE	Ogni volta che ci penso sento un profondo ....
5. FAVOLA	Complimenti! I tuoi spaghetti al ragù sono ....!

2 Lavorate in coppia. Selezionate una delle seguenti parole e con un suo derivato costruite una frase come nell'attività 1. Leggetela poi ai vostri compagni.

esitare oscura sole inchino visitare

....

E Lavoriamo sulla lingua

Ecco il finale della storia. Prima date una lettura veloce al testo per vedere se avevate indovinato e poi completatelo con le parole mancanti. Usate una sola parola.

Figuratevi se Martino si fece pregare. Il carretto era ben pieno quando egli ripartì. A cassetta* sedeva il cane, ...(1) era un cane ammaestrato, e ....(2) reggere le briglie e abbaiare ai ....(3) quando sonnecchiavano e uscivano di strada.
In paese, ...(4) l'avevano già dato per morto, Martino Testadura ....(5) accolto con grande sorpresa. Il cane scaricò in piazza ....(6) i suoi tesori, dimenò due volte la coda ....(7) segno di saluto, rimontò a cassetta ....(8) via, in una nuvola di polvere. Martino ....(9) grandi regali a tutti, amici e nemici, e dovette ....(10) cento volte la sua avventura, e ogni ....(11) che finiva qualcuno correva a casa a ....(12) carretto e cavallo e si precipitava giù ....(13) la strada che non andava in nessun posto.
Ma quella ....(14) sera tornarono uno dopo l'altro, con la ....(15) lunga così per il dispetto: la strada, ...(16) loro, finiva in mezzo al bosco, contro ....(17) fitto muro d'alberi, in un mare di spine. ....(18) c'era più né cancello, né castello, né ....(19) signora. Perché certi tesori esistono soltanto per ....(20) batte per primo una strada nuova, e il primo era stato Martino Testadura.

* il sedile del carretto

F Parliamo e scriviamo

1 Ogni favola ha una morale, un insegnamento. Secondo voi, qual è la morale della favola che abbiamo letto? Condividete la scelta di Martino? Parlatene.
2 Siete mai stati delle "teste dure" anche voi? In quale situazione? Raccontate.

3 Scrivete la vostra versione della favola, continuando dalla riga 21 del primo testo *(120-160 parole)*. Cercate di dare una morale anche alla vostra.
4 Scrivete il riassunto di una favola famosa in 120-160 parole.

G Ascoltiamo

1 **Il brano che segue è un'intervista ad un libraio che ha fondato la prima libreria per ragazzi in Italia. Secondo voi, quali generi letterari piacciono ai bambini? E voi, che libri leggevate da piccoli?**

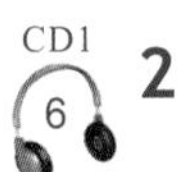

2 **Ascoltate l'intervista al fondatore della *Libreria dei ragazzi* e indicate le affermazioni corrette tra quelle proposte.**

1. La prima *Libreria dei ragazzi* in Europa è nata
a) nel 1972
b) durante la seconda guerra mondiale
c) dopo il 1945
d) dopo la prima guerra mondiale

2. Uno dei pregi di Rodari era
a) la capacità di accettare i bambini
b) la capacità di sintesi
c) la fantasia onirica
d) la capacità di ascoltare i bambini

3. Gianni Rodari nel suo genere
a) fu un innovatore che rivoluzionò la fiaba
b) eredita molto dalla tradizione precedente
c) fa uso di molti elementi fantastici
d) è l'iniziatore di una vera e propria scuola

4. I bambini amano Rodari
a) perché le sue storie sono divertenti
b) perché scrive di fatti cruenti e violenti
c) perché nelle sue favole trovano elementi reali
d) perché lo vedono come un secondo padre

3 **Abbinate le espressioni in blu, usate nel corso dell'intervista, al loro rispettivo scopo comunicativo.**

1. "Non più proprietario, ma comunque sono quello che l'ha fondata."
2. "Intanto perché considerava i bambini delle persone."
3. "Allora era veramente un'enorme innovazione questa situazione di rispetto."

a. in quel tempo
b. in ogni modo
c. prima di tutto

H Riflettiamo sulla grammatica

Nella prima parte della favola abbiamo letto "è inutile camminarci" e più avanti "non ci hai creduto". Lavorate in coppia: quali usi di *ci* ricordate?

3 - 4

I Riflessioni linguistiche

Martino "imboccò una *strada* misteriosa": cerchiamo di distinguere questa parola dai suoi sinonimi. *Via* è un termine generico: può essere larga, stretta, lunga, breve (ma può essere usato anche in senso figurato: la via migliore per ottenere uno scopo, la via legale ecc.). Il *corso* è più importante: nel centro della città, di solito elegante, fiancheggiato da negozi. La *strada* normalmente esce dalla città, come nel caso della nostra favola. Il *viale*, infine, è ampio e alberato.

6 La scienza della buonanotte

Unità

Progetto italiano 3

Per cominciare...

1 Nel testo che leggerete ci sono alcune parole chiave evidenziate in blu. Potete immaginare il contenuto dell'articolo in base ad esse?

2 In coppia, commentate le affermazioni che seguono. Qual è sbagliata, secondo voi? Leggete quindi il testo per intero: rispecchia le vostre opinioni?

- Il sonno allunga la vita.
- La mancanza di sonno causa molti incidenti stradali.
- Guardare la tv è il modo migliore per addormentarsi.
- Oggi si dorme meno che in passato.
- Passiamo un terzo della nostra vita dormendo.

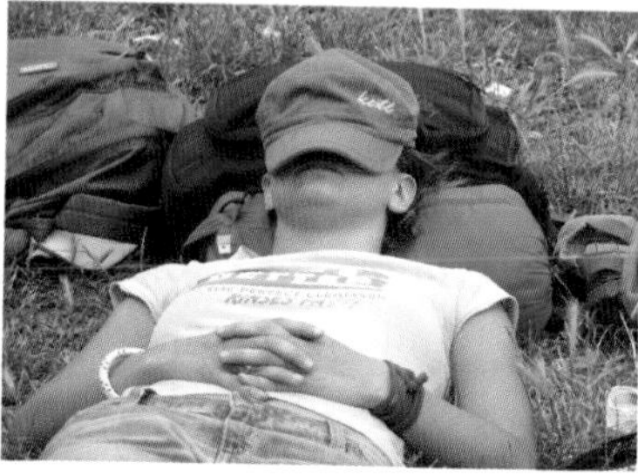

A Comprensione del testo

Rileggete il testo e scegliete l'affermazione giusta tra quelle proposte.

La scienza della buonanotte

Seguire l'orologio Seguire le richieste del proprio orologio biologico è vitale. Ma non tutti ne conoscono l'importanza, tanto che le malattie del sonno sono diffusissime, come dimostra uno studio internazionale: oggi un italiano su tre dorme male, fatica ad addormentarsi, si sveglia troppo presto o più volte durante la notte, o soffre di insonnia cronica. O comunque non riesce a dormire per un numero di ore sufficiente a coprire il proprio fabbisogno. Insomma è in debito di sonno, una delle "malattie" più frequenti del nostro tempo.

"Rispetto a un secolo fa si dorme un'ora e mezzo di meno per notte", conferma il neurologo Luigi Ferini Strambi, uno degli autori della ricerca. "I colpevoli? Dalla scoperta della lampadina in poi, tutte le innovazioni tecnologiche: computer, turni di lavoro notturni, tv o Internet, voli transcontinentali con salti di fuso orario. Ciascuna di esse ha contribuito a stravolgere quel magnifico orologio interiore che regola i nostri bioritmi. Oggi si dorme poco e male, per scelta o per necessità, e le conseguenze si fanno presto sentire perché insonnia e altre gravi malattie del sonno nascono proprio da cattive abitudini protratte nel tempo".

"Quello che manca è un'ecologia del sonno", aggiunge il professor Mario Giovanni Terzino, dell'università di Parma. "Non si fa nulla per dormire bene, cioè senza rumori, stress, inutili sollecitazioni. Anche la fase che precede l'addormentamento andrebbe "curata": le ultime ore di veglia dovrebbero essere le più tranquille. Oggi invece molti vanno in palestra dopo cena, oppure lavorano, giocano con i videogames: tutte attività che mantengono alto il livello di attenzione del cervello, impedendogli di abbassare la guardia".

Catastrofi da sonno Ma che cosa succede davvero se non si dorme abbastanza? Le ricadute immediate della carenza di sonno si fanno sentire sulla memoria a breve termine, sulla capacità di concentrazione, il tempo di reazione e l'attenzione. Con conseguenze talvolta letali: a un errore umano causato dalla sonnolenza sono state attribuite due tra le peggiori catastrofi ecologiche: il naufragio della petroliera Exxon Valdez e l'esplosione della centrale di Chernobyl. Circa un terzo degli incidenti mortali causati dai camion sono dovuti a stanchezza o colpo di sonno del conducente. Ma anche le conseguenze a lungo termine sono temibili: chi soffre di insonnia cronica o di altri disturbi del sonno ha un rischio doppio, rispetto agli altri, di contrarre alcune malattie. Per esempio quelle cardiovascolari. Lo psichiatra David Dinges, dell'università della Pennsylvania, dopo aver tenuto sveglio per una settimana un gruppo di volontari sani, ha scoperto che i parametri del loro sistema immunitario impazzivano: diventavano elevatissimi, come se l'organismo si stesse preparando ad aggredire un pericoloso nemico, o precipitavano, segno che l'organismo stava cedendo a qualche infezione.

Che un buon sonno allunghi la vita è fuori di dubbio: le statistiche provano che chi dorme meno di 7 ore per notte muore prima rispetto a chi ne dorme 8 o 9. D'altro canto, se la natura ci impone di trascorrere un terzo della nostra esistenza dormendo, il sonno dev'essere di sicuro funzionale alla sopravvivenza.

tratto da *Focus*

1. Un italiano su tre
a) dorme benissimo
b) dorme meno del normale
c) dorme quanto nel passato
d) non dà molta importanza al sonno

2. Oggi dormiamo meno perché
a) lavoriamo di più rispetto al passato
b) svolgiamo attività che non favoriscono il sonno
c) abbiamo bisogno di meno sonno rispetto a un secolo fa
d) beviamo troppi caffè dopo cena

3. Un errore comune è andare a letto
a) senza essersi rilassati
b) senza mangiare
c) subito dopo cena
d) troppo tardi o troppo presto

4. La carenza di sonno
a) influenza di più le persone anziane
b) ha provocato tantissimi grandi disastri
c) influenza sia il cervello che il corpo
d) a lungo termine diventa letale per l'uomo

5. La giusta quantità di sonno
a) è prevista dalla natura stessa
b) non può superare le 7 ore al giorno
c) è di almeno 9 ore al giorno
d) è relativa e varia da persona a persona

B Riflettiamo sul testo

1 Individuate nel testo frasi o parole che corrispondono alle seguenti definizioni.

il necessario, quanto basta (10-16): ....

si avvertono, si manifestano (18-24): ....

rilassarsi (33-38): ....

addormentarsi improvvisamente (48-54): ....

si stava ammalando (60-66): ....

Un pisolino pomeridiano in Piazza di Spagna, a Roma

2 Lavorate in coppia. Cercate di riformulare le espressioni date.

innovazioni tecnologiche (17): ....
la fase che precede l'addormentamento (31-32): ....
si fanno sentire... (41-42): ....
a un errore... sono state attribuite (44-46): ....
d'altro canto (68): ....

C Riflettiamo sulla grammatica

Dimostrativi, indefiniti, relativi... : a quale categoria appartengono gli aggettivi e i pronomi evidenziati in blu? Potete indicare quelli invariabili? Ne ricordate altri dello stesso tipo?

troppo rumore... uno degli autori... ciascuna di esse... molti vanno in palestra...
non si fa nulla per... tutte attività che... rispetto agli altri... qualche infezione...

1 - 2

D Lavoriamo sul lessico

1 **Scrivete i sostantivi che derivano dalle parole in blu e i verbi che derivano da quelle in rosso.**

diffondere: ....
reazione: ....
aggredire: ....
dubbio: ....
contribuire: ....
esplosione: ....

2 **Lavorando a coppie abbinate logicamente le parole in blu con quelle in nero; le parole possono essere sinonimi o contrari. Vediamo chi finisce per primo!**

innocente splendido mancanza esteriore accorciare fastidio credito fatica lieve

grave: ....
stanchezza: ....
colpevole: ....
disturbo: ....
debito: ....
allungare: ....
interiore: ....
magnifico: ....
carenza: ....

3 **Completate le frasi con:** cuscino, materasso, incubo, pigiama, coperta.

1. Da quando ho comprato un .... ortopedico non mi sveglio più col mal di schiena.
2. Ho sognato di essere in vacanza insieme alle mie zie: che ....!
3. Comincia a fare fresco, non basta solo il lenzuolo, ci vuole anche la ....
4. Mio marito russa come un treno, perciò gli ho comprato un .... speciale.
5. Ogni volta che andiamo a casa loro, Mauro ci riceve in ....!

E Parliamo e scriviamo

 1 Chi di voi non dorme abbastanza? Quali sono le cause e le conseguenze della carenza di sonno?

2 Quali degli "errori" di cui si parla in "La scienza della buonanotte" (terzo paragrafo) commettete? Avete imparato qualcosa leggendo il testo?

 3 Discutete in coppia. Oltre al buon sonno, quali sono i segreti per stare bene fisicamente e mentalmente? Stilate una lista di 4-5 fattori in ordine di importanza e confrontatela con quella dei vostri compagni.

 4 Raccontate il sogno più strano/bello/spaventoso che abbiate mai fatto. *(160-180 parole)*

F Ascoltiamo

 1 **Ascolterete un brano su una malattia rara, legata all'insonnia. Secondo voi, quale potrebbe essere la conseguenza peggiore della mancanza di sonno?**

2 **Ascoltate e indicate le affermazioni presenti.**

- [ ] 1. Uno dei sintomi di questa malattia è la pressione alta.
- [ ] 2. Chi ha questa malattia ha una possibilità su 33 milioni di guarire.
- [ ] 3. Non esiste ancora il rimedio a questo male.
- [ ] 4. Le due sorelle colpite dalla malattia avevano gli stessi sintomi.
- [ ] 5. Il dottor Roiter ha pubblicato un articolo scientifico sulla malattia.
- [ ] 6. Poco a poco si scoprono altri casi simili, soprattutto in Germania.
- [ ] 7. La famiglia veneta soffre di questo male dall'Ottocento.
- [ ] 8. L'ultima discendente della famiglia è sposata con un industriale.

G Riflettiamo sulla grammatica

1 **Completate con le preposizioni mancanti le frasi che seguono, tratte dal testo "La scienza della buonanotte".**

1. ...fatica .... addormentarsi...
2. ...riesce .... dormire...
3. ...impedendogli .... rilassarsi...
4. ...rischia .... contrarre alcune malattie...
5. ...soffre .... insonnia cronica ...
6. ...ha contribuito .... stravolgere...
7. ...si stesse preparando .... aggredire...
8. ...ci impone .... trascorrere...

3 - 4

2 **Potete pensare ad altri verbi seguiti dalle stesse preposizioni?**

H Lavoriamo sulla lingua

Completate il testo scegliendo la parola giusta tra le quattro proposte.

Ma quanto si deve dormire? Come dice il neurologo Ferini Strambi "La quantità è ....(1). Ci sono persone che dormono tre ore per notte e si risvegliano riposate. Altri invece che si sentono a pezzi dopo un sonno di 8 ore. Ma tra questi eccessi c'è una media: il fabbisogno di sonno di un adulto si ....(2) intorno alle 7 ore per notte".
Eppure, come abbiamo visto, molti non ce la fanno. "Si parla di insonnia quando si ha la percezione di un sonno ....(3), disturbato, o comunque, non abbastanza riposante, indipendentemente dal numero di ore". Un insieme di sintomi che si traduce poi, di giorno, in uno stato di stanchezza e incapacità di svolgere bene le attività ....(4)".
Ma spesso, dicono gli specialisti, basta anche ....(5) delle semplici regole di "igiene del sonno": scegliere un rituale della buona notte che aiuti a rilassarsi. Andare a letto e svegliarsi sempre alla stessa ora, anche nei week-end. Non restare a letto se non si riesce a dormire ma alzarsi e ....(6) a qualche attività piacevole finché il sonno non arrivi. Non mangiare né guardare la tv a letto. ....(7) caffeina e nicotina nel pomeriggio. Non cenare troppo tardi e soprattutto occhio all'alcol: ....(8) i microrisvegli notturni o una sveglia anticipata.

1. individuale / obiettiva / soggettiva / importante
2. aggira / risale / arriva / misura
3. tranquillo / male / poco / insufficiente
4. abituali / piacevoli / notturne / qualsiasi
5. avere / sapere / scoprire / applicare
6. dedicarsi / seguire / interessarsi / farsi
7. Preferire / Consumare / Evitare / Saltare
8. favorisce / porta / crea / aiuta

tratto da *Focus*

I Riflessioni linguistiche

Sottolineate i modi di dire presenti nel testo.

Quando qualcuno dorme come un orso o come un sasso, vuol dire che dorme molto profondamente, che ha il sonno pesante. Se non dorme proprio, allora passa la notte in bianco. Se dorme con la coscienza pulita, allora dorme il sonno del giusto. Chi ha problemi da risolvere, perde il sonno, se no dorme su un letto di piume. Se è molto stanco casca dal sonno e se va a dormire molto presto, va a letto con le galline (non nel pollaio, ma alla stessa ora...). Se infine qualcuno dorme a occhi aperti, ha sonno (forse è distratto o annoiato). E, come sappiamo, chi dorme non piglia pesci.

Autovalutazione

Cosa ricordate dell'unità 5?

Attività online

Leggete le definizioni e risolvete il cruciverba.

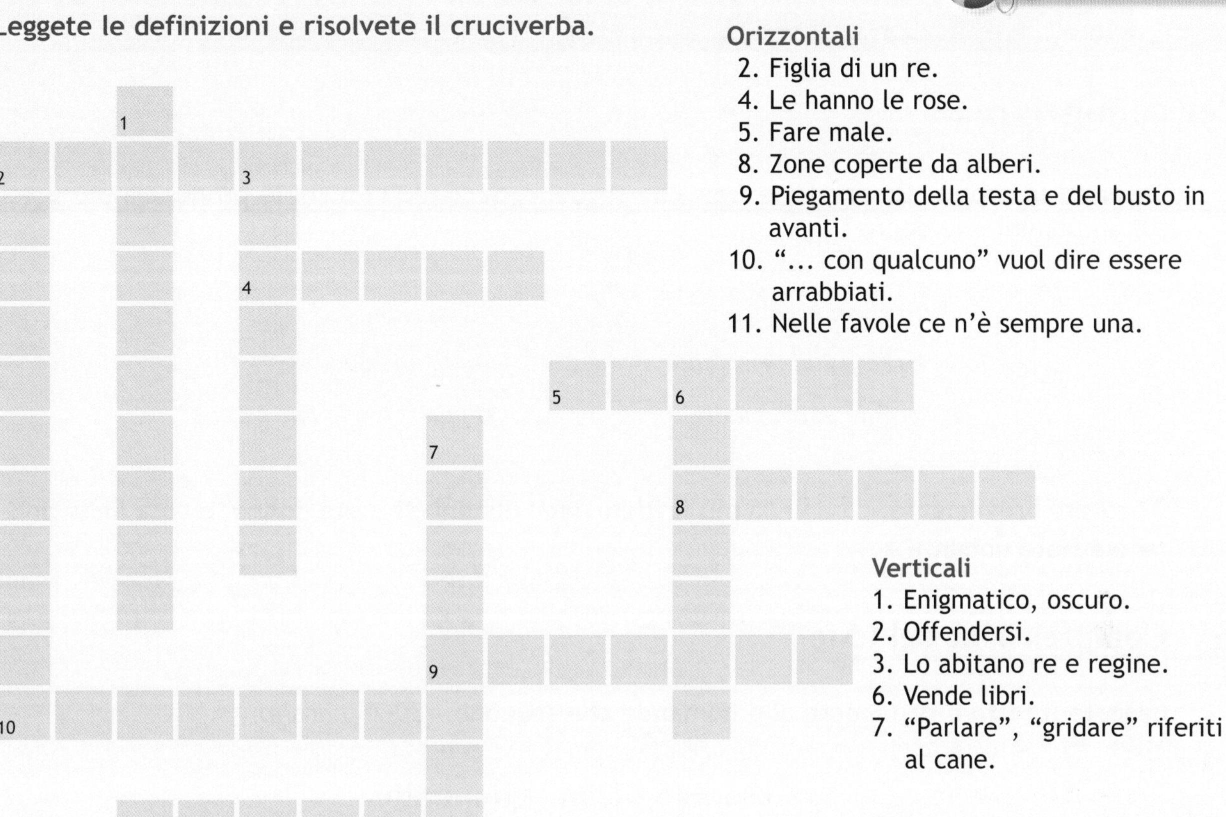

Orizzontali

2. Figlia di un re.
4. Le hanno le rose.
5. Fare male.
8. Zone coperte da alberi.
9. Piegamento della testa e del busto in avanti.
10. "... con qualcuno" vuol dire essere arrabbiati.
11. Nelle favole ce n'è sempre una.

Verticali

1. Enigmatico, oscuro.
2. Offendersi.
3. Lo abitano re e regine.
6. Vende libri.
7. "Parlare", "gridare" riferiti al cane.

Cosa ricordate dell'unità 6?

1. Completate gli spazi con le parole date, che sono di più.

rapporto innovazioni di a nessun a novità rispetto niente

1. Il dietologo è stato chiaro: .... dolci per un mese!
2. In molte città italiane si vive molto peggio .... a 5 anni fa.
3. Le .... tecnologiche ci hanno cambiato di gran lunga la vita, ma non sempre in meglio.
4. Stanotte non sono riuscito .... chiudere occhio e ora mi sento .... pezzi.

2. Scegliete la parola adatta per ogni frase.

1. Dormo sempre con due materassi/lenzuoli/cuscini: uno sotto la testa e l'altro in mezzo alle gambe.
2. Mirella e Francesco durante il loro ultimo viaggio in Africa, hanno contrattato/contraffatto/contratto una rara malattia, per fortuna curabile.
3. Mio marito soffre di insonnia/sonnolenza/sonno e non lascia dormire neanche me!
4. La mancanza di sonno può causare gravi danni anche a corto/stretto/breve termine.

Piazza del Plebiscito, Napoli

Verificate le vostre risposte a pagina 185.

7 Uomini e donne

Unità

Per cominciare...

1 **Lavorate in coppia. Osservate le frasi che seguono. Secondo voi, chi le pronuncia più spesso, gli uomini o le donne?**

Certo che ti ascolto!	*Non cambi mai!*
A che cosa stai pensando?	*Ma tu mi ami?*
Sei peggio di tua madre.	*Ti piacciono le mie scarpe?*

2 **Discutete brevemente: cosa vi dà più fastidio negli uomini (se siete donne) e cosa nelle donne (se siete uomini)?**

A Comprensione del testo

Leggete il testo e rispondete alle domande che seguono. *(20-25 parole)*

Cosa non dicono gli uomini

Le donne parlano troppo e gli uomini troppo poco? Forse la differenza non sta nella quantità di parole e di silenzi, ma nello scopo. Gli uomini parlano per dare informazioni, le donne cercano sempre di stabilire una relazione, perciò si perdono in lunghi racconti che gli uomini francamente ritengono inutili. Loro vogliono notizie, fatti. Sennò si isolano. «E se lei dice "Ascoltami" è l'inizio della fine» spiega Valentina D'Urso, psicologa. «Lui risponde "Certo che ti ascolto". E invece chiude l'audio». Attenzione, poi: «Ci sono frasi che gli uomini non sopportano, tipo "Cosa provi?", "Qualcosa non va?", "Perché taci?"» dice lo psicanalista Claudio Risé: «I maschi detestano analizzare ciò che sentono, specie su richiesta». Studiate bene queste righe: vi sveliamo alcuni segreti per parlare con un uomo.

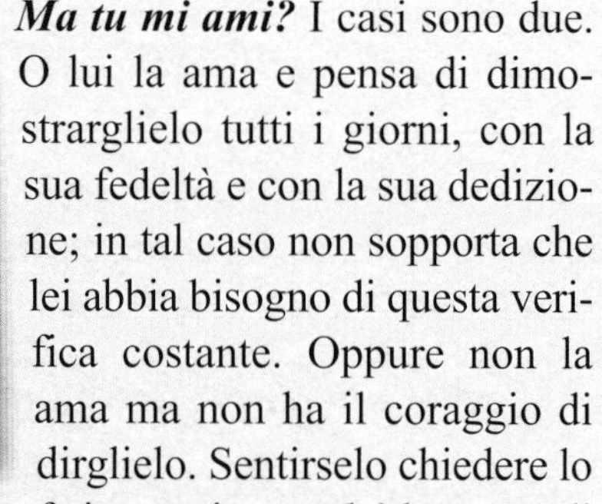

Le parole di lei che lui non sopporta

A che cosa stai pensando? Se avesse voglia di dirlo, lo farebbe. Se invece si chiude nei suoi pensieri è perché ha bisogno di silenzio. E se lei cerca a tutti i costi di entrare nel suo intimo spazio mentale, lui si innervosisce. Anche perché, in genere, non sa dire esattamente a cosa sta pensando. Non è abituato a tradurre in parole tutto ciò che gli passa per la mente.

Ma tu mi ami? I casi sono due. O lui la ama e pensa di dimostrarglielo tutti i giorni, con la sua fedeltà e con la sua dedizione; in tal caso non sopporta che lei abbia bisogno di questa verifica costante. Oppure non la ama ma non ha il coraggio di dirglielo. Sentirselo chiedere lo fa impazzire perché lo mette di fronte alla sua vigliaccheria.

Sei sempre lo stesso, non cambi mai. E che cos'altro dovrebbe essere? Dirgli una frase del genere, magari con un tono leggermente spregiativo, è come dichiarargli una disistima che viene da lontano. Un uomo non sopporta di essere disprezzato. Se poi il giudizio è retroattivo lo ferisce irrimediabilmente.

Sei peggio di tua madre. È una dichiarazione che molte donne fanno con superficialità. Ma da cui l'uomo si sente colpito due volte. Una perché è per definizione un "mammone" e non sopporta che si tocchi sua madre. Un'altra perché quello con la mamma è il rapporto "tipo", origine del suo modo di comportarsi con l'altro sesso. L'uomo preferisce essere colpito in modo diretto, senza confronti.

Ti piace come sono vestita? Lei chiede conferma della sua bellezza, della sua immagine, cose che ritiene fondamentali per stare in mezzo agli altri. Ma per lui giudicare il look della sua compagna è impresa quanto mai difficile. Perché non lo considera importante. Gli basta che lei non sia troppo vistosa e che sia gradevole. Ai particolari non bada. E se nota qualcosa che lo colpisce (nel bene o nel male) è lui il primo a dirlo.

tratto da *Panorama*

1. In cosa differiscono le donne e gli uomini quando parlano?

....

....

2. Quando e perché l'uomo sente invaso il suo intimo spazio mentale?

....

....

3. Perché secondo l'autore dell'articolo la domanda "mi ami?" è inutile?

....

....

4. Perché l'affermazione "non cambi mai" dà fastidio all'uomo?

....

....

5. Perché sono pericolosi i riferimenti alla madre?

....

....

6. Che atteggiamento ha l'uomo nei confronti dell'abbigliamento della sua compagna?

....

....

B Riflettiamo sul testo

1 Le frasi e le espressioni che seguono potrebbero sostituirne altre presenti nel testo: quali?

non ha a che fare con (1-5): ....

come per esempio (10-15): ....

qualsiasi cosa pensi (24-30): ....

per lui è sufficiente (60-65): ....

non gli interessano i dettagli (60-65): ....

2 Lavorate in coppia. Costruite delle frasi usando le seguenti espressioni del testo.

...non va (16): ....

...su richiesta (18): ....

...a tutti i costi (25): ....

...del genere (42-43): ....

..."tipo" (53): ....

C Lavoriamo sul lessico

1 **A destra troverete i sinonimi delle parole in blu e i contrari di quelle in rosso: abbinateli.**

sopportare	tacere	paragone	privato
detestare	rapporto	relazione	timore
intimo	svelare	nascondere	amare
coraggio	confronto	tollerare	parlare

2 **A coppie scrivete i sostantivi che derivano dai seguenti verbi.**

giudicare	.... *o*	dimostrare	.... *e*
comportarsi	.... *o*	confermare	.... *a*
colpire	.... *o*	disprezzare	.... *o*

3 **Nel testo il verbo *dire* appare più volte: con quale di questi sinonimi lo sostituireste nelle frasi che seguono?**

confessare raccontare svelare esprimere
spiegare affermare riferire assicurare

a. Mi ha detto una cosa incredibile.
b. Perché non dici mai la tua opinione?
c. Alla fine ha detto di essere stato lui.
d. Mi ha detto che sarebbe tornato in tempo.
e. Dimmi il motivo per cui l'hai fatto!
f. Lucia ci ha detto la notizia dell'incidente.
g. Galileo disse che la Terra gira!
h. Alla fine ti ha detto quel famoso segreto?

D Riflettiamo sulla grammatica

1 **Lavorate in coppia. A chi o a cosa si riferiscono i pronomi in blu contentuti nelle seguenti frasi?**

a. ...ascoltami (10)
me
b. ...vi sveliamo alcuni segreti (19)
....
c. ...tutto ciò che gli passa per la mente (28)
....
d. ...oppure non la ama (36)
....
e. ...perché lo mette di fronte (39)
....
f. ...è come dichiarargli una disistima (44)
....
g. ...perché non lo considera importante (61)
....

2 **Cosa ricordate della posizione dei pronomi rispetto all'infinito e all'imperativo? Discutetene in coppia e riferite alla classe.**

1 - 2

E Lavoriamo sulla lingua

1 **Cosa dicono (o pensano) le donne degli uomini? Leggete la poesia e completate con i possessivi, i relativi, i combinati, i dimostrativi, i riflessivi ecc.**

Le piccole cose

Le piccole cose
che amo di te
quel .... sorriso
un po' lontano
il gesto lento della mano
con .... mi accarezzi i capelli
e dici: vorrei
aver.......... anch'io così belli
e io dico: caro
sei un po' matto
E a letto svegliarsi
col .... respiro vicino
e sul comodino
il giornale della sera
la tua caffettiera
che canta in cucina
L'odore di pipa
che fumi la mattina
il tuo profumo
un po' blasé
il tuo buffo gilet
le piccole cose
che amo di ....

.... tuo sorriso strano
il gesto continuo della mano
con cui .... tocchi i capelli
e ripeti: vorrei
averli anch'io così belli
e io dico: caro
.... hai già detto
E a letto stare sveglia
sentendo il tuo respiro
un po' affannato
e sul comodino
il bicarbonato
la .... caffettiera
che sibila in cucina
L'odore di pipa
anche la mattina
il tuo profumo
un po' demodé
le piccole cose
che amo di te

Quel tuo sorriso beota*
la mania idiota
di tirar.......... i capelli
e dici: vorrei
averli anch'io così belli
e .... dico: cretino,
compra......... un parrucchino!
E a letto stare sveglia
e sentir.......... russare
e sul comodino
un .... calzino
e la tua caffettiera
che è esplosa
finalmente in cucina!
La pipa che impesta
fin dalla mattina
il tuo profumo
di scimpanzé
.... orrendo gilet
le piccole cose
che amo di te.

* idiota

tratto da *Ballate*, di Stefano Benni

2 **Qual è, secondo voi, il verso più divertente della poesia di Benni?**

3 **Esistono molti modi di dire con il verbo *dire*; cosa significano quelli che seguono? A coppie, sceglietene quattro e, con l'aiuto del dizionario, costruite delle brevi frasi.**

dire due parole, dire in faccia, dire pane al pane e vino al vino, dire la propria, dire una cosa per un'altra, dire chiaro e tondo

....

....

....

....

F Ascoltiamo

1 **Le parole in blu sono contenute nel testo che ascolterete. Abbinatele a quelle in nero per capire meglio il loro significato.**

1. pragmatico, 2. convivenza, 3. imporre, 4. brontolare, 5. insofferenza, 6. corna

☐ tradimento ☐ obbligare a fare qualcosa ☐ il vivere insieme
☐ senso di fastidio ☐ protestare sottovoce ☐ concreto

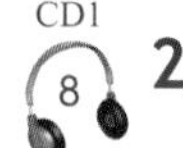

2 **Ascoltate il brano e completate la griglia: in una coppia chi accusa l'altro di...**

problema	moglie	marito
1. ...creare disordine in casa		
2. ...occupare il bagno per ore		
3. ...sbaglia spesso strada		
4. ...lamentarsi quando bisogna fare acquisti		
5. ...disturbare quando si guarda la tv		
6. ...chiedere sempre aiuto, anche per le piccole decisioni		

G Riflettiamo sulla grammatica

Nelle righe 30-40 dell'articolo di pagina 42 abbiamo incontrato dei pronomi combinati: sottolineateli. In coppia, rispondete alle domande che seguono con: *me l', glielo, te li, gliela, ve la, gliel'*.

a. Darai a Giorgio il tuo biglietto?
b. Girerai questa e-mail anche a noi?
c. Dirai la verità a Franco?
d. Ti ha mandato la foto che avete fatto?
e. Hai prestato a Sara il tuo ombrello?
f. Mi comprerai i libri che voglio?

H Parliamo e scriviamo

1 Secondo voi, quali sono i motivi dell'incomprensione tra uomini e donne?

2 Voi, in genere, cercate lo scontro o preferite evitarlo? Quando litigate o volete fare pace con il vostro partner, quali parole ed espressioni usate più spesso?

3 Dopo aver letto l'articolo "Cosa non dicono gli uomini", scrivete a *Panorama* una lettera intitolata "Cosa non dicono le donne", in cui raccontate tutto quello che fanno o dicono gli uomini e che (a vostro parere) dà fastidio alle donne. Cercate di non essere troppo cattivi! *(160-180 parole)*

Figli... a vita

Per cominciare...

1 Secondo voi, per quali motivi un giovane desidera andare a vivere da solo? Per quali invece preferisce continuare a vivere con i genitori? Discutetene in coppia, prendendo appunti, e poi confrontatevi con gli altri compagni.

....

....

2 Raccontate: chi di voi vive ancora in famiglia? Leggete il testo per vedere se condividete delle esperienze con queste persone.

Figli di mamma a vita

Quasi metà degli italiani tra i 20 e i 32 anni vive con i genitori. E non vuole alcuna autonomia prima del matrimonio. Ecco perché.

Per scelta. O per forza

Maria, 30 anni, avvocato. Abita a Genova con i genitori, la sorella ventottenne e il nonno materno. "Non voglio andarmene. Il motivo? La mia scelta professionale: l'università, il praticantato, le prime esperienze di lavoro poco redditizie: un cammino lungo che i miei genitori hanno condiviso. L'autonomia economica è lontana. Dopo la laurea, per due anni non si guadagna nulla. E non ho il tempo per fare lavoretti extra".

Paolo, 31 anni, laureato in Economia e Commercio, abita con i genitori a Desenzano sul Garda. È consulente informatico. "È un vantaggio per i figli e per i genitori, anche sopra i 30 anni. Per chi lavora tutto il giorno essere esonerato da cucinare, lavare, stirare, fare la spesa è un sollievo. Ai miei genitori piace condividere la quotidianità: quattro chiacchiere ogni giorno permettono di stare vicini".

Davide, 26 anni, impiegato, vive con la famiglia a Parma: "Gli affitti sono alle stelle. Anche trovando una sistemazione spartana dimezzerei il mio stipendio e allora addio viaggi. Meglio la famiglia, quando c'è armonia. In più, non dando contributi in casa, posso risparmiare qualcosa. Mia madre è una cuoca straordinaria, degna di Parma. Anche mio fratello, trent'anni, sta in famiglia. Mio padre, ci chiama sanguisughe. In realtà è contento così".

Andrea, 26 anni, romano. Si è laureato l'anno scorso in Economia e commercio (110) e ora frequenta un master postlaurea: "Vivo con i genitori, vado d'accordo con loro, godo di ampia libertà. Appena possibile vorrei andare a vivere da solo. Ma per ora non è possibile: cinque giorni a settimana seguo il master dalla mattina alla sera, poi devo studiare. Mi rimane poco tempo per lavorare e mantenermi. La mia vita sarebbe un inferno. È il sistema che è sbagliato: non c'è collegamento tra scuola e mondo del lavoro; e gli affitti sono troppo alti. La dipendenza dalla famiglia è inevitabile".

Lidia, di Palermo. Ha 29 anni, una laurea in medicina, e una specializzazione: "Lavoricchio. A casa sto bene, forse anche perché vivo solo con mia madre e la convivenza è semplificata. Anche il mio ragazzo vive in una situazione simile, pur lavorando a tempo pieno e quindi essendo in grado di permettersi una vita autonoma. In realtà stiamo meditando di sposarci. Con calma. Poi andremo ad abitare per conto nostro".

tratto da *L'Espresso*

A Comprensione del testo

Rileggete il testo e indicate le affermazioni corrette.

1. Maria:
a. non lavora e vorrebbe trovare casa
b. lavora ma non guadagna abbastanza
c. lavora da due anni senza guadagnare nulla

2. Paolo:
a. riceve un grande aiuto dai suoi
b. ama stare con i suoi
c. abita vicino a casa dei suoi

3. Davide:
a. non pensa di andare via di casa
b. destina all'affitto metà dello stipendio
c. si è pentito di essere andato via di casa

4. Andrea:
a. vive con i suoi per necessità
b. ha uno stipendio alto
c. non si trova bene a casa dei genitori

5. Lidia:
a. non vede l'ora di sposarsi
b. convive con i genitori
c. lavora saltuariamente

B Riflettiamo sul testo

1 **Individuate nel testo frasi o parole che corrispondono a quelle date di seguito.**

un prezzo molto alto (Davide): ....
una casa piccola e modesta (Davide): ....
non ho problemi con loro (Andrea): ....
guadagnare abbastanza per poter vivere (Andrea): ....
lavoro poco (Lidia): ....
da soli (Lidia): ....

 2 **Lavorando a coppie costruite delle frasi usando le espressioni in blu.**

...degna di Parma (Davide): ....
...godo di ampia libertà (Andrea): ....
...pur lavorando (Lidia): ....
...a tempo pieno (Lidia): ....
...in grado di permettersi... (Lidia): ....

C Riflettiamo sulla grammatica

1 **Nel testo abbiamo letto le frasi che seguono. Qual è il verbo della prima? Ricordate altri verbi che si coniugano come il verbo *vorrei*?**

a) Anche trovando una sistemazione spartana dimezzerei il mio stipendio.
b) Appena possibile vorrei andare a vivere da solo.
c) La mia vita sarebbe un inferno.

2 **Lavorate in coppia. In quale frase il condizionale: a) è all'interno di un periodo ipotetico, b) esprime un desiderio, c) rappresenta una previsione? Quali altre funzioni può avere?**

1 - 2

D Lavoriamo sul lessico

1 **Nel 'parolone' si nascondono i sinonimi delle sei parole che seguono: scopriteli.**

MERITEVOLEAFFINEREDDITIZIOINDIPENDENTESEMPLICECONFORTO

proficuo	autonomo	degno ....
sollievo	spartano	simile ....

2 **Utilizzate i suffissi dati a destra per trasformare i seguenti sostantivi in aggettivi.**

professione	economia	**-ico** (x1) **-evole** (x1)
inferno	commercio	**-oso** (x1) **-ale** (x3)
armonia	piacere	

Lavorate in coppia: quanti aggettivi potete formare in due minuti con i suffissi visti?

E Ascoltiamo

1 **Ascolterete un'intervista sui giovani che rimangono a vivere in famiglia: leggete le parole che seguono e indicate quelle che, secondo voi, saranno presenti nell'intervista:**

☐ adulti ☐ popolazione ☐ maggiorenne ☐ fenomeno ☐ tecnico ☐ marito ☐ spesa

CD1 9

2 **Ascoltate una prima volta il brano e verificate le vostre ipotesi.**

3 **Riascoltate e completate le seguenti frasi (massimo 4 parole).**

1. Cambiano gli stili di vita e quindi .... ritardando l'ingresso nel mondo dei grandi, nel mondo degli adulti.
2. Sono uno su quattro: uno su quattro dei giovani-adulti ...., rimane ancora a vivere con i genitori.

3. I ragazzi sono molto più liberi a casa .... uno o due decenni fa.
4. Diciamo che da tutte e due le parti .... è marginale, perché poco fanno a casa.
5. Ci sono proprio quelle economiche, cioè il fatto di non avere dei lavori e di non avere ....
6. Parecchi di questi ragazzi che .... lavorano.

4 **Osservate le frasi tratte dall'intervista: quale o quali delle espressioni e parole in nero potrebbe/potrebbero sostituire la parola "comunque"?**

a. in ogni modo, b. tuttavia, però, c. perciò, così.

1. Comunque, a proposito di aspetti economici, tra le cause principali che...
2. ...cioè il fatto di non avere dei lavori e di non avere comunque dei lavori stabili.
3. Parecchi di questi ragazzi che vivono a casa comunque lavorano.

F Parliamo e scriviamo

1 Secondo voi, i genitori devono incoraggiare i figli ad andare a vivere da soli? Scambiatevi delle idee.

2 Qual è l'età migliore per andare a vivere da soli? Quale credete che sia la difficoltà maggiore all'inizio?

3 Situazione. Immaginate il dialogo tra un/una ventenne che annuncia la sua decisione di andare a vivere da solo/a a un genitore, che è contrario. Ognuno spiega le sue motivazioni e cerca di convincere l'altro.

4 In base a quanto letto e asoltato e alla tabella a destra, scrivete un articolo sul fenomeno della convivenza prolungata dei giovani italiani con i loro genitori, presentandone eventuali aspetti positivi e negativi e facendo un paragone con la situazione nel vostro Paese. Non dimenticate di dare un titolo al vostro articolo. *(160-180 parole)*

G Lavoriamo sulla lingua

1 **Nel testo "Figli di mamma" abbiamo visto l'espressione 'andare d'accordo'. Nelle frasi che seguono sostituite le parti in blu con la forma giusta delle espressioni date a fianco.**

1. Allora, come si è conclusa quella storia con l'amico di Roberto?
2. Questa è stata un'altra idea 'geniale' di Gigi che non si è realizzata.
3. L'ultimo album di Laura Pausini è veramente molto richiesto.
4. Siccome per noi è la prima volta, preferiremmo non rischiare.
5. Pochi secondi dopo l'esplosione l'intero edificio era in fiamme.

andare...
a fuoco
a ruba
a monte
a finire
sul sicuro

2 **Completate il testo con le parole mancanti (una per ogni spazio).**

Autoritratto di Giorgio De Chirico, insieme a sua madre.

Mamma di 81 anni punisce il figlio 61enne
Niente più chiavi di casa né paghetta

CATANIA - Dopo l'ennesimo litigio sull'orario di rientro a casa, la madre esasperata non ce l'ha fatta più e ha tolto al figlio le chiavi di casa e la paghetta. ....(1) "esemplare", per più di un motivo. Infatti lei ha 81 anni e lui 61. La ....(2), pensionata, vive da sempre con il figlio, ...(3) è disoccupato, celibe, e non ha nessuna ....(4) di lasciare la casa di mammà.
È stata ....(5) lei, come riferisce il quotidiano *La Sicilia*, a ....(6) alla polizia di Caltagirone per cercare di "................(7) quel testone" di suo figlio a "comportarsi bene ....(8) la sua mamma". Pronta la replica di ....(9): "Si comporta male, mi dà una paghetta settimanale insufficiente, non ....(10) cucinare bene". Un agente del commissariato ha fatto ....(11) paciere e dopo avere raccolto gli sfoghi dei due ....(12) ha convinti a riprovare a vivere ....(13) in armonia.
"Mio figlio non mi rispetta - si è sfogata la donna con la polizia, dopo avere ....(14) il figlio fuori di casa - non mi dice dove va la ....(15), e torna tardi a casa. Per punirlo sono stata ....(16) a togliergli le chiavi di casa e lasciarlo ....(17), dopo che aveva fatto ancora una volta le ore ....(18).
"La colpa non è mia - è stata la ....(19) del figlio: mi dà una paghetta troppo modesta, e ....(20) soldi non bastano a un disoccupato come me. E, poi, cucina veramente male...".

tratto da *la Repubblica*

H Riflettiamo sulla grammatica

Nei due testi di questa unità si è parlato molto di famiglia. Completate le frasi con i possessivi e, dove necessario, gli articoli.

1. Pina, come sta .... padre dopo l'incidente?
2. Per me .... mamma è la migliore cuoca del mondo!
3. Stasera non posso, devo uscire con .... genitori.
4. Marco, Stefania e .... cugini vanno in vacanza in Marocco.

I Riflessioni linguistiche

Sottolineate i modi di dire presenti in questo brano.

Non è facile decidere di lasciare il focolare, cioè andarsene di casa, anche perché si sa che in casa propria ognuno è re. Però viene un giorno in cui ognuno deve fare il gran passo, cioè prendere la decisione di aprire le ali e smettere di vivere sulle spalle dei propri genitori. Anche se è probabile che spesso penserà 'casa dolce casa'.

Autovalutazione

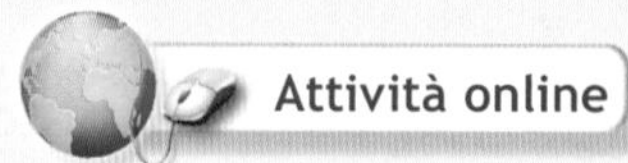

Cosa ricordate dell'unità 7?

1. Completate gli spazi con le parole date. Attenzione: le parole sono di più!

ti curano lo lamentare sua badano te ne brontolare gli buona

1. Certo che è pesante tua madre: non fa altro che ....!
2. Le ragazze .... molto ai particolari, mentre per i ragazzi non sono così importanti.
3. Non .... ho parlato perché non volevo che .... preoccupassi.
4. Se ognuno comincia a dire la ...., qui non si finisce più!

2. Scegliete la parola adatta per ogni frase.

1. Si può sapere cosa ha Mariella? Ma cosa le/la passa per la mente?
2. Ragazzi, dobbiamo metterci sotto: ci aspetta un anno accademico quanto/tanto mai difficile!
3. Su richiesta/questione il nostro albergo offre anche il servizio di colazione in camera.
4. Come abbiamo convinto i nostri genitori? Li abbiamo messi di fronte/fianco al fatto compiuto.

Cosa ricordate dell'unità 8?

Leggete le definizioni e risolvete il cruciverba.

Orizzontali

1. Periodo di pratica per futuri avvocati: *Pr...*
3. Dare da vivere, sostenere.
5. Accordo, sintonia: *A...*
6. Di molte cose esistono i pro e i ... .
8. Mia ... ha avuto mio fratello quando io avevo 6 anni.
10. Una volta adulti, è importante avere l'... economica.
11. Denaro che i genitori danno ogni settimana ai figli.
12. Uno lo diventa a 18 anni.

Verticali

2. Molti la provano prima del matrimonio.
4. Molte volte è preferibile usarlo al posto di "voglio".
7. Chi cerca di calmare due litiganti fa da *p...*
9. Per una coppia è fondamentale ... d'accordo.

Verificate le vostre risposte a pagina 185. Siete soddisfatti?

Pitigliano, Toscana

Lavoro

Per cominciare...

 1 Lavorate in coppia. Osservate le foto e scrivete almeno 4 parole (nomi, verbi o aggettivi) relative a ciascuna.

....

....

 2 Ascoltate le parole scritte dai vostri compagni e chiedete di spiegarvi quelle che eventualmente non conoscete.

 3 Lavorate in coppia. Che cosa pensate delle seguenti situazioni? Mettetele in ordine, dalla migliore (1) alla peggiore (6) e motivate le vostre risposte.

a. Fare un lavoro che non si ama
b. Lavorare 12 ore al giorno
c. Rimanere disoccupati a lungo
d. Lavorare in un altro paese
e. Dover cambiare spesso lavoro
f. Avere un lavoro temporaneo e senza contratto

A Ascoltiamo

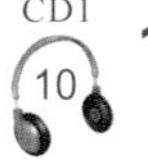

1 Ascoltate le esperienze professionali di due persone e prendete appunti. Che somiglianze o differenze potete trovare? Confrontatevi con i compagni.

CD1 10

2 **Ascoltate di nuovo e indicate le quattro affermazioni presenti.**

- [ ] 1. Per una donna che lavora, fare un figlio può essere un rischio.
- [ ] 2. Fatima ha avuto due gemelli.
- [ ] 3. Durante la maternità, Fatima ha guadagnato meno di quanto le spettava.
- [ ] 4. Fatima non ha lavorato sempre nello stesso luogo.
- [ ] 5. Tornata al lavoro, ha avuto problemi per reinserirsi nell'azienda.
- [ ] 6. Il mondo del lavoro è spietato per chi studia Scienze ambientali.
- [ ] 7. Matteo non fa un lavoro coerente con i suoi studi.
- [ ] 8. Barcellona è una città piena di opportunità di lavoro.

3 **Nel vostro Paese il lavoro precario è una realtà diffusa? Che ne pensate?**

B Comprensione del testo

1 **Questi sono i titoli di tre testi che leggeremo. Di cosa tratta ciascuno, secondo voi?**

Meglio ricercatrice o cameriera?

Laureato e (per vivere) facchino

Economia e 950 euro al mese

2 **Leggendo la prima riga di ogni testo potete individuarne il titolo?**

A

Ho 30 anni e mi sono sempre occupata di ricerca scientifica. A 23 anni (quindi in corso) mi sono laureata in biologia con 110 e lode e un'ottima tesi dalla quale sono stati ricavati tre articoli, pubblicati su riviste internazionali. Poi ho vinto un dottorato di ricerca e subito dopo sono partita per l'estero. Ho lavorato in Svezia per quasi quattro anni, ho pubblicato 8 lavori e imparato moltissimo. Da due anni sono tornata in Italia e lavoro all'università. Io lavoro per otto ore al giorno (in realtà sono un po' di più), circa 160 ore al mese, guadagnando 1.150 euro (per quanto riguarda la mia pensione ho dovuto provvedere privatamente). Se divido 1.150 per 160 viene circa 7,2 euro, la cifra che io guadagno ogni ora. Oggi la signora che viene ad aiutarmi a fare un po' di pulizie in casa mi ha chiesto 8 euro all'ora. Che faccio? Cambio lavoro?

B

Mi ritengo una giovane insoddisfatta... e vi assicuro che questo è un sentimento comune a tutti i miei coetanei. Sono una ventisettenne, laureata in economia, con una specializzazione e con una qualifica professionale. Ma oggi i titoli non bastano, tanto che nonostante un buon curriculum arricchito anche da esperienze professionali mi ritrovo a fare un lavoro per il quale mi sarebbe bastato il solo diploma: guadagno 950 euro al mese da cui vanno detratte le spese del trasporto. Come si può essere contenti, quando si studia e il titolo vale meno di niente e quando si guadagna il minimo per vivere?

C

L'accesso alle libere professioni è sempre stato arduo e doloroso. Porto la mia ormai remota esperienza in cui, dopo una laurea conseguita con 110 e lode e pubblicazione della tesi, per potermi mantenere dopo circa otto ore di lavoro gratuito presso un noto studio professionale, provvedo a ricercare il mio sostentamento consegnando a domicilio delle bottiglie d'acqua minerale con un vecchio Apecar e facendo il facchino presso il mercato ortofrutticolo, dalle tre alle sei del mattino. Superato l'esame di Stato, ho avviato uno studio insieme a un altro collega per scoprire, circa due anni dopo, che il lavoro svolto non riusciva a coprire le spese. Chiudemmo lo studio ed entrambi ricercammo e trovammo un impiego in banca. Ora sono dirigente di un grande gruppo creditizio nazionale con grosse soddisfazioni economiche e professionali, ma con il rammarico di non aver potuto, pur con la miriade dei sacrifici fatti, esercitare la professione per cui mi ero preparato.

tratti da *Profondo Italia*, edizioni Bur

3 Indicate a quale testo si riferiscono le seguenti informazioni.

1. Si chiede se abbia sbagliato mestiere.
2. Il suo stipendio attuale è abbastanza alto.
3. All'università non ha perso tempo.
4. Non ha lavorato solo in Italia.
5. Potrebbe guadagnare lo stesso anche senza laurea.
6. La prima esperienza professionale non è stata molto felice.
7. Crede che molti altri la pensino allo stesso modo.
8. Ha finito l'università molti anni fa.

C Riflettiamo sulla grammatica

1 Nel primo (riga 2), secondo (righe 5 e 6) e terzo testo (righe 13-14) ci sono pronomi relativi preceduti da una preposizione. Che cosa sostituiscono?

2 Costruite una frase con un pronome relativo preceduto da una preposizione.

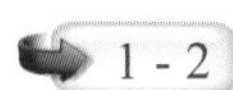

D Riflettiamo sul testo

1 Delle due alternative proposte, quale esprime meglio il significato che hanno nel testo le parole in blu?

...1.150 per 160 viene circa 7,2 euro... (A8): a. fa, b. arriva a
...non bastano, tanto che nonostante un buon... (B3): a. infatti, b. al contrario
...sarebbe bastato il solo diploma... (B5): a. un solo, b. solamente il
...Porto la mia ormai remota esperienza... (C1): a. dimostro, b. racconto
...pur con la miriade dei sacrifici... (C13): a. nonostante, b. a causa di

2 **Scegliete tre delle espressioni nel riquadro e costruite delle frasi.**

> in realtà (A6), per quanto riguarda (A7), vi assicuro (B1), meno di niente (B7), a domicilio (C5), pur (C13)

E Lavoriamo sul lessico

1 **Completate le frasi con le parole adatte.**

1. È bastato un .... di lavoro per convincere il direttore che ero la persona giusta per quel .... ufficio colloquio posto impegno dialogo
2. - Signorina, ha molti ...., ma purtroppo cerchiamo una persona con una .... maggiore. requisiti salario pratica studi esperienza
3. Povero signor Baldi: è stato .... due anni prima di andare in ....! pensione assunto licenziato ferie promosso
4. Marta ha trovato .... presso una grande .... italiana che produce mobili. lavoro agenzia ditta filiale mestiere
5. Il .... ha promesso a tutti un aumento di ....! Il motivo? La sua squadra ha vinto il campionato! capo stipendio retribuzione collega denaro

2 **Lavorate in coppia. Completate le frasi con le parole opportune (3 sostantivi, 1 aggettivo, 1 avverbio), derivate da quelle date sotto alla rinfusa.**

> sacrificare accedere qualificare scienza temporaneo

1. Oggi, grazie ai progressi della ricerca ...., si possono curare molte malattie.
2. Lo so che non è proprio il lavoro che sognavo, ma .... sono costretto a farlo.
3. Se uno ha degli obiettivi nella vita, deve fare dei ....
4. Nessuno aveva .... al computer del ministro, eppure il disegno di legge è stato diffuso su Internet!
5. Per esercitare certi mestieri bisogna superare un esame e ottenere la .... professionale.

F Parliamo e scriviamo

1 Cos'è per voi un "buon lavoro"? Quali caratteristiche deve avere?

2 È meglio essere lavoratori dipendenti o lavorare in proprio? Quali sono i pro e quali i contro?

3 In Italia, lavorare per l'amministrazione pubblica è un sogno di molti; anche nel vostro Paese? A voi piacerebbe?

Role-play 4 Situazione. Immaginate di svolgere un colloquio di lavoro per un posto di *receptionist* in un grande albergo. Nel corso della conversazione, scoprite che l'azienda vi sta offrendo un impiego precario, a tempo determinato, e in un'altra città. Protestate per il tempo perduto.

5 Dopo tanti tentativi siete finalmente riusciti a trovare un lavoro. Sono bastate poche settimane, però, per farvi passare l'entusiasmo iniziale. Scrivete un'e-mail a un amico per informarlo del nuovo lavoro e delle difficoltà incontrate per trovarlo, dei vostri colleghi ecc. Inoltre riferite le vostre prime impressioni e le condizioni in genere. *(160-180 parole)*

G Riflettiamo sulla grammatica

Nella riga 2 del testo A e nella riga 6 del testo B, abbiamo incontrato due forme passive. Le riconoscete? In coppia formate delle frasi simili con ciascuna di queste forme.

3 - 5

H Lavoriamo sulla lingua

Completate il testo con le parole mancanti (una per ogni spazio).

Statali, dipendenti, autonomi

Un modo per assicurare tranquillità e sicurezza alla vostra vita in Italia è conquistare un impiego statale. Ovviamente ....(1) nazione si spacca in categorie caratteristiche: gli inglesi ....(2) le loro classi sociali, gli americani le origini etniche. In Italia, ...(3) prescindere dalla netta divisione nord-sud, una delle distinzioni ....(4) marcate è quella che separa gli statali dai ....(5) statali: i dipendenti dello Stato dagli altri. ....(6) occhi della popolazione, gli statali godono ....(7) un insieme di privilegi talmente favolosi ed estesi da farne una ....(8) a parte.
I privilegi degli Statali (o così ....(9) appaiono ai non statali) possono essere riassunti brevemente ....(10) queste voci: una volta assunti non sono ....(11) a lavorare; non sono nemmeno obbligati a presentarsi al ....(12), se non saltuariamente; possono assentarsi per ristorarsi nel bar ....(13) vicino e cogliere l'occasione per fare la spesa o ....(14) la schedina nella tabaccheria preferita; godono di un orario lavorativo ....(15) a quello dei dipendenti del settore privato, quindi hanno più tempo a ....(16) da impiegare in altre attività redditizie; hanno il diritto di ....(17) trasferiti nel luogo di origine dopo qualche anno di lavoro ....(18); ma soprattutto – e questo vale la somma di tutti i ....(19) già citati – non possono essere licenziati, qualunque cosa ....(20), in qualunque posto o momento, non importa: non sono licenziabili. Si sono sistemati.

tratto da *Italiani*, di Tim Parks, Bompiani ed.

I Riflessioni linguistiche

Da dove deriva la parola *salario*? Dalla parola "sale"! Con *sal* i Romani indicavano in origine la "porzione di sale" che veniva data ai soldati o ad altri dipendenti dello Stato. Più tardi, invece, si dava una somma di denaro per l'acquisto del sale, quindi, pian piano la parola assunse il significato di retribuzione, stipendio.

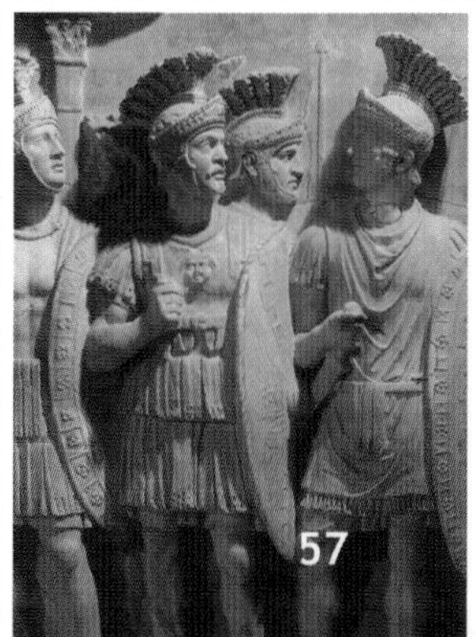

Per cominciare...

1 Descrivete queste foto. Quale di questi luoghi vorreste visitare e perché? Discutetene con il vostro compagno.

2 Leggete il primo paragrafo. Secondo voi, chi è Novecento?

A Comprensione del testo

1 Leggete il testo e indicate l'affermazione corretta tra quelle proposte.

Novecento

Una volta chiesi a Novecento a cosa diavolo pensava, mentre suonava, e cosa guardava, sempre fisso davanti a sé, e insomma dove finiva, con la testa, mentre le mani gli andavano avanti e indietro sui tasti. E lui mi disse: "Oggi son finito in un paese bellissimo, le donne avevano i capelli profumati, c'era luce dappertutto ed era pieno di tigri". Viaggiava, lui.

E ogni volta finiva in un posto diverso: nel centro di Londra, su un treno in mezzo alla campagna, su una montagna così alta che la neve ti arrivava alla pancia, nella chiesa più grande del mondo, a contare le colonne e guardare in faccia i crocefissi. Viaggiava. Era difficile capire cosa mai potesse saperne lui di chiese, e di neve, e di tigri e... voglio dire, non c'era mai sceso, da quella nave, proprio mai, non era una balla, era tutto vero. Mai sceso. Eppure, era come se le avesse viste, tutte quelle cose. Novecento era uno che se tu gli dicevi "Una volta son stato a Parigi", lui ti chiedeva se avevi visto i giardini tal dei tali, e se avevi mangiato in quel dato posto, sapeva tutto, ti diceva "Quello che a me piace, laggiù, è aspettare il tramonto andando avanti e indietro sul Pont Neuf, e quando passano le chiatte, fermarmi e guar-

darle da sopra, e salutare con la mano".

"Novecento, ci sei mai stato a Parigi, tu?" "No." "E allora..." "Cioè... sì." "Sì cosa?" "Parigi."

Potevi pensare che era matto. Ma non era così semplice. Quando uno ti racconta con assoluta esattezza che odore c'è in Bertham Street, d'estate, quando ha appena smesso di piovere, non puoi pensare che è matto per la sola stupida ragione che in Bertham Street, lui, non c'è mai stato. Negli occhi di qualcuno, nelle parole di qualcuno, lui, quell'aria, l'aveva respirata davvero. Il mondo, magari, non l'aveva visto mai. Ma erano ventisette anni che il mondo passava su quella nave: ed erano ventisette anni che lui, su quella nave, lo spiava. E gli rubava l'anima.

In questo era un genio, niente da dire. Sapeva ascoltare. E sapeva leggere. Non i libri, quelli son buoni tutti, sapeva leggere la gente. I segni che la gente si porta addosso: posti, rumori, odori, la loro terra, la loro storia... Tutta scritta, addosso. Lui leggeva, e con cura infinita, catalogava, sistemava, ordinava... Ogni giorno aggiungeva un piccolo pezzo a quella immensa mappa che stava disegnandosi nella testa, immensa, la mappa del mondo, del mondo intero, da un capo all'altro, città enormi e angoli di bar, lunghi fiumi, pozzanghere, aerei, leoni, una mappa meravigliosa. Ci viaggiava sopra da dio, poi, mentre le dita gli scivolavano sui tasti, accarezzando le curve di un ragtime.

tratto da *Novecento*, di Alessandro Baricco, Feltrinelli ed.

1. Novecento lavorava sulla nave come
a) marinaio
b) capitano
c) pianista
d) barista

2. Novecento aveva
a) girato il mondo con la fantasia
b) viaggiato molto da giovane
c) viaggiato sia in nave che in aereo
d) visitato alcuni dei luoghi descritti

3. Quando si discuteva di città e viaggi Novecento
a) faceva mille domande
b) mostrava indifferenza
c) dava l'impressione di sapere tutto
d) dava l'impressione di mentire

4. Chi parlava con Novecento
a) pensava che fosse matto
b) si meravigliava dei suoi racconti
c) dopo un po' si stufava
d) a sua insaputa, gli insegnava qualcosa

5. Le cose che Novecento sapeva le aveva imparate
a) leggendo numerosi libri
b) "leggendo" chiunque incontrasse
c) viaggiando in tutto il mondo
d) ascoltando le discussioni degli altri

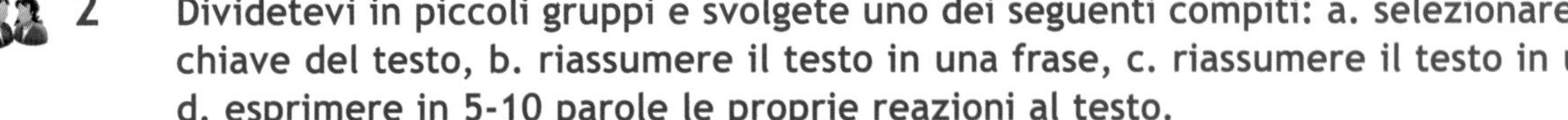

2 **Dividetevi in piccoli gruppi e svolgete uno dei seguenti compiti: a. selezionare le 10 parole chiave del testo, b. riassumere il testo in una frase, c. riassumere il testo in un paragrafo, d. esprimere in 5-10 parole le proprie reazioni al testo.**

B Riflettiamo sul testo

Le frasi che seguono corrispondono ad altre presenti nel testo: quali?

viaggiava in molti luoghi (3-7): ....
precisamente (23-27): ....
non c'è dubbio (29-33): ....
con molta attenzione (32-36): ....
suonava il pianoforte (36-40): ....

C Riflettiamo sulla grammatica

Osservate nel testo le parole in blu. Si tratta di sostantivi preceduti o seguiti da un aggettivo. In quale caso è possibile invertire la posizione dell'aggettivo? Sapreste spiegare perché?

1 - 2

D Lavoriamo sul lessico

1 **Lavorate in coppia. Conoscete questi strumenti musicali? Abbinate i loro nomi alle immagini, completando con le lettere che mancano.**

1. clar....................	5. fla....................
2. fisar....................	6. viol....................
3. pian....................	7. sass....................
4. chit....................	8. batt....................

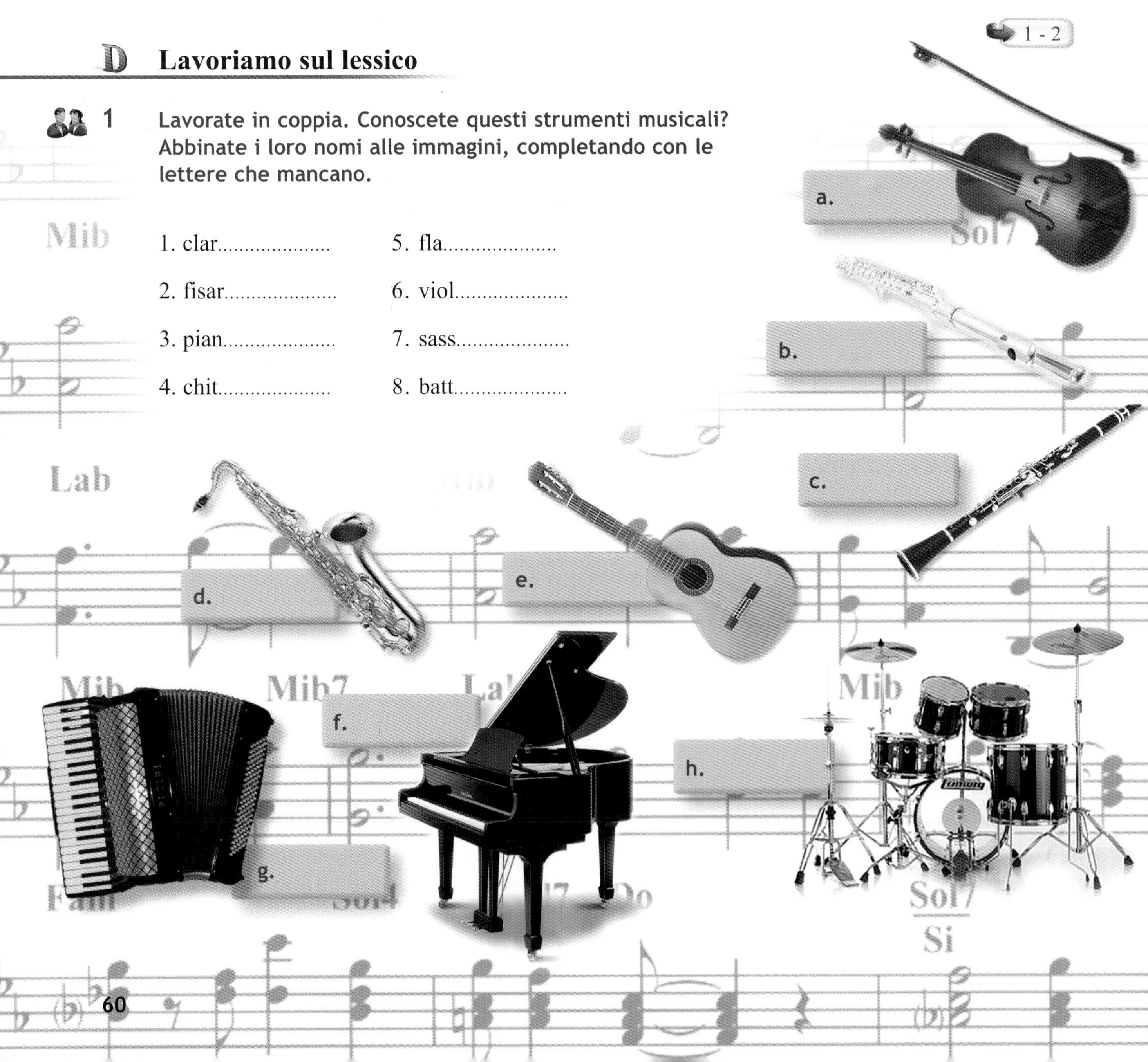

2 **Tra le seguenti parole troverete i sinonimi di quelle in blu e i contrari di quelle in rosso.**

uguale profumo complicato gigantesco pazzo motivo indietro silenzio alba

matto ....
diverso ....
odore ....
enorme ....
semplice ....
avanti ....
rumore ....
ragione ....
tramonto ....

E Parliamo e scriviamo

1 Secondo voi, perché Novecento non è mai sceso dalla nave? Scambiatevi delle idee.
2 Che cosa rappresentano i viaggi per voi? Qual è il momento migliore di un viaggio?
3 Situazione. Dopo averci pensato bene, vai in un'agenzia di viaggi pronto a realizzare un tuo sogno: una vacanza alle Bahamas. L'impiegata, però, ti elenca una serie di motivi (stagione non adatta, prezzi ecc.) per cui faresti bene a scegliere un'altra meta. Insisti...

Role-play

4 Una sera, nel salone della nave che vi porta in Italia, conoscete Novecento, una persona insolita, che vi parla della sua straordinaria vita. Scrivete una lettera ad un amico per raccontargli la storia, strana e affascinante, di quest'uomo. *(160 -180 parole)*

F Riflettiamo sulla grammatica

Completate con la forma giusta dei verbi tra parentesi. Motivate le vostre scelte.

1. Novecento (*essere*) .... uno che se tu gli dicevi "Una volta son stato a Parigi", lui ti chiedeva se (*vedere*) .... i giardini tal dei tali, e se (*mangiare*) .... in quel dato posto, sapeva tutto...
2. Negli occhi di qualcuno, nelle parole di qualcuno, lui, quell'aria, l'aveva respirata davvero. Il mondo, magari, non (*vederlo*) .... mai.

3 - 4

G Ascoltiamo

CD1 11

1 **"Novecento" è nato come monologo teatrale. Ascoltatene l'inizio, recitato da un attore professionista, e completate le frasi (massimo 4 parole).**

1. Ci stavamo in più di mille, su quella nave, tra ricconi in viaggio, e ...., e noi.
2. Allora s'inchiodava, lì dov'era, gli partiva ....
3. Poi rimaneva lì, immobile .... entrare in una fotografia.
4. Quello che per primo vede l'America. Su ogni nave ....
5. Quella è gente che da sempre c'aveva già quell'... ....
6. E poi fino alla lingua, fin ...., AMERICA!!!!, c'era già in quegli occhi di bambino tutta l'America.

2 **In queste frasi del testo che abbiamo ascoltato, a cosa corrispondono le espressioni in blu?**

1. Magari era lì che stava mangiando...
   a. dubbio   b. speranza

2. ...buttava un occhio verso il mare...
   a. lanciava l'occhio   b. gettava uno sguardo

3. Allora s'inchiodava, lì dov'era, gli partiva il cuore a mille e...
   a. era emozionato   b. s'innamorava

H Lavoriamo sulla lingua

Inserite nel testo i verbi dati al modo e al tempo giusti.

1. raccontare, 2. incominciare, 3. sembrare, 4. girarsi, 5. fermarsi, 6. capire, 7. essere, 8. sapere, 9. capire, 10. fare

Ora, nessuno è costretto a crederlo, e io, a essere precisi, non ci crederei mai se me lo ....(1), ma la verità dei fatti è che quel pianoforte ....(2) a scivolare, sul legno della sala da ballo, e noi dietro a lui, con Novecento che suonava, e non staccava lo sguardo dai tasti, ...(3) altrove, e il piano seguiva le onde e andava e tornava, e ....(4) su se stesso, puntava diritto verso la vetrata, e quando era arrivato a un pelo ....(5) e scivolava dolcemente indietro, dico, sembrava che il mare lo cullasse, e cullasse noi, e io non ci ....(6) un accidente, e Novecento suonava, non smetteva un attimo, ed ....(7) chiaro, non *suonava* semplicemente, lui lo *guidava*, quel pianoforte, capito?, coi tasti, con le note, non ....(8), lui lo guidava dove voleva, era assurdo ma era così. E mentre volteggiavamo tra i tavoli, sfiorando lampadari e poltrone, io ....(9) che in quel momento, quel che stavamo ....(10), quel che *davvero* stavamo facendo, era danzare con l'Oceano, noi e lui, ballerini pazzi, e perfetti, stretti in un torbido valzer, sul dorato parquet della notte.

I Riflessioni linguistiche

Sottolineate i modi di dire presenti in questo testo.

È bello *viaggiare*, forse di più andare alla ventura, cioè mettersi in viaggio senza una meta o un programma preciso. Il viaggio della speranza, invece, era quello degli emigranti che lasciavano l'Italia, in cerca di una vita migliore. Non a caso si dice di aver trovato l'America quando ci si trova in una situazione fortunata.

Autovalutazione

Cosa ricordate dell'unità 9?

Trovate, in orizzontale e in verticale, le 14 parole relative al mondo del lavoro.

L	I	C	E	N	Z	I	A	R	E	I	O
U	G	H	I	O	D	E	T	O	N	I	C
M	D	I	S	O	C	C	U	P	A	T	O
T	I	S	A	L	A	R	I	O	G	I	L
A	R	E	Q	U	I	S	I	T	I	G	L
S	I	M	P	I	E	G	O	R	Q	U	O
S	G	C	I	A	T	E	N	E	U	A	Q
U	E	A	A	F	S	T	I	Z	I	D	U
M	N	P	R	E	C	A	R	I	O	A	I
E	T	O	O	R	C	R	A	O	Z	G	O
R	E	T	R	I	B	U	Z	I	O	N	E
E	A	U	M	E	N	T	O	M	I	O	R

Tropea, Calabria

Cosa ricordate dell'unità 10?

1. Scegliete le parole adatte per ogni frase.

1. Se fossi ricca, non farei altro che viaggiare da un capo/senso/segno all'altro del mondo.
2. Certo che è un bel problema/bello problema/problema bello, cosa pensano di fare ora?
3. Perché non ci hai chiesto aiuto fin dall'inizio, invece di fare tutto a nostra ignoranza/sconosciuta/insaputa?
4. Erano almeno due anni che non si sono visti/vedevano/erano visti, quando si sono incontrati per caso in un bar del centro.

2. Completate gli spazi con le parole date. Attenzione: le parole sono di più!

sei balle forte grande alba chitarra bugia batteria eri

1. Io non ci credo, secondo me è un'altra delle sue ....
2. A che ora sei uscita stamattina, all'.............................. ? Io mi sono svegliato alle 7, ma tu .... già andata via.
3. Mentre suonava la .... si sono rotte le bacchette.
4. Sono d'accordo con te: è veramente un .... uomo. Non a caso ha vinto il Nobel per la pace.

Verificate le vostre risposte a pagina 185. Siete soddisfatti?

Telefonini

Per cominciare...

1 Leggeremo due testi che parlano di tecnologia. Secondo voi, quali di queste parole sono presenti? Lavorate in coppia.

☐ soccorso	☐ bloccato	☐ inviato	☐ pediatra
☐ messaggio	☐ capufficio	☐ dolori	☐ dipendenza

2 In realtà, queste parole sono tutte contenute nei testi. Dal titolo riuscite a capire a quale testo appartiene ognuna?

3 Lavorate in coppia. Confermate le vostre ipotesi completando i due testi con le parole del punto 1.

A

700 sms alla settimana, 19enne finisce dallo psichiatra

Rivelato un caso di .... estrema dal telefonino. Il giovane mandava anche 8.000 e-mail in un mese.

LONDRA - Non poteva farne a meno. Mandare i messaggi sms per lui era un fatto compulsivo. E così, a 19 anni, è finito dallo psichiatra per quella che è stata identificata come una vera e propria dipendenza da sms ed e-mail. Il caso si riferisce a un giovane di Paisley, in Scozia, che nell'arco di un anno ha speso circa 6.000 euro in messaggi con il cellulare.

Il ragazzo, che la stampa identifica soltanto come 'Steven', aveva lasciato il posto di lavoro dopo che il .... aveva scoperto che aveva .... 8.000 e-mail soltanto in un mese. Il giovane ha dichiarato che la maggioranza delle e-mail erano tra lui e la sua ragazza. Steven mandava inoltre una media di 700 sms alla settimana. "Quando guardi il tuo cellulare e vedi che hai ricevuto un .... ti chiedi chi potrebbe essere. Riceverlo ti dà conforto. È come una partita di ping pong, ne mandi uno e te ne arriva un altro", ha detto il giovane intervistato dalla Bbc. Gli psicologi, che da 25 anni si occupano di casi di dipendenza di vario genere, hanno dichiarato di non essersi mai imbattuti in un caso simile.

B

Troppi sms, pollice .... a una 14enne

Prima dolore, poi paralisi: arcano svelato dal .... dopo che la ragazza ha ammesso di inviare 100 messaggi al giorno.

GENOVA - Un pollice completamente bloccato con una seria infiammazione ai tendini dovuti all'invio di circa 100 sms al giorno con il proprio telefono cellulare: è accaduto a una quattordicenne di Savona, i cui genitori si sono rivolti a un pediatra non riuscendo a comprendere i motivi dei continui .... al dito di cui si lamentava la ragazza. Inizialmente il pediatra ha provato a interrogare la bambina su quali potessero essere le cause di un simile dolore: se l'impugnatura non corretta della penna, o della racchetta da tennis. Ma dopo un'attenta indagine, come rivela stamani il quotidiano genovese *Il Secolo XIX*, il medico ha capito che la causa del dolore era con ogni probabilità da attribuire all'uso smodato del telefono cellulare, con cui la ragazzina ha detto di inviare circa 100 sms al giorno ad amici e compagni di scuola. Il caso della quattordicenne savonese ricorda un episodio simile accaduto a un giovane genovese, finito al pronto .... con una dolorosa tendinite ai polsi causata dall'eccessivo uso della sua Playstation.

tratti da *La Stampa*

A Comprensione del testo

1 **Rileggete i testi e indicate a quale dei due si riferiscono le informazioni date.**

A B
1. Il problema è andato via via peggiorando.
2. Il 'peccato' è stato confessato.
3. Inviare messaggi era qualcosa a cui non poteva resistere.
4. Oltre al danno psicologico c'è stato anche quello economico.
5. Inizialmente non si riusciva a individuare la causa del problema.
6. Faceva un uso eccessivo anche del computer.
7. Rispondere a messaggi consecutivi era una specie di gioco.
8. Non si trattava di messaggi d'amore.
9. Questo caso non è il primo del genere.
10. Non si sono registrati episodi analoghi.

2 **Secondo voi, quale dei due casi è più grave e perché?**

B Riflettiamo sul testo

Lavorando in coppia e senza riguardare gli articoli, cercate di completare le frasi con le espressioni mancanti (2 o 3 parole).

1. Sono un appassionato di calcio, non posso .... (4)
2. Tutto è andato male: una .... catastrofe! (7)
3. Vedi quel centro congressi? È stato costruito .... di 6 mesi! (9)
4. Dopo la separazione, gli unici che mi .... erano gli amici. (21)
5. I suoi problemi di salute sono .... cattiva alimentazione. (31-32)
6. Il celebre attore, con ...., non sarà presente al Festival di Venezia. (44)
7. Ricordi Stefano? Ha avuto un incidente ed .... in ospedale. (49)

Ora leggete le righe indicate e verificate le vostre risposte.

C Riflettiamo sulla grammatica

1 **Nel testo abbiamo incontrato frasi come "non poteva farne a meno" (4) e "ne mandi uno e te ne arriva un altro" (22). Potete giustificare l'uso del *ne* in questi casi?**

2 **In coppia, pensate a un altro uso del *ne* e costruite una frase. Ascoltate i vostri compagni e insieme elencate i vari usi del *ne*.**

....

D Lavoriamo sul lessico

1 **Completate le frasi con i derivati (sostantivi, aggettivi, avverbi) delle parole date.**

1. LAMENTARE Ma basta! Non sopporto più le tue ....
2. DIPENDERE Mangi così tanto cioccolato che ormai si può parlare di ....!
3. CONFORTO La vostra casa nuova è veramente spaziosa e ....
4. INDAGARE Una recente .... rivela che un bambino su due ha il cellulare.
5. INIZIALE Alla fine ho accettato, anche se .... non mi era piaciuta l'idea.
6. DOLORE Non ha voglia di parlarne, è stata una storia veramente ....
7. ECCEDERE Andrea è stato multato per .... di velocità!
8. CONTINUO Mia madre mi chiama in .... anche per chiedermi cosa mangio!

2 **Lavorate in coppia. Completate questo sms con alcune delle parole date. Se ci sono parole sconosciute, consultatevi con le altre coppie.**

prefisso	scatto
tasto	squillo
batteria	messaggio
telefonata	e-mail
ricaricare	bolletta
segreteria	canone

*CMQ: comunque

E Ascoltiamo

1 **Ormai perfino i bambini hanno il cellulare. Perché, secondo voi? Quali sono i pro e i contro di tale fenomeno?**

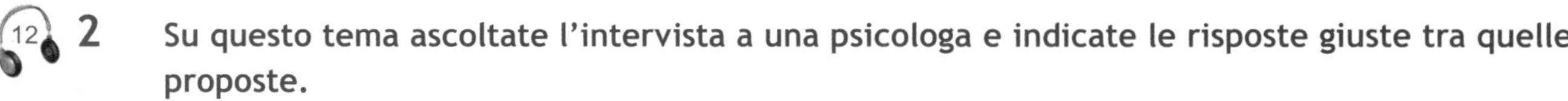

2 **Su questo tema ascoltate l'intervista a una psicologa e indicate le risposte giuste tra quelle proposte.**

1. L'uso del cellulare da parte dei bambini
a. è vietato per legge
b. è dannoso per la salute
c. è un modo per sembrare grandi
d. è un pericolo per i genitori

2. I bambini usano il cellulare soprattutto
a. per socializzare con i compagni di classe
b. per mandare sms ai genitori
c. per divertirsi con i giochi
d. per mandare mms agli amici

3. I genitori regalano ai figli un telefonino
a. per sapere come stanno
b. per chiamarli di continuo
c. per controllarli meglio
d. perché lo usino a scuola

4. L'uso del cellulare favorisce
a. la crescita del bambino
b. l'autonomia del bambino
c. il divertimento del bambino
d. l'estraniamento del bambino

3 **Nel corso dell'intervista, abbiamo ascoltato spesso il termine *insomma*. Nelle seguenti frasi, alcune delle quali tratte proprio dal brano ascoltato, indicate quale significato può avere la congiunzione *insomma* nei diversi contesti in cui viene usata.**

1. Gli si dà un messaggio implicito, insomma "tu non puoi cavartela da solo".
2. Insomma invece di socializzare con i bambini presenti in classe o nella scuola, si cercano contatti con altri bambini lontani.
3. – Come va il tuo nuovo cellulare? – Insomma, credevo meglio...
4. Ma insomma, è possibile che stai sempre attaccato al telefonino!?

Non molto bene, così così frase n. ☐
Allora!, Suvvia! frase n. ☐
In altre parole... frase n. ☐
In definitiva, in conclusione... frase n. ☐

F Parliamo e scriviamo

1 Commentate la vignetta a destra.
2 Secondo voi, in quali casi si abusa del cellulare? Generalmente quali sono i pro e i contro del telefonino?
3 Quale delle ultime funzioni dei cellulari apprezzate particolarmente e usate di più?
4 Situazione. Durante un viaggio in Italia perdi il tuo cellulare. Vai in un negozio per comprarne uno nuovo. Non conoscendo molto bene la terminologia usata (modelli, abbonamenti ecc.) cerchi di farti capire dalla commessa, la quale gentilmente cerca di aiutarti.
Role-play

5 Scrivi un'e-mail a un amico per raccontare l' "avventura" descritta al punto 4 (la perdita del telefonino, lo stress che ne è derivato e l'acquisto di un nuovo cellulare). *(120-140 parole)*

G Riflettiamo sulla grammatica

Nel testo A di pag. 64 abbiamo trovato questa frase: "...il ragazzo aveva lasciato il posto di lavoro dopo che il capufficio aveva scoperto che aveva inviato 8.000 e-mail". Trasformatela cominciando così:

3 - 4

a. *Il ragazzo ha lasciato* ....

b. *Il ragazzo lascerà* ....

H Lavoriamo sulla lingua

Completate il testo scegliendo, per ogni spazio, una delle parole proposte.

Salvato grazie al cellulare

Perugia - Era arrivato nella cucina del ristorante nascosto in un casco di banane. Gli _(1)_ lo chiamano *Phoneutria fera* ma di soprannome fa "ragno banana" per il suo amore per il frutto del sud America. Pochi lo conoscono in Europa, ma è tra i più _(2)_ ragni del mondo, capace di uccidere un uomo in cinque ore.

Qualche giorno fa, un esemplare del micidiale ragno ha morso alla mano un giovane cuoco. Se la storia non ha avuto un _(3)_ epilogo è stato grazie a una fotografia. Scattata con il cellulare. Facciamo un passo _(4)_.

Gianni Fabrizi ha 23 anni e fa il cuoco in un ristorante perugino. Quella sera la ricorda bene: "Stavo pulendo il frigorifero. Il ragno era nascosto sotto lo straccio. Quando mi ha morso ho _(5)_ lo straccio e il ragno nel freezer. Credo di averlo ucciso, ma il dolore alla mano è andato via via _(6)_. Ho scattato con il mio cellulare una fotografia al ragno: l'avrei potuta mostrare al medico se fosse stato necessario. È stata la mia fortuna! Dopo alcuni minuti la mano mi si è gonfiata e ho cominciato a stare male. Sono tornato a casa, però lì è stato ancora peggio: sono _(7)_. Per fortuna c'era la mia fidanzata che mi ha accompagnato all'ospedale. Pensavo di morire - ricorda il giovane cuoco - non _(8)_, mi girava la testa. Ho mostrato la foto che avevo fatto con il cellulare; non sapevano che _(9)_ di ragno fosse ma l'hanno spedita allo zoo di Roma e lì hanno capito che stavo morendo per davvero". Grazie alla collaborazione degli entomologi, è stato _(10)_ l'antidoto e, dopo alcuni giorni di ricovero, il giovane cuoco si è _(11)_.

tratto da *La Stampa*

1.	a. specialisti	b. appassionati	c. esperti	d. studenti
2.	a. velenosi	b. carnivori	c. bei	d. veloci
3.	a. lieto	b. tragico	c. crudele	d. malinconico
4.	a. dietro	b. indietro	c. davanti	d. avanti
5.	a. gettato	b. preso	c. alzato	d. posizionato
6.	a. alzandosi	b. aumentando	c. sviluppandosi	d. ingrandendo
7.	a. svenuto	b. calato	c. caduto	d. crollato
8.	a. ispiravo	b. soffiavo	c. respiravo	d. tiravo
9.	a. sorta	b. razza	c. specie	d. modello
10.	a. individuato	b. indicato	c. inventato	d. stabilito
11.	a. rianimato	b. ritirato	c. rinforzato	d. ripreso

I Curiosità storico-linguistica

Nel 1854 l'italiano Antonio Meucci ideò e costruì un apparecchio capace di trasmettere a distanza la voce umana. Depositò il brevetto della sua invenzione negli Usa solo nel 1871 ma, per problemi economici, lo cedette nel 1874. Due anni dopo l'inventore anglo-americano G. Bell presentò domanda di brevetto di un apparecchio analogo. Successivamente perfezionato, si diffuse con il nome *telephone*, parola composta dalle voci greche *tele*, cioè da lontano, a distanza e *phoné*, suono, voce. Recentemente anche il Congresso americano ha riconosciuto Meucci come il vero inventore del telefono.

Per cominciare...

1 Descrivete e commentate le foto. Vi siete mai trovati in situazioni simili?

2 Secondo voi, ci sono sport "da uomo" e sport "da donna"? È vero che gli uomini si appassionano di più allo sport? Parlatene.

A Comprensione del testo

1 Leggete le seguenti affermazioni e fate delle ipotesi sul contenuto del testo che leggerete.

1. La coppia si è separata perché
a) tifavano per squadre diverse
b) a lei erano antipatici gli amici di lui
c) secondo lei, lui amava troppo il calcio
d) lei si è innamorata di un altro uomo

2. Il protagonista ha rivisto la sua ex
a) mentre lei stava parcheggiando la macchina
b) mentre erano entrambi in fila per entrare allo stadio
c) mentre lui ed i suoi amici compravano i biglietti
d) fuori dallo stadio, prima di una partita di calcio

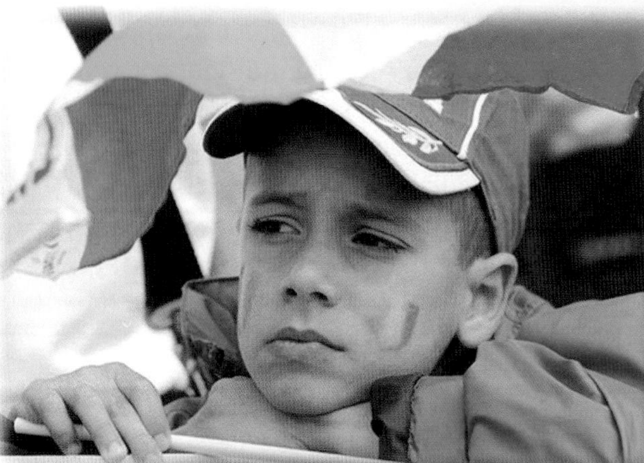

3. Al protagonista è sembrato strano il fatto che
a) dopo due anni provasse ancora qualcosa per lei
b) lei andasse ad una partita di calcio
c) lei fosse insieme ad un suo vecchio amico
d) lei ormai tifasse per la sua stessa squadra

4. Il protagonista non poteva credere
a) che la sua ex si comportasse in quel modo
b) che la sua squadra avesse perso in quel modo
c) che il compagno della sua ex fosse un ultrà
d) che la sua ex fosse ancora così bella

5. Ciò che più dava fastidio al protagonista era che lei
a) sembrava essere cambiata in peggio
b) con lui era sempre stata troppo seria
c) faceva il tifo per un'altra squadra
d) aveva trovato la scusa del calcio per lasciarlo

2 **Leggete il testo per verificare le vostre ipotesi e per svolgere l'attività precedente.**

Goal!

Come succede spesso quando una storia d'amore finisce, il bilancio diventa di colpo negativo in modo ingiusto e sconcertante. Almeno per quello dei due che ha deciso di rompere. A sentire la mia donna, anzi la mia ex, in quattro anni di vita comune io non ne avrei fatta una giusta.

L'ultima lite, quella definitiva, è nata durante i campionati del mondo di calcio. Lei era diventata sempre più insofferente delle chiassose riunioni con gli amici in casa nostra, davanti alla tv, dei commenti prima, durante e dopo le partite, degli slanci e degli entusiasmi che, secondo lei, avevo solo per il pallone.

Da due anni non la vedevo ed ero convinto che di lei non m'importasse assolutamente più nulla. Per questo, quando l'ho vista domenica scorsa, mentre andavo alla partita, ho provato solo una blanda curiosità. Lei era con un uomo e io stavo disperatamente cercando un parcheggio intorno allo stadio. Trovato il posto per la macchina, ho raggiunto lo stadio a piedi e lì ho aspettato gli amici coi quali avevo appuntamento. Li stavo ancora aspettando quando ho visto con stupore che lei e il suo uomo prendevano i biglietti e si mescolavano alla folla che entrava. L'idea che proprio lei andasse alla partita mi sembrava incredibile. Ho ripensato a quando mi costringeva a vedere le telecronache in tv togliendo l'audio perché, anche senza guardare, la infastidiva la voce concitata del telecronista.

Quando sono arrivati gli amici ho raggiunto con loro i soliti posti in gradinata e, guarda caso, appena seduto, mi sono accorto che tre file più sotto c'era lei. Con tutto il pienone di quel giorno era finita proprio sotto i miei occhi. Non la vedevo da una vita e la incontravo due volte il giorno del derby.

La partita è stata una vera sofferenza per me. La mia squadra ha perso e ha giocato anche male. Non c'era nemmeno l'alibi della sfortuna o dell'arbitro parziale. Ma per me c'era anche una pena aggiuntiva: Luisa, tre scalini più sotto, sembrava una persona completamente diversa da quella che avevo conosciuto: si comportava come la più esaltata degli ultras.

Ero sbalordito e non riuscivo a non guardarla mentre urlava, si sbracciava, si mordeva le mani. Al primo goal, che poi è stato anche l'ultimo, si è buttata tra le braccia del suo compagno e gli si è letteralmente appesa al collo, urlando dalla gioia. Io, che quando stava con me avrei dato dieci anni di vita per vederla una volta perdere il controllo, mi sentivo ingannato. Come poteva essersi trasformata così?

Peccato che non sia riuscito io a trasformarla in tifosa. Penso che ci saranno ancora tanti mondiali di calcio e che avrei potuto vederli con lei, senza sentirmi in colpa per le urla dopo ogni goal.

adattato da *Strano, stranissimo, anzi normale*, di Gianna Schelotto, A. Mondadori ed.

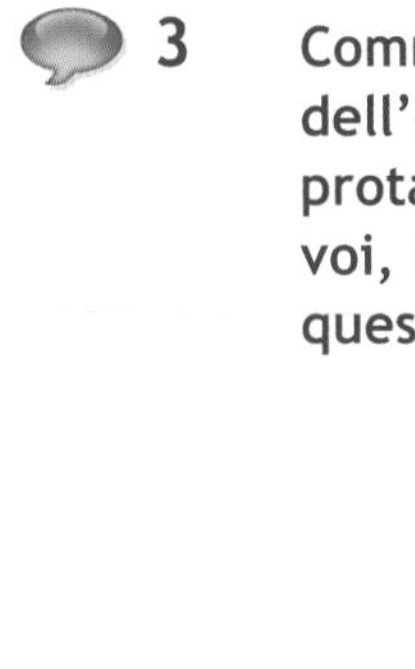

3 **Commentate il comportamento dell'ex ragazza del protagonista. Secondo voi, a che cosa è dovuta questa trasformazione?**

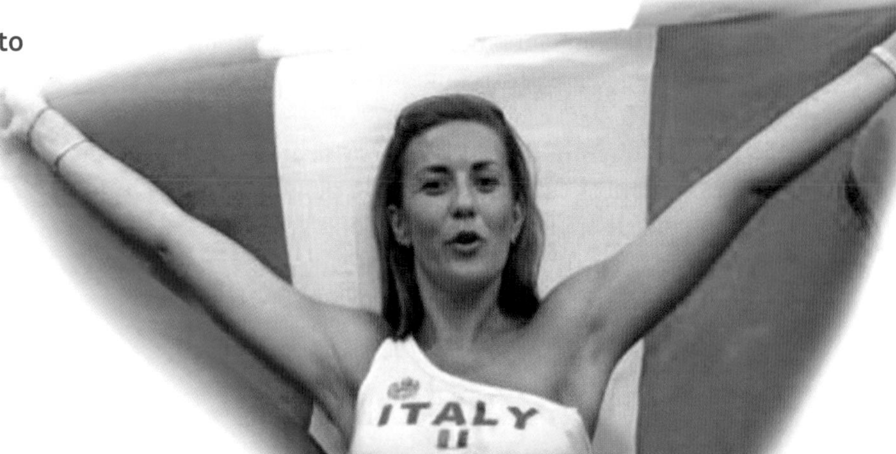

B Riflettiamo sul testo

Individuate nel testo frasi e parole che corrispondono a quelle date di seguito.

all'improvviso (1-3) ....
davanti a me (18-21) ....
la scusa (21-23) ....
sostenitore fanatico di una squadra (23-26) ....
responsabile di uno sbaglio (29-32) ....

C Riflettiamo sulla grammatica

Individuate nel testo (righe 1-10, 11-20 o 21-32) esempi di preposizioni articolate. In seguito sceglietene una e cercate di spiegare ai compagni perché viene usata al posto di una preposizione semplice.

1 - 2

D Lavoriamo sul lessico

1 **Lavorate in coppia. Il calcio è di gran lunga lo sport più popolare in Italia, ma non è certo l'unico. Abbinate le parole alle immagini. Attenzione: ci sono due parole in più!**

salto in alto	pallanuoto	rugby
scherma	salto in lungo	nuoto
equitazione	pugilato	pallavolo
ciclismo	pallacanestro	corsa

a. b. c. d. e. f. g. h. i. l.

2 **In coppia completate le frasi con le parole adatte. Conoscete le parole non utilizzate?**

1. Mario non fa sport ma si ritiene un tipo ....: quando c'è una .... di calcio in tv non la perde mai... ultra partita squadra gara sportivo atleta

2. I .... del Milan ce l'hanno con l' .... della squadra e ne chiedono la sostituzione. arbitro allenatore tifosi teppisti allenamento campioni

3. Essere atleti .... significa guadagnare molto, ma anche .... due volte al giorno. professionisti segnare dilettanti allenarsi giocatori giocare
4. Non solo ha vinto la .... d'oro, ma ha stabilito anche un nuovo .... mondiale. medaglia classifica primato scudetto finale tempo
5. C'è chi va in .... non per mantenersi in ...., ma solo per conoscere gente... fisico palestra stadio tribuna dieta forma

E Ascoltiamo

1 **Qual è il vostro sport preferito? Tifate per una squadra? Quale?**

CD1 13

2 **Ascolterete un'intervista a una ragazza tifosa della Roma. Scrivete tre domande che le vorreste fare. Ascoltate una prima volta per vedere se le vostre domande coincidono con quelle del nostro "inviato".**

3 **Ascoltate di nuovo l'intervista e indicate le quattro affermazioni presenti.**

1. Silvia non ha tifato sempre per la Roma.
2. Silvia non va a vedere la sua squadra quando gioca fuori casa.
3. Allo stadio, più di una volta, Silvia si è trovata in situazioni di pericolo.
4. Per Silvia i tifosi hanno sempre ragione.
5. Secondo la ragazza, la maggior parte degli ultras merita la galera.
6. Alcuni ultras sono finiti in carcere per sbaglio.
7. Tra i tifosi più violenti troviamo i romanisti, gli juventini e gli interisti.
8. La rabbia repressa è una delle cause della violenza negli stadi.

F Parliamo e scriviamo

1 C'è chi sostiene che i mass media diano troppa importanza al calcio, anche a discapito di altri sport, perfino quando in essi si ottengono successi internazionali. Succede lo stesso nel vostro Paese? Perché, secondo voi?

2 In Italia sono molto diffuse le scommesse sportive. È così anche nel vostro Paese? Cosa ne pensate?

3 Secondo voi, quali sono i lati oscuri dello sport? Potete pensare a delle possibili soluzioni?

4 Sei tifoso di una grande squadra italiana di calcio, ma ultimamente hai scelto di non andare allo stadio per una serie di motivi: episodi di violenza e teppismo, prezzo del biglietto, grandi interessi economici da parte delle squadre. Scrivi un'e-mail *(140-160 parole)* al presidente della squadra per esprimere queste tue preoccupazioni e invitarlo a riflettere sui veri valori dello sport.

Il *Fantacalcio*: un mondo virtuale con milioni di appassionati in Italia.

G Riflettiamo sulla grammatica

Nel testo 'Goal!' abbiamo visto il verbo 'infastidire' (16). A coppie, dagli aggettivi e dai sostantivi dati formate dei verbi usando i prefissi *in-* e *a-*.

brutto amore bello debole bottone vicino passione grande nervoso profondo

in- *imbruttire* ....

a- *avvicinarsi* ....

3 - 4

H Lavoriamo sulla lingua

Completate il testo con i pronomi e gli aggettivi. Usate una sola parola.

Istat, italiani meno sportivi e più sedentari

Più pigri, meno sportivi. Meno amanti del pallone e più del ballo. Qualche conferma e ....(1) sorprese nei dati dell'Istat sulla pratica sportiva in Italia. L'indagine fotografa un Paese dove la voglia di fare sport non aumenta.

Il dato da ....(2) partire è quello degli sportivi: in Italia sono 17 milioni e 170 mila coloro ....(3) dicono di praticare uno o più sport. Un milione di meno ....(4) che svolgono un'attività fisica (passeggiate, nuoto, bici). Poi ci sono i sedentari. ....(5) crescono sempre di più: sono 23 milioni quelli che evitano ....(6) tipo di attività sportiva.

Allarme sedentarietà. Se così ....(7) persone dichiarano di non muovere un muscolo, ...(8) preoccupazione c'è. Le donne sono più sedentarie degli uomini, al sud ....(9) si è più che al nord, mentre ....(10) ha un livello di istruzione più alto lo è di meno.

Male il calcio, bene la danza. È ....(11) il dato che incuriosisce di più. In un paese ....(12) il pallone permea praticamente ....(13), i numeri dicono, invece, ...(14) ha perso il primato di sport più praticato. A vantaggio di un gruppo di attività come ginnastica, aerobica, fitness. Un distacco che cresce, se ....(15) sommano gli amanti della danza e del ballo. In totale ....(16) arriva a quota 5 milioni e 300 mila persone, una cifra ....(17) stacca nettamente il calcio e ....(18) toglie un primato storico.

tratto da *News Italia Press*

I Riflessioni lessicali

Perché gli atleti della Nazionale italiana nelle varie discipline sportive vengono chiamati "gli azzurri"? Ovviamente per via della loro divisa azzurra. Avvenne per la prima volta nel 1911: la Nazionale italiana di calcio indossò la maglia azzurra come omaggio allo sfondo dello stemma di casa Savoia, allora regnante in Italia. Successivamente, l'azzurro è stato adottato anche dalle Nazionali italiane degli altri sport.

Autovalutazione

Cosa ricordate dell'unità 11?

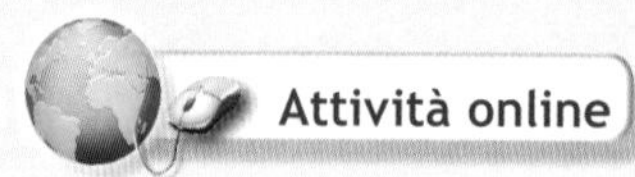

1. Completate gli spazi con le parole date. Attenzione: le parole sono di più!

raggiungeva prendilo comunque raggiungesse prendine insomma antidoto

1. Se mi è piaciuto il film? ....ho visto di meglio.
2. I due escursionisti sono stati morsi da una vipera, ma per fortuna avevano l'................................ con sé.
3. Se vai a comprare il latte, ... un litro anche per me, grazie.
4. Luigi è stato licenziato alcuni mesi prima che .... l'età pensionabile.

2. Scegliete le parole adatte per ogni frase.

1. Se ti gira/torna la testa, forse è meglio che ti metta un attimo seduto.
2. Mi piace troppo la cioccolata, non posso farne/farci a meno.
3. Ti ho chiamato non appena avevo letto/ho letto il tuo sms, ma avevi il cellulare spento...
4. Incontrarvi è stata per noi una vera e bella/propria fortuna!

Cosa ricordate dell'unità 12?

Leggete le definizioni e risolvete il cruciverba.

1 2 3 4 5 6 7 8 9 10 11 12 13

Orizzontali

1. "Non sentirti in ..., hai fatto tutto quello che potevi."
6. "Tira vento, ... il cappotto."
8. Chi fa sport, ma non a livello professionale.
9. Le ... clandestine a volte determinano l'esito di una gara.
10. Parcheggio.
11. La ambisce ogni atleta.
12. Cerca di procurarselo chi ha commesso un crimine.
13. "Ma è possibile che io sbagli sempre, che non ne faccia mai una ...?"

Verticali

2. Non ama lavorare né l'esercizio fisico.
3. "Al fischio finale i tifosi della squadra di casa hanno cominciato a urlare ... gioia."
4. "Metticela tutta, noi facciamo il ... per te!"
5. Il record del ... in alto è di 2,45 metri.
7. Il commento giornalistico di un evento sportivo.
11. "Ieri ho fatto un po' di ginnastica e ora mi fanno male tutti i ... ."

Verificate le vostre risposte a pagina 185.
Siete soddisfatti?

Bolzano, Trentino Alto Adige

Lo zodiaco non si tocca!

Per cominciare...

1 Chi di voi legge spesso l'oroscopo? Chi di voi non ci crede per niente? Parlatene.

2 Qual è il vostro segno zodiacale? Come si dice in italiano? Scoprite i vari segni nel parolone che segue e abbinateli alle immagini corrispondenti.

SAGITTARIOCANCROLEONEVERGINEPESCIBILANCIAARIE-TESCORPIONEGEMELLICAPRICORNOACQUARIOTORO

a. ______

b. ______

c.  *Sagittario*

d. ______

e. ______

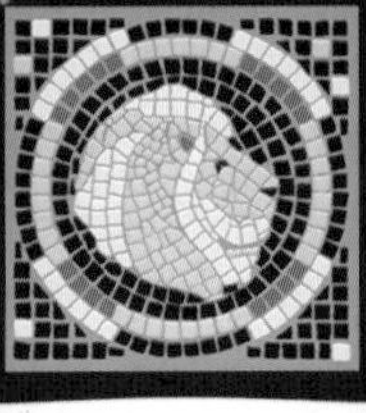

f. ______

g. ______

h. ______

i. ______

l.  *Vergine*

m. ______

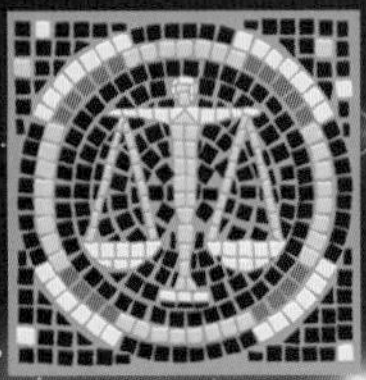

n. ______

3 C'è qualche segno zodiacale che vi piace più degli altri? Perché?

A Ascoltiamo

CD1 14

1 Ascoltate una prima volta l'oroscopo relativo a quattro segni zodiacali. Quali delle parole date di seguito sono presenti?

☐ viaggio ☐ appoggio ☐ freschezza ☐ emicrania ☐ sospira
☐ esperienze ☐ calore ☐ freddolosa ☐ opposizione

CD1

14 **2** **Ascoltate una seconda volta e completate la griglia.**

Segno	Relazioni personali	Lavoro	Salute
GEMELLI		bene	stress
CANCRO	bene il pomeriggio		
LEONE			
VERGINE			

B Comprensione del testo

1 **Leggete il titolo: secondo voi cosa intende dire l'autore? Scambiatevi idee.**

2 **Leggete il testo e indicate le affermazioni presenti tra quelle date.**

LO ZODIACO NON SI TOCCA!

Durante un noto varietà televisivo, il conduttore ha fatto per parecchie puntate la parodia dell'oroscopo. Con faccia triste annunciava disastri, epidemie, aziende in fallimento e corna multiple, distribuendole equamente fra pesci, ariete, capricorno, gemelli, bilancia eccetera. E la gente moriva dalle risate. Se un marziano fosse entrato in quel momento nel Salone Margherita, sede dello spettacolo, avrebbe detto tra sé: «Ma guarda come sono esenti da superstizione questi terrestri, come si è felicemente liberata da ogni tradizione medioevale questa gente che non crede più alle stupidaggini servite ogni giorno da televisioni e rotocalchi».

Invece no. All'oroscopo la gente crede. L'anno scorso l'oroscopo fornito dalla Telecom ha avuto sedici milioni e mezzo di chiamate. Gli abbonati si sono mostrati più interessati alle interpretazioni dei maghi delle stelle, che al servizio Borsa dei maghi delle finanze. Dicono i sociologi che la gente ha disperato bisogno di certezze perciò ci si affida alle stelle. Difficilmente riusciamo a fare una interurbana senza che cada la linea, ma la fede nello zodiaco non cade mai.

Oggi consultano l'oroscopo e vanno dal mago finanzieri incerti se investire in Borsa o in immobili, allenatori perplessi sulla formazione della squadra, ragazze dubbiose sulla sincerità dello spasimante, addirittura politici indecisi tra un sottosegretariato e la presidenza di una banca.

Nel Medioevo, prima di fondare una città, si consultavano le stelle, papi e imperatori avevano l'astrologo di fiducia. Vogliamo noi essere da meno? Il mensile «Astra» vende 150.000 copie e tocca il mezzo milione col numero di gennaio, che fornisce le previsioni per tutto l'anno. Il boom dell'astrologia risponde al bisogno di dare un perché alle incognite della vita, sperare che domani le cose vadano meglio di oggi, così ci si affida all'irrazionale, all'occulto, mandando al diavolo la ragione, che resta sempre la meno usata delle facoltà umane.

Al mattino, l'oroscopòfilo, composto un certo numero, si sente sollevato, se una voce gli promette: «Acquario, buone possibilità di progresso negli affari». Ricevuta questa dose di ottimismo, si fa la barba, fischiettando allegro. Dopo mezz'ora il postino magari gli recapita qualche brutta notizia. Maledizione. Mica protesta contro l'oroscopo. Anzi, per merito suo ha passato mezz'ora felice. L'oroscopo della Telecom si preoccupa anche della nostra salute: «Capricorno, state in casa, riposatevi», «Sagittario, cautela nei cibi». Sono consigli che vanno bene per tutti, non fanno male a nessuno. Mai un oroscopo che dica «verso sera avrete un incidente d'auto, prognosi trenta giorni salvo complicazioni».

Tutto questo ci ricorda i medici di un tempo che ordinavano al malato ingordo di medicine dieci gocce di acqua *fontis* (di fontana: pochi allora, come oggi, conoscevano il latino) in mezzo bicchiere d'acqua pura. Non serviva a niente, ma l'altro aveva l'illusione di sentirsi meglio. E senza le illusioni, che cosa sarebbe mai la vita?

adattato da *Quando l'Italia ci fa arrabbiare*, di Cesare Marchi, Rizzoli ed.

1. Il varietà televisivo in oggetto era dedicato all'oroscopo.
2. La Telecom offre un servizio telefonico sull'oroscopo.
3. Si possono avere per telefono notizie economiche.
4. L'oroscopo interessa molto di più i giovani.
5. Nel medioevo gli astrologi più famosi erano italiani.
6. Si consulta l'oroscopo anche perché si spera in un futuro migliore.
7. Si tende a credere alle previsioni positive ma non il contrario.
8. Il più delle volte le previsioni sono abbastanza precise.
9. L'autore considera le previsioni troppo generiche.
10. In conclusione, non vi trova niente di negativo.

C Riflettiamo sul testo

1 Quale dei sinonimi proposti rende meglio il significato che le parole in blu hanno nel testo?

Durante un noto varietà televisivo... (1): molteplicità, show, diversità
...non crede più alle stupidaggini servite... (7): messe in tavola, presentate, aiutate
Gli abbonati si sono mostrati... (9): soci, clienti, membri
...una interurbana senza che cada la linea... (12): collegamento, riga, regolamento
...la ragione, la meno usata delle facoltà umane... (24): causa, giustizia, logica

 **2 In coppia, individuate nel testo frasi o parole che corrispondono a quelle date di seguito.**

avrebbe pensato (3-7): ....
astrologi (8-12): ....
inferiori, meno importanti (17-21): ....

grande crescita (20-25): ....
grazie a (26-30): ....
problemi imprevisti (30-34): ....

D Riflettiamo sulla grammatica

1 Nel testo abbiamo incontrato le parole *interurbana* (12) e *sottosegretariato* (16). Che cosa hanno in comune, secondo voi?

2 In coppia, pensate ad almeno una parola che inizi con questi prefissi.

contro- vice- super- multi- ultra-

E Lavoriamo sul lessico

Dimmi il tuo segno e ti dirò chi sei! a. Dividetevi in coppie, possibilmente formate da persone di segno diverso. Tra quelli dati di seguiro, ognuno sceglie tre o quattro aggettivi (aggiungendone degli altri, se necessario) per descrivere il proprio carattere e altrettanti per descrivere quello del compagno. b. Confrontatevi con il compagno. Siete d'accordo con la sua descrizione? c. Scambiatevi idee con il resto della classe.

ambizioso fedele serio pessimista timido distratto sensibile simpatico
amichevole coraggioso impaziente disordinato puntuale geloso paziente
stabile calmo modesto abile insicuro fantasioso affascinante indeciso
romantico socievole organizzato testardo generoso sicuro di sé ottimista

F Parliamo e scriviamo

1 Perché, secondo voi, si ha bisogno di consultare e di credere all'oroscopo? Scambiatevi delle idee. Cos'altro si fa per "conoscere il futuro?"

2 La gente crede in diverse cose: religioni, mode, idoli (musicali, sportivi ecc.), ideologie (politiche e non) e così via. Quali di queste credenze sono le più forti? Quali aspetti positivi o negativi possono derivare da ciascuna?

3 *Role-play* Situazione. Stai per fare un lungo viaggio/prendere un'importante decisione. Un tuo familiare ti informa che "gli astri non sono favorevoli", anzi ne è convinto. Anche se le sua insistenza ti preoccupa un po', gli/le spieghi perché non credi a queste cose.

4 «Avrei dovuto dare retta all'oroscopo quella mattina: "Problemi in vista: state attenti ad una conoscenza che inizialmente sembra interessante"...». Continuate la narrazione. *(160-180 parole)*

5 Scrivete l'oroscopo per metà dei segni zodiacali, alternando tra previsioni ottimistiche e non. *(100-120 parole)*

G Lavoriamo sulla lingua

Completate il testo con le parole mancanti. Usate una sola parola.

Mia moglie ha la mania degli oroscopi, a volte è veramente insopportabile: non le passa giornale per le mani, quotidiano, mensile o ....(1), in cui non vada a cercare ....(2) per il suo futuro e per quello ....(3) prossimo. La settimana scorsa ha letto che ....(4) ritrovato un vecchio amore e mi ha immediatamente comunicato: "........................(5) attento. Vedrai che incontri Giulia". Giulia è ....(6) molto importante per me e ancora oggi, ...(7) la consideri una storia finita, ne ho un ....(8) doloroso. Da anni non ne so più nulla, ...(9) mi ha detto che si è sposata.

Dopo quel primo ....(10), mia moglie ha trovato un settimanale che, per ....(11) nati sotto il segno dell'Ariete, ribadiva il concetto: ....(12) un vecchio amore. E dopo le prime considerazioni, ...(13) io ritenevo scherzose e ironiche, ha cominciato a martellarmi: "........................(14), è successo?".

La litania quotidiana di mia moglie ....(15) ha in qualche modo condizionato. Io che non credo ....(16) oroscopi e, anzi, ne sono addirittura infastidito, ho ....(17) a domandarmi se per caso non ci ....(18) qualche fondamento nelle previsioni astrali. Poco ....(19) poco mi sono convinto che avrei ....(20) incontrato Giulia...

adattato da *Strano, stranissimo, anzi normale*, di G. Schelotto, A. Mondadori ed.

H Riflettiamo sulla grammatica

Nel testo "Lo zodiaco non si tocca!" abbiamo incontrato le parole evidenziate in blu.

...addirittura politici indecisi tra un sottosegretariato e la presidenza di una banca. (13-16)
...Dopo mezz'ora il postino magari gli recapita qualche brutta notizia. Maledizione. Mica protesta contro l'oroscopo. Anzi, per merito suo... (28-30)

Sapreste usarle? Sceglietene due e formate una frase per ciascuna di esse.

3 - 4

I Riflessioni linguistiche

Da dove deriva la parola *zodiaco*? Vi ricorda qualche altra parola? *Zodiakòs kyklos* (ciclo) per gli antichi greci significava "cerchio con piccoli animali, con figurine": così era chiamata la zona della sfera celeste all'interno della quale vedevano comparire il sole, la luna e le dodici costellazioni, paragonate, per la loro forma, ad animali. È per questo che la parola *zodiaco* ricorda zoo, zoologia ecc., tutte parole che hanno la stessa radice.

Qualcosa era successo

Per cominciare...

1 Descrivete e commentate questo dipinto. Che cosa vi colpisce di più?

2 Cercate di interpretare l'atteggiamento delle persone raffigurate. Cos'è successo, secondo voi?

3 C'è qualcosa che vi fa particolarmente paura? Parlatene con i vostri compagni.

Scompartimenti (1979), olio su tela, Graham Dean

A Comprensione del testo

1 Lavorate in coppia. Leggete le righe che seguono, tratte dal racconto "Qualcosa era successo" di Dino Buzzati, uno dei più grandi scrittori italiani del '900.

Sì, sì, anche loro erano inquieti, uno per uno, e non osavano parlare. Più di una volta li sorpresi, volgendo gli occhi rapidissimi, guardare fissamente fuori. Ma di che avevano paura?

Come nel dipinto in alto a destra, i protagonisti del racconto sono i passeggeri di un treno. Secondo voi, cosa vedono di inquietante fuori dal finestrino?

2 Leggete il testo. Chi di voi si è avvicinato di più al suo contenuto?

Il treno aveva percorso solo pochi chilometri quando a un passaggio a livello vidi dal finestrino una giovane donna. Fu un caso, potevo guardare tante altre cose invece lo sguardo cadde su di lei che non era bella, non aveva proprio niente di straordinario, chissà perché mi capitava di guardarla. Si era evidentemente appoggiata alla sbarra per godersi la vista del nostro treno, superdirettissimo, espresso del nord, simbolo, per quelle popolazioni incolte, di miliardi, vita facile, avventurieri, celebrità, dive cinematografiche, una volta al giorno questo meraviglioso spettacolo, e assolutamente gratuito per giunta.

Ma come il treno le passò davanti lei non guardò dalla nostra parte (eppure era là ad aspettare forse da un'ora) bensì teneva la testa voltata indietro badando a un uomo che arrivava di corsa dal fondo della via e urlava qualcosa che noi naturalmente non potemmo udire: come se cercasse di avvertire la donna di un pericolo. Ma fu un attimo: la scena volò via, ed ecco io mi chiedevo quale affanno potesse essere giunto, per mezzo di quell'uomo, alla ragazza venuta a contemplarci. E stavo per addormentarmi al ritmico dondolio della vettura quando, per caso, notai un contadino in piedi su un muretto che chiamava verso la campagna facendosi delle mani portavoce. Fu anche questa volta un attimo perché il direttissimo filava, eppure feci in tempo a vedere sei sette persone che accorrevano attraverso i prati, le coltivazioni, non importa se calpestavano l'erba, doveva essere una cosa assai importante. Venivano da diverse direzioni, diretti tutti al muretto con sopra il giovane chiamante. Correvano, accidenti se correvano, si sarebbero detti spaventati da qualche avvertimento inaspettato che li incuriosiva terribilmente, togliendo loro la pace della vita.

Che strano, pensai, in pochi chilometri già due casi di gente che riceve una improvvisa notizia, così almeno presumevo. Ora, vagamente suggestionato, scrutavo la campagna, le strade, i paeselli, le fattorie, con presentimenti ed inquietudini.

Forse dipendeva da questo speciale stato d'animo, ma più osservavo la gente più mi sembrava che ci fosse dappertutto una inconsueta animazione. Ma sì, perché quell'andirivieni nei cortili, quelle donne affannate, quei carri, quel bestiame? Dovunque era lo stesso. A motivo della velocità era impossibile distinguere bene eppure avrei giurato che fosse la medesima causa dovunque. Forse che nella zona si celebravano sagre? Che gli uomini si preparassero a raggiungere il mercato? Ma il treno andava e le campagne erano tutte in fermento, a giudicare dalla confusione. E allora misi in rapporto la donna del passaggio a livello, il giovane sul muretto, il viavai dei contadini: qualche cosa era successo e noi sul treno non ne sapevamo niente.

Guardai i compagni di viaggio, quelli nello scompartimento, quelli in piedi nel corridoio. Non si erano accorti. Sembravano tranquilli e una signora di fronte a me sui sessant'anni stava per prender sonno. O invece sospettavano? Sì, sì, anche loro erano inquieti, uno per uno, e non osavano parlare. Più di una volta li sorpresi, volgendo gli occhi rapidissimi, guardare fissamente fuori. Ma di che avevano paura?

adattato da *Il meglio dei racconti di Dino Buzzati*, Oscar Mondadori ed.

3 Rispondete alle domande *(15-25 parole)*.

1. Perché la ragazza aspettava che passasse il treno?

....

....

2. Perché, invece, non guardò il treno che passava?

....

....

3. Cosa c'è di preoccupante nel comportamento dei contadini?

....

....

4. Perché il protagonista comincia a preoccuparsi veramente?

....

....

5. Che cosa c'è di strano nel comportamento degli altri passeggeri?

....

....

B Riflettiamo sulla grammatica

1 Nel testo abbiamo visto alcuni connettivi come **invece**, **eppure**, **ma**, **allora**; in coppia utilizzateli per collegare opportunamente le frasi che seguono.

l'affitto è abbastanza alto - non penso di cercare un altro appartamento
Beppe aveva studiato tanto - è stato bocciato
ti sei arrabbiato e - in quell'occasione avresti dovuto chiedere scusa
Andrea è testardo - dubito che ammetterà di avere torto

2 Nel testo abbiamo letto che il protagonista "era **sul punto di** addormentarsi". Come potreste riformulare questa frase? Verificate le vostre risposte alla riga 13 e costruite una frase con l'esrpessione che avete 'scoperto'.

C Riflettiamo sul testo

1 Lavorate in coppia. Individuate nel testo parole ed espressioni che corrispondono a quelle date di seguito.

scomparse, svanì (9-11): ....
usando le mani per farsi sentire (12-14): ....
il treno correva (13-15): ....
creando in loro agitazione (17-19): ....
viavai, movimento continuo (23-25): ....
gli altri passeggeri (29-32): ....

2 Riformulate le seguenti espressioni con parole diverse.

fu un caso (2): ....
popolazioni incolte (5): ....
per mezzo di quell'uomo (11): ....
si sarebbero detti (18): ....
una inconsueta animazione (24): ....

D Lavoriamo sul lessico

1 Lavorate in coppia. Le parole nel riquadro sono tra loro sinonimi (=), contrari (#) oppure non hanno nessun tipo di relazione (-)?

osare esitare | godersi gustarsi | medesimo diverso | scrutare ascoltare
straordinario splendido | togliere sottrarre | meraviglioso immenso
badare interessarsi | presumere verificare | inconsueto solito

2 **Completate le frasi 1-3 con alcune delle parole in blu e le frasi 4-5 con alcune di quelle in rosso.**

arrivo biglietteria passeggero multa sconto seconda classe scompartimento convalidato controllore vagone binario stazione ferrovie Regionale tariffe Eurostar capostazione

1. Meno male che ho chiesto al ...., altrimenti aspettavo ancora al .... sbagliato.
2. Il .... mi ha svegliato entrando nel mio .... gridando "biglietti!".
3. Le .... dello Stato hanno annunciato .... ridotte per i mesi estivi.
4. Ho preso una .... perché non avevo .... il mio biglietto.
5. Un .... ci mette circa 4 ore per andare da Roma a Milano; un .... non ci arriva mai!

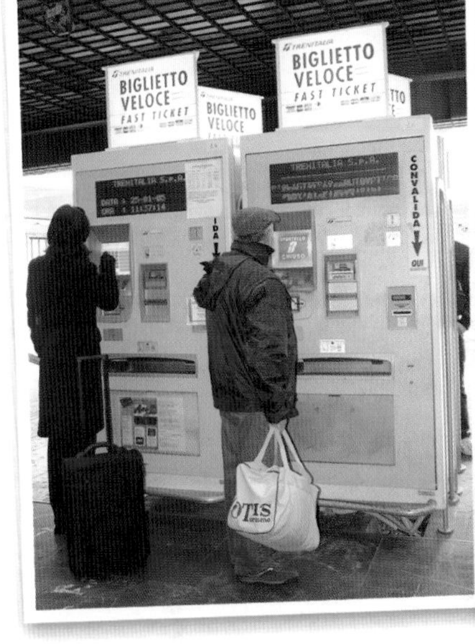

E Lavoriamo sulla lingua

Il testo che segue è la continuazione di quello al punto A2. Completatelo con le forme opportune degli infiniti dati.

1. volere, 2. curvarsi, 3. trarre, 4. essere, 5. avvicinarsi, 6. precipitarsi, 7. potere, 8. saperlo, 9. essere, 10. dire, 11. fare, 12. essere, 13. nascere, 14. essere

Un giovane al mio fianco, con l'aria di sgranchirsi, si era alzato in piedi. In realtà ....(1) vedere meglio e ....(2) sopra di me per essere più vicino al vetro. Fuori, le campagne, il sole, le strade bianche e sulle strade carriaggi, camion, gruppi di gente a piedi, lunghe carovane come quelle che ....(3) ai santuari nel giorno del patrono. Ma ....(4) tanti, sempre più folti man mano che il treno ....(5) al nord. E tutti avevano la stessa direzione, scendevano verso Mezzogiorno, fuggivano il pericolo mentre noi gli si andava direttamente incontro, a velocità pazza ....(6) verso la guerra, la rivoluzione, la peste, il fuoco, che cosa ....(7) esserci mai? Non ....(8) che fra cinque ore, al momento dell'arrivo, e forse ....(9) troppo tardi.
Nessuno ....(10) niente. Nessuno voleva essere il primo a cedere. Ciascuno forse dubitava di sé, come ....(11) io, nell'incertezza se tutto quell'allarme ....(12) reale o semplicemente un'idea pazza, allucinazione, uno di quei pensieri assurdi che infatti ....(13) in treno quando si ....(14) un poco stanchi.

F Ascoltiamo

1 **Ora ascolterete la parte finale del racconto. Cosa pensate che sia successo? Cosa troveranno i passeggeri del treno al loro arrivo?**

CD1

2 **Ascoltate il brano e indicate le affermazioni corrette tra quelle proposte.**

1. I passeggeri del treno
a) parlano nervosamente
b) sono inquieti e allarmati
c) fanno finta di dormire
d) carcano di abbandonare il treno

2. La signora afferra un giornale che
a) le cade durante la corsa
b) è del giorno prima
c) viene strappato dal vento
d) è una copia omaggio

3. Il treno non si ferma perché
a) ha fretta di arrivare
b) il macchinista ha paura
c) non è prevista nessuna fermata
d) è un treno di prima classe

4. Alla stazione di arrivo
a) tutto sembra normale
b) non ci sono altri treni
c) non ci sono altre persone
d) c'è uno sciopero dei ferrovieri

G Parliamo e scriviamo

1 Con quale mezzo preferite viaggiare e perché?

2 Il protagonista teme che ci possa essere una guerra, una rivoluzione, la peste, il fuoco o altro. Secondo voi, quale tra questi mali è il peggiore?

3 Raccontate la storia illustrata che segue. Lasciamo il finale... alla vostra immaginazione.

4 "È stato un viaggio che, bene o male, non dimenticherò mai". Continuate la narrazione. *(160-200 parole)* / Continuate il racconto "Qualcosa era successo". *(140-180 parole)*

Autovalutazione

Cosa ricordate dell'unità 13?

Leggete le definizioni e risolvete il cruciverba.

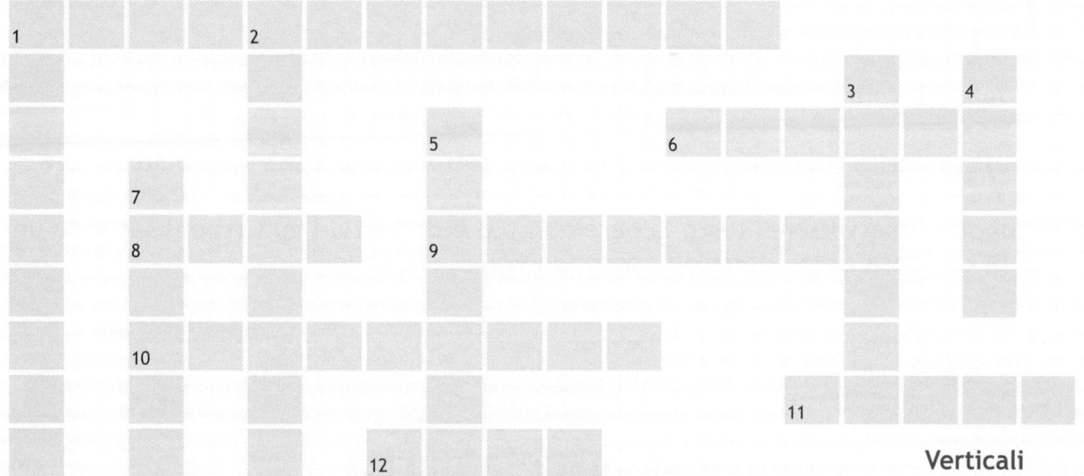

Orizzontali

1. Credenza irrazionale che attribuisce poteri magici a fatti o cose.
6. "È un comico eccezionale, ci ha fatto morire dalle ... ."
8. "Ti ho già chiesto scusa e poi non l'ho fatto ... apposta!"
9. "Mi ha ... diverse volte il concetto, ma io rimango della mia opinione."
10. Speranza che ha poche possibilità di realizzarsi.
11. "Saremo da voi in serata, ... imprevisti."
12. "Sì, volentieri! ... no, non posso, ho da fare".

Verticali

1. "Ha ricevuto un mazzo di rose da uno *sp*... miste-rioso."
2. Periodici, programmi televisivi su temi di attualità.
3. Caricatura, imitazione.
4. È un segno doppio.
5. Abitante del pianeta rosso.
7. Lo deve essere chi vuole fare carriera.

Cosa ricordate dell'unità 14?

1. Completate gli spazi con le parole date. Attenzione: le parole sono di più!

chiamando portavoce chiamare giudicare affanno fermento inquietudine scrutare

1. A .... dalla sua espressione, deve aver ricevuto una brutta notizia.
2. Anche se con un certo ...., l'Italia è arrivata in semifinale, il che è già un gran risultato.
3. Alla conferenza stampa non era presente il premier, ma il suo ....
4. Ti stavo per .... quando ho ricevuto il tuo sms.

2. Scegliete le parole adatte per ogni frase.

1. Abbiamo rinnovato il contratto alle medesime/uguali/conformi condizioni del precedente.
2. Non è venuta all'appuntamento e per giunta/vinta/gioco non ha neanche avvertito.
3. Non aveva studiato molto, eppure/seppure/oppure ha superato l'esame con il massimo dei voti.
4. Dovreste affrettarvi perché il treno è/va/sta per partire.

Verificate le vostre risposte a pagina 185.

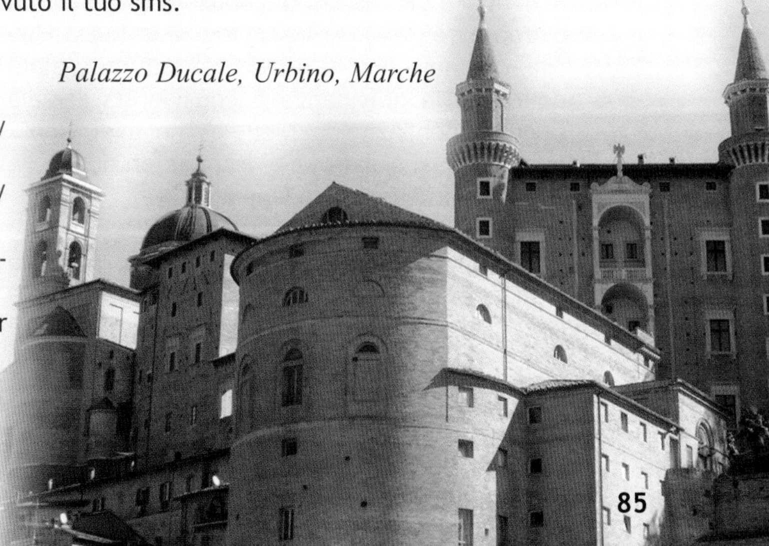

Palazzo Ducale, Urbino, Marche

15 Come è ingiusta la parità

Unità

Per cominciare...

1 A che cosa vi fa pensare il termine "parità"?

2 Secondo voi, esiste parità tra uomo e donna in tutti i settori della vita? Scambiatevi idee.

3 Lavorate in coppia. Osservate nel testo le parole in blu e dividetele in 3 gruppi secondo un nesso logico. Di che cosa tratta l'articolo, secondo voi?

....

Come è ingiusta la parità

Tre italiane su dieci hanno un lavoro. Pochissime in confronto agli uomini e alle altre donne europee. Cosa impedisce alle italiane di farsi largo nel lavoro? Le leggi che dovrebbero garantire le cosiddette pari opportunità non hanno forse spianato il cammino? A qualcuno è addirittura venuto il sospetto che lo abbiano ostacolato. Insomma, che certe regole siano un pericoloso boomerang. Sentite qui. "Il rischio è che il sistema che ci dovrebbe tutelare, penso per esempio al periodo di maternità o alle assenze per la malattia di un figlio, sia così rigido da non far venir voglia di assumere una donna" dice Antonella Maiolo, presidente del Comitato pari opportunità del Comune di Milano.
Ad ascoltare certe esperienze verrebbe da pensare che il sospetto sia più che giustificato. Quante storie sentite tra una chiacchiera e l'altra nascondono in realtà episodi gravissimi. Come questa. "Appena laureata ho perso due occasioni di lavoro perché ero già sposata e, quindi, un giorno avrei fatto un figlio" racconta Lucia Piccini. "Durante uno di questi colloqui mi è stato detto che la gravidanza è considerata il male peggiore per l'azienda. Mettetevi nei miei panni." In alcuni casi ci si trova di fronte a un ricatto disumano: un bambino o il posto.

La gravidanza resta un tabù

Storie ancora più clamorose se finiscono sulle cronache dei giornali. Come quelle di imprese che sottopongono a test di gravidanza le donne che si presentano al colloquio. Due anni fa un magistrato di Torino aprì un'inchiesta contro un medico che aveva eseguito gli esami per conto delle aziende. Il medico ha dovuto pagare cinquemila euro di multa per aver violato la legge sulle pari opportunità.
Insomma, malgrado le donne italiane mettano al mondo solo un figlio a testa, per le imprese la gravidanza resta un tabù. E continua a far paura la legge 1204. Quella che obbliga la lavoratrice a stare a casa due mesi prima e tre mesi dopo il parto con un'indennità pari all'80 per cento dello stipendio. E concede alle neo mamme il diritto ad altri sei mesi di aspettativa facoltativa per allevare il bambino, anche se col 30 per cento della retribuzione.
Ma non è una questione di soldi. L'indennità di maternità non è un costo in più: viene pagata attraverso i contributi che l'imprenditore versa per tutti i dipendenti, uomini e donne. E allora perché, come denuncia Anna Maria Parente, responsabile del Coordinamento femminile della CISL, "a molte durante il colloquio d'assunzione vengono poste domande assolutamente illegali come: Avete intenzione di sposarvi e fare figli?". La verità è che il datore di lavoro mal sopporta di rimpiazzare la lavoratrice e addestrare un sostituto. "Per una piccola impresa è un guaio" dice Maurizio Riccardi, titolare di una ditta edile di Napoli. "Quando su dieci dipendenti una va in maternità scombussola tutto".

tratto da *Donna Moderna*

A Comprensione del testo

1 **Leggete il testo e indicate le affermazioni corrette fra le tre proposte.**

1. Le donne vengono assunte di meno perché
a) non esiste una legge che le protegga
b) la legge le protegge troppo
c) la legge protegge soprattutto gli uomini

2. Molte ditte non assumono donne che
a) aspettano un bambino
b) hanno già figli
c) faranno figli in futuro

3. Ci sono perfino ditte che
a) impongono il test di gravidanza alle loro impiegate
b) impongono il test di gravidanza alle candidate
c) offrono test di gravidanza gratuiti alle loro dipendenti

4. Secondo la legge 1204, le neo mamme
a) sono costrette a non lavorare per cinque mesi
b) sono costrette a tornare al lavoro subito dopo il parto
c) possono prolungare l'aspettativa, senza essere pagate

5. Se un'impiegata rimane incinta in una piccola impresa
a) aumentano molto i contributi da versare
b) quando torna al lavoro deve essere riaddestrata
c) si creano problemi organizzativi

2 **Date al testo un titolo alternativo.**

B Riflettiamo sul testo

1 **Le frasi che seguono corrispondono ad altre presenti nel testo: quali?**

aprirsi la strada (3-8): ....
facilitare il percorso (5-10): ....
al mio posto (24-28): ....
indagare su un reato (30-35): ....
imprenditore (59-62): ....

2 **Riformulate le frasi, senza alterarne il significato, iniziando con le parole date.**

tre italiane su dieci (1): il ....
in confronto agli uomini (2): rispetto ....
a qualcuno è venuto il sospetto (6-7): c'è ....
appena laureata (20): dopo ....

C Riflettiamo sulla grammatica

In queste frasi viene usato il congiuntivo, ma per motivi diversi.

1. A qualcuno è addirittura venuto il sospetto che lo *abbiano ostacolato*. (6-7)
2. Ad ascoltare certe esperienze verrebbe da pensare che il sospetto *sia* più che giustificato. (16-17)
3. Insomma, malgrado le donne italiane *mettano* al mondo solo un figlio a testa... (38-39)

Inoltre, potete spiegare perché nella prima frase si usa il congiuntivo passato?

1 - 3

D Lavoriamo sul lessico

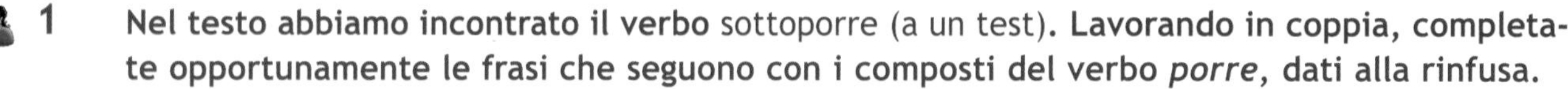

1 **Nel testo abbiamo incontrato il verbo** sottoporre (a un test)**. Lavorando in coppia, completate opportunamente le frasi che seguono con i composti del verbo *porre*, dati alla rinfusa.**

1. La nuova *Lancia* .... di un sofisticato impianto audio.
2. Non è ancora arrivato; .... che sia per strada.
3. Accettare questo posto .... che tu sia disposto a viaggiare.
4. L'allenatore della *Juventus* .... alla vendita del giocatore.
5. Il direttore .... a tutti i dipendenti di portare la cravatta.
6. Abbiamo parlato a lungo e mi .... con chiarezza la situazione.

ESPORRE
IMPORRE
SUPPORRE
DISPORRE
PRESUPPORRE
OPPORSI

2 **In questo parolone "si nascondono" cinque coppie di sinonimi: scopritele!**

uguaglianzaproprietarioseveroallevarecresceretutelaretitolareproteggererigidoparità

....

....

3 **Scrivete i sostantivi che derivano dai seguenti verbi usando alcuni dei suffissi dati:** -mento, -tore, -uto, -aggio, -enza, -zione.

assumere	versare ....
lavorare	sostituire ....
violare	contribuire ....

E Ascoltiamo

1 **Lavorate in coppia. Secondo voi, quali di queste parole hanno il femminile?**

avvocato, professore, medico, ingegnere, sindaco, ministro

2 **Con l'aiuto del dizionario verificate le vostre risposte. Per quale motivo, secondo voi, il femminile di alcune parole si usa poco?**

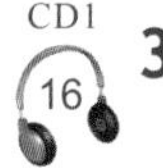
CD1 16

3 **Ascoltate un servizio radiofonico sulla disuguaglianza linguistica e completate le frasi (massimo 4 parole).**

1. Meno male che da tanti anni ...., se no ci trovavamo subito in difficoltà.
2. Secondo loro, il nuovo fronte delle pari opportunità si combatte anche ....
3. Sarà soprattutto l'evoluzione del costume a portare l' .... e l'abbandono di altri.
4. Al primo apparire, l'effetto non era buono, ma perché non era buono? Semplicemente ....
5. Ecco, direi che in questo caso parliamo proprio di una di quelle parole che lentamente .... si è andata affermando.
6. Ma pensi al caso di "sindaco": ecco, molti anni fa .... sempre un uomo...

4 **Nell'intervista abbiamo ascoltato alcune espressioni particolari, riportate di seguito in blu. Sapreste dire cosa significano?**

1. Meno male che da tanti anni esiste il termine "professoressa".
   - [ ] a. Sono felice
   - [ ] b. Per fortuna

2. Tant'è che c'è anche qualcuno che preferisce "professora".
   - [ ] a. È vero che
   - [ ] b. Il fatto è che

3. Ce ne sono alcuni che sono un po' difficili da mandar giù.
   - [ ] a. accettare
   - [ ] b. far scendere

F Riflettiamo sulla grammatica

Alla riga 10 del testo abbiamo letto "...il sistema che ci *dovrebbe* tutelare...**", mentre alla riga 22 "...**un giorno *avrei fatto* un figlio.**". Potete motivare l'uso del condizionale in queste frasi?**

4

G Lavoriamo sulla lingua

1 **Sempre nel testo "Come è ingiusta la parità" abbiamo visto l'espressione *a testa*; nelle frasi che seguono sostituite le parti in blu con le espressioni date a fianco.**

1. Se hai pagato solo mille euro, allora sì che l'hai comprato a un prezzo conveniente. — *a posto*
2. - Allora, hai preparato tutto? - Certo, è tutto sistemato. — *a rate*
3. C'era uno alla tv che sapeva La Divina Commedia parola per parola! — *a gonfie vele*
4. È possibile, invece che in contanti, pagare un po' per volta? — *a buon mercato*
5. Carlo è proprio un uomo realizzato: il suo lavoro va davvero molto bene. — *a memoria*

2 **Completate il testo con le parole mancanti. Inserite una sola parola in ogni spazio.**

Pochi figli, è colpa degli uomini
"Hanno paura delle responsabilità"

Desiderano dei figli, ma continuano a rimandare. Fino a ritrovarsi padri a quarant'anni. In Italia, un uomo su due, a 35 anni non ha ancora fatto un bambino. E mentre l' ....(1) biologico femminile batte impietoso, spingendo le ....(2) ad accelerare i tempi per realizzare il loro desiderio di ....(3), i compagni si tirano indietro e scelgono di aspettare. Una ....(4) lavorativa stabile, uno stipendio più elevato, ma anche una presa ....(5) responsabilità che, secondo gli studiosi, arriva in ritardo ....(6) gli uomini tendono a lasciare il nido di ....(7) e papà sempre più vecchi.
È colpa degli uomini se le ....(8) fanno sempre più fatica a metter su famiglia: è questa la ....(9) di una ricerca dell'università Cattolica che incrocia i ....(10) di un'indagine Istat. Risultato: a 35 anni ....(11) il 50% degli uomini rimanda la paternità, ...(12) il 75% delle donne ha già un figlio. "In ....(13) altro paese occidentale gli uomini aspettano così ....(14) per diventare padri – spiega Alessandro Rosina, responsabile della ....(15).
A mandare in tilt il rapporto fra desiderio e sua realizzazione sono ....(16) i fattori economici legati alla precarietà del lavoro e al carovita. Fattori ....(17) penalizzano più gli uomini, considerati ancora le colonne portanti della ....(18) – spiegano gli esperti.

tratto da *la Repubblica*

H Parliamo e scriviamo

1 A vostro avviso, esiste vera parità tra uomini e donne? In quali settori? Potete portare degli esempi?
2 Che cos'è migliorato sotto questo punto di vista rispetto alla generazione dei vostri genitori?
3 Siete d'accordo con l'articolo di questa pagina? Secondo voi, perché oggi si fanno meno figli?

4 Sei stato testimone di un comportamento maschilista (al lavoro, all'università, in un ufficio pubblico ecc.). Scrivi una lettera al responsabile (direttore, preside ecc.) per denunciare il fatto, esprimere il tuo rammarico e lamentarti del fatto che tali comportamenti vengano ancora tollerati. *(160–180 parole)*

I Riflessioni linguistiche

La parola *incinta* deriva dal latino *incincta*. "Donna incincta" era chiamata la donna quando era "non cinta", quindi senza cintura. Oggi diciamo che una donna *rimane incinta* o *è incinta*, ovvero è *in dolce attesa* o *in stato interessante*. Insomma, *aspetta un bambino*.

Storia della pasta

Unità 16

Per cominciare...

 1 Lavorate in coppia. Tre delle parole che seguono non sono presenti nel testo, che narra la storia della pasta. Quali, secondo voi?

coltivare farina antipasto fresco salato crudo matterello esportare friggere secca

 2 Scambiatevi informazioni sull'argomento: dov'è nata la pasta e come si è diffusa nel mondo? Poi leggete il testo cercando conferma alle attività 1 e 2.

Breve storia della pasta

Probabilmente, come il pane, anche la pasta nacque con i primi rappresentanti del genere umano. Appena quei nostri lontanissimi antenati impararono a coltivare i cereali e quindi a produrre la farina, la "scoperta" della pasta fu un fatto naturale. Per quanto ne sappiamo, i primi attestati certi della presenza della pasta risalirebbero al tempo degli Etruschi. In una tomba di Cerveteri sono raffigurate le immagini di alcuni coltelli, di un oggetto assai simile a un matterello e di uno strumento che sembra quello con cui ancora oggi si usa tagliare la pasta fresca.

In età romana la presenza della pasta era probabilmente limitata alla dieta dei cittadini più abbienti. Infatti Apicio, celebre gastronomo e cuoco assai vicino ai potenti del suo tempo, segnala nel suo libro di cucina, il primo che la storia ricordi, alcune pietanze fatte con le "lagane" (questo il nome che i romani davano alla pasta fresca).

Durante i secoli del basso Medioevo nessuno ricorderà più la pasta. Ma agli inizi del 1100 un certo Abu Abdallah Muhammad Idris, in un libro-documento destinato a Ruggero il Normanno di Sicilia, parla chiaramente del metodo arabo per essiccare e dunque conservare a lungo la pasta. Ben presto tale novità alimentare attecchirà in Sicilia e da qui si propagherà in tutta la penisola. A Napoli, Amalfi, Genova e in molte altre città portuali la produzione e il commercio della pasta presero gran vigore e da quel momento il successo fu inarrestabile.

Ma le abitudini alimentari dei nostri progenitori erano abbastanza diverse dalle attuali, basti pensare che per molto tempo la pasta venne cotta nel brodo e spesso anche nel latte e condita con zucchero, formaggio e burro. Quando nel '700 venne fatta chiarezza alimentare, distinguendo fra piatti dolci e salati, la pasta incontrò salse e sughetti più vicini al nostro gusto; il pomodoro divenne il suo più grande alleato e il capitolo moderno del modo di cucinarla e servirla prese inizio.

Naturalmente, con l'avvento dell'età moderna, furono introdotte nuove e più sofisticate macchine per la produzione della pasta che sostituirono quelle fino ad allora usate. Nel XX secolo la pasta ha raggiunto livelli di produzione davvero eccezionali, tanto che oggi è possibile affermare che la pasta italiana viene esportata in tutti i paesi del mondo.

Tipi di pasta

È sorprendente la varietà delle forme che affollano il mercato della pasta. Nel corso degli anni, ogni occasione speciale, ogni ricorrenza hanno dato luogo all'invenzione di un tipo nuovo.

Lunga o corta che sia, la pasta secca, cioè essiccata a scopo di conservazione, è fatta perlopiù con farina di grano duro e acqua. Per pasta fresca s'intende la pasta fatta, soprattutto a mano, con farina di grano tenero, acqua e (spesso) uovo. Ormai reperibile anche in confezione nei frigoriferi dei negozi alimentari e dei supermercati, la pasta fresca continua ad avere una sua viva produzione artigianale.

tratto da *Pastissima!*, ed. Idealibri

A Riflettiamo sul testo

1 **A quali parole del testo corrispondono quelle qui di seguito?**

una conseguenza logica (2-4): ....
per molto tempo (11-13): ....
in pochissimo tempo (12-14): ....
conobbero grande sviluppo (14-16): ....
hanno fatto nascere (31-33): ....

2 **Indicate il significato esatto delle parti in blu.**

Per quanto ne sappiamo, i primi... (3): ☐ Purtroppo non sappiamo, ☐ Da quel che sappiamo
...ancora oggi si usa tagliare la pasta... (6): ☐ si taglia di solito, ☐ viene usata
...tanto che oggi è possibile affermare che... (29): ☐ è quasi possibile, ☐ è ormai possibile
Nel corso degli anni... (31-32): ☐ Negli ultimi anni, ☐ Col passare degli anni
Lunga o corta che sia, la pasta secca... (34): ☐ Sia lunga che corta, ☐ Più lunga che corta

B Comprensione del testo

Rispondete alle domande con parole vostre *(20-25 parole)*.

1. Cosa sappiamo dell'esistenza della pasta nell'antichità? ....
....
2. Dopo l'era antica come e quando fa la sua ricomparsa la pasta? ....
....
3. Come è cambiato il modo di cucinare la pasta nel corso dei secoli? ....
....
4. Cosa cambia per la pasta nell'età moderna? ....
....
5. Che differenza c'è tra la pasta secca e quella fresca? ....
....

C Lavoriamo sul lessico

1 **Abbinate le parole alle immagini.**

utensili

1. pentola
2. mestolo
3. padella
4. grattugia
5. scolapasta
6. matterello

pasta e formaggi

1. farfalle
2. penne
3. fusilli
4. rigatoni
5. spaghetti
6. tortellini
7. parmigiano
8. mozzarella

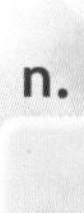

2 **In coppia, abbinate le parole.**

pelare	la frutta
sbucciare	l'acqua
bollire	i pomodori
mescolare	il sugo

cuocere	il tacchino
affettare	il formaggio
grattugiare	la pasta
farcire	il salame

3 **Sono sinonimi (=) o contrari (#)?**

abbiente povero
celebre illustre
affermare asserire
attuale odierno
sofisticato semplice
tenero duro

D Riflettiamo sulla grammatica

1 **Quali tra i seguenti verbi del testo hanno il passato remoto irregolare?**

nascere, imparare, prendere, essere, venire, incontrare, divenire, sostituire

Ricordate altri verbi dal passato remoto irregolare? Quali?

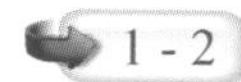
1 - 2

2 **Lavorate in coppia. Nel testo abbiamo visto gli aggettivi che derivano dalle parole che seguono. Quali sono?**

natura	rappresentare	Roma ....
alimento	sale	eccezione ....
sorprendere	arrestare *in*..........................	artigiano ....

Ricordate altri suffissi che usiamo per formare aggettivi?

3 - 4

E Lavoriamo sulla lingua

Completate il testo con le forme corrette degli infiniti tra parentesi.

La storia della pizza

Risalire alle origini della pizza è difficilissimo: non potremo mai sapere quando a qualcuno venne in mente di unire farina e acqua per farne una pasta, stenderla e cuocerla. Certo, nell'*Iliade* Omero canta che i Greci _______________ (*1. mangiare*) le 'mense', probabilmente pizze su cui _______________ (*2. venire*) messo il cibo. Ma per la pizza napoletana doc* bisogna risalire al Settecento. Ovvero al 1772, quando Ferdinando di Borbone _______________ (*3. violare*) le regole dell'etichetta reale _______________ (*4. entrare*) nella pizzeria di Antonio Testa, *n'Tuono*. Il re _______________ (*5. volere*) assaggiare tutte le varietà di quel piatto che tanto _______________ (*6. piacere*) al suo popolo. Poi lo descrisse con parole ispirate. Nobiluomini e nobildonne felicemente lo imitarono e la pizzeria di *n'Tuono* _______________ (*7. diventare*) un locale alla moda. Fu così che, col favore del re, _______________ (*8. nascere*) le prime autentiche pizzerie. E il re stesso _______________ (*9. farsi*) costruire nel parco della reggia di Capodimonte, accanto ai magnifici forni degli Asburgo per la cottura delle ceramiche, un forno per le pizze!
Umberto I di Savoia e la regina Margherita, in visita a Napoli, _______________ (*10. mandare*) a chiamare il pizzaiolo Raffaele Esposito, titolare del locale *Pietro il pizzaiolo* e gli ordinarono pizze napoletane per tutta la Corte. Fu preparata una pizza classica: la marinara, con pomodoro, aglio, origano ed olio. La moglie del pizzaiolo preparò una variante per la regina, con pomodoro, olio e mozzarella, cui _______________ (*11. aggiungere*) del basilico per richiamare i colori della bandiera italiana. _______________ (*12. correre*) l'anno 1871 e la Margherita divenne da allora la pizza più famosa fra tutte.

*doc o D.O.C. sta per "denominazione di origine controllata"

tratto da www.finesettimana.it

F Ascoltiamo

1 **Secondo voi, la cucina è un aspetto importante della cultura di un Paese? Quali cucine "etniche" apprezzate maggiormente?**

CD2 1

2 **Ascoltate questa intervista sulla pasta italiana e indicate le affermazioni presenti.**

- 1. È importante valorizzare il nostro patrimonio culinario.
- 2. I bambini preferiscono le vacanze di Natale.
- 3. I padri italiani cucinano spesso durante le festività.
- 4. Ogni regione italiana ha la sua varietà di pasta.
- 5. La pasta corta è più diffusa di quella lunga.
- 6. La forma della pasta dipende anche dal matterello usato.
- 7. Gli italiani conoscono poco la propria tradizione gastronomica.
- 8. Agli italiani piace mangiare al ristorante.

G Parliamo e scriviamo

1 Avete mai assaggiato un piatto italiano autentico? Cosa ne pensate? Nel vostro Paese ci sono ristoranti in cui si mangia veramente "all'italiana" o piuttosto si possono assaggiare solamente piatti adattati ai gusti locali?

2 Sapreste descrivere un piatto tipico del vostro Paese/luogo di origine o almeno gli ingredienti principali?

3 Un tuo amico americano ti chiede consigli perché vuole portare la sua ragazza in un ristorante italiano di Chicago. Gli scrivi un'e-mail *(120-140 parole)* in cui parli della bontà e delle particolarità della cucina italiana e suggerisci i piatti da ordinare (primi, secondi ecc.).

H Riflessioni linguistiche

Tanti sono i modi di dire relativi al mangiare. Cosa significano, secondo voi?

mangiare come un porco, come un uccellino, come un maiale, come un bue, come un principe, per due.

Sapete, inoltre, perché gli *spaghetti alla carbonara*, uno dei piatti di pasta più gustosi e famosi, si chiamano così? È un piatto romano, nato tra i contadini della Ciociaria, quando andavano in montagna a tagliare legna e preparavano la pasta. I contadini avevano l'abitudine di ammucchiare grandi quantità di legna che facevano bruciare lentamente per ottenere il carbone. Da qui il nome di questi spaghetti.

Autovalutazione

Cosa ricordate dell'unità 15?

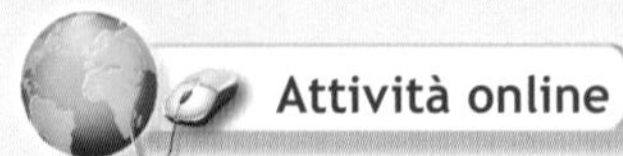

Completate le frasi con le parole nascoste in orizzontale e in verticale nel crucipuzzle.

A	S	P	E	T	T	A	T	I	V	A
L	U	G	I	O	S	C	I	A	R	S
A	V	R	E	B	B	E	R	O	I	S
F	E	A	T	E	P	A	R	I	T	U
A	C	V	A	T	R	I	B	B	E	M
C	H	I	A	C	C	H	I	E	R	A
I	O	D	A	D	O	P	U	E	F	G
O	D	A	I	L	R	F	D	C	T	G
C	O	N	T	R	I	B	U	T	I	I
E	M	Z	A	I	B	E	M	A	L	E
S	I	A	N	O	D	E	L	I	T	O

1. Il Ministero per le .... opportunità è un dicastero senza portafoglio.
2. Sono andata in farmacia a comprare un test di ....
3. Il gran caldo ha mandato in .... la rete elettrica e ha causato molti blackout.
4. Dicono che quella azienda non .... più personale femminile.
5. Guarda come piove! Meno .... che alla fine non siamo usciti!
6. Il datore di lavoro deve versare i .... dei suoi dipendenti entro il 16 di ogni mese.
7. Tra una .... e l'altra, Paola mi ha dato la bella notizia: è incinta!
8. Sembrerebbe che alcuni diritti fondamentali delle donne .... costantemente violati.
9. Dopo il periodo di maternità molto probabilmente chiederà altri 4 mesi di ....
10. Alcune impiegate .... denunciato il proprio datore di lavoro per discriminazione sessuale.

Cosa ricordate dell'unità 16?

1. Completate gli spazi con le parole date. Attenzione: le parole sono di più!

conobbero condire bollire risalire cucinare sorprendente divennero inarrestabile

1. Mamma, tra dieci minuti sarò a casa, metti pure l'acqua per la pasta a ....
2. Dopo la scoperta dell'America, la pasta e la pizza .... un nuovo alleato: il pomodoro.
3. È .... quello che si riesce a fare oggi al computer!
4. Mentre io apparecchio, tu puoi .... l'insalata?

2. Scegliete la parola adatta per ogni frase.

1. Per quello/quanto ne so io, Matteo non è venuto perché non lo hanno invitato.
2. Marcello si accorgerà ben prima/presto che quella ragazza non fa per lui.
3. Si tratta di un prodotto artigianale/artigianato di gran valore.
4. Le sue dichiarazioni fecero/ebbero chiarezza su quanto era accaduto.

Verificate le vostre risposte a pagina 185.
Siete soddisfatti?

Burano, Veneto

Non approfondire

Per cominciare...

1 Osservate e commentate questo grafico.

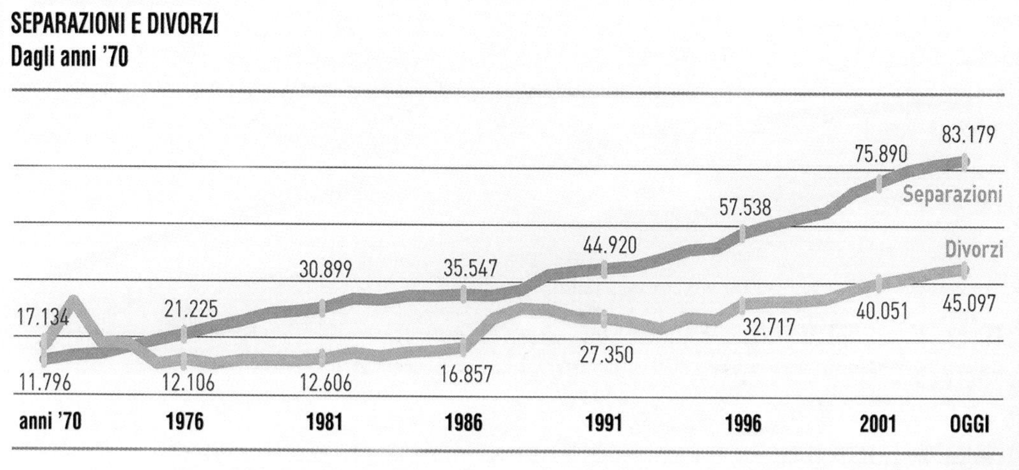

fonte: ISTAT

2 Il testo che leggeremo parla di un matrimonio finito dopo appena due anni. Secondo voi, perché i divorzi sono in aumento? Lavorando in coppia, elencatene i possibili motivi e confrontate le vostre idee con quelle dei compagni.

3 Perché i protagonisti del brano si sono separati? Fate delle ipotesi leggendo prima solo le parole in blu del primo paragrafo, poi del secondo e così via.

Non approfondire

Pur camminando, secondo un mio vizio, un lastrone sì e uno no del marciapiede, cominciai a domandarmi che cosa avessi potuto farle, ad Agnese, perché avesse a lasciarmi con tanta cattiveria, dopo due anni di matrimonio, quasi con l'intenzione dello sfregio. Per prima cosa, pensai, vediamo se Agnese può rimproverarmi qualche tradimento, sia pure minimo. Subito mi risposi: nessuno. Già non ho mai avuto molto trasporto per le donne, non le capisco e non mi capiscono; ma dal giorno che mi sono sposato, si può dire che cessarono di esistere per me. A tal punto che Agnese stessa mi stuzzicava ogni tanto domandandomi: "Che cosa faresti se ti innamorassi di un'altra donna?". E io rispondevo: "Non è possibile: amo te e questo sentimento durerà tutta la vita." Adesso, ripensandoci, mi pareva di ricordarmi che quel "tutta la vita" non l'aveva rallegrata, al contrario: aveva fatto la faccia lunga e si era azzittita.
Passando a tutt'altro ordine di idee, volli esaminare se, per caso, Agnese mi avesse lasciato per via di quattrini. Ma anche questa volta, mi accorsi che avevo la coscienza tranquilla. Soldi, è vero, non gliene davo che in via eccezionale, ma che bisogno aveva lei di soldi? Ero sempre là io, pronto a pagare. E il trattamento, via, non era cattivo: giudicate un po' voi. Il cinema due volte la settimana; al caffè due volte e non importava se prendeva il gelato o il semplice espresso; un paio di riviste illustrate al mese e il giornale tutti i giorni; d'inverno, magari, anche l'opera; d'estate la villeggiatura a Marino, in casa di mio padre.

Questo per gli svaghi; venendo poi ai vestiti, ancora meno Agnese poteva lamentarsi. Quando le serviva qualche cosa, fosse un reggipetto o un paio di scarpe o un fazzoletto, io ero sempre pronto: andavo con lei per i negozi, sceglievo con lei l'articolo, pagavo senza fiatare. Lo stesso per le sarte; non c'è stata volta, quando lei mi diceva: "Ho bisogno di un cappello, ho bisogno di un vestito," che io non rispondessi: "Andiamo, ti accompagno." Del resto, bisogna riconoscere che Agnese non era esigente: dopo il primo anno cessò quasi del tutto di farsi dei vestiti. Anzi, ero io adesso, a ricordarle che aveva bisogno di questo o quest'altro indumento. Ma lei rispondeva che aveva la roba dell'anno prima e che non importava; tanto che arrivai a pensare che, per quest'aspetto, fosse diversa dalle altre donne e non ci tenesse a vestirsi bene.
Dunque, affari di cuori e denari, no. Restava quello che gli avvocati chiamano incompatibilità di carattere. Ora mi domando: che incompatibilità di carattere poteva esserci tra di noi se in due anni una discussione, dico una sola, non c'era mai stata? Stavamo sempre insieme, se questa incompatibilità ci fosse stata, sarebbe venuta fuori. Certe serate che passavamo al caffè o in casa, a malapena apriva bocca, parlavo sempre io.

tratto da *Racconti romani*, di Alberto Moravia, Bompiani ed.

A Comprensione del testo

Ora leggete tutto il testo e rispondete alle domande *(15-20 parole)*.

1. Perché il protagonista esclude che il motivo della separazione sia il tradimento? ....
....
....

2. Perché esclude che il motivo sia di natura economica? ....
....

3. Cosa faceva il protagonista quando Agnese aveva bisogno di qualcosa? ....
....

4. Perché, secondo lui, non si tratta di incompatibilità di carattere? ....
....

5. Perché, secondo voi, Agnese ha lasciato il marito? *(25 parole)* ....
....
....

B Riflettiamo sul testo

1 **Individuate nel testo frasi o parole che corrispondono alle seguenti.**

anche se (2-4): ....
non le aveva fatto piacere (8-10): ....
non chiedeva molto (21-23): ....
non le interessava molto (24-26): ....
si sarebbe manifestata (27-30): ....

2 **Lavorando in coppia, abbinate le espressioni in blu con quelle a destra, che sono di più.**

1. A tal punto che Agnese stessa mi... (6)
2. ...per via di quattrini (11-12)
3. ...non gliene davo che in via eccezionale (13)
4. ...pagavo senza fiatare (20)
5. ...a malapena apriva bocca (30-31)

a. difficilmente
b. tanto che
c. raramente
d. nonostante
e. subito
f. a causa di

C Riflettiamo sulla grammatica

Che cosa ricordate sulla concordanza dei tempi? Individuate le frasi nel testo e riscrivetele con le parole date.

...non ho mai... mi capiscono (5): *Ha detto che* ....

Che cosa faresti... donna? (7-8): *Che cosa avresti* ....

Ho bisogno di... vestito (21-22): *Mi diceva che* ....

D Lavoriamo sul lessico

1 - 2

1 **Completate le frasi con parole derivate da quelle date a fianco.**

1. Non dimentico mai un nome, ma nel Suo caso, signore, farò un'............................! ECCEZIONALE
2. È un ragazzo molto ....; i suoi non gli hanno mai negato niente. VIZIO
3. Mi ha risposto con ...., dicendomi che non ne voleva più sapere di me. CATTIVO
4. Non sono io a essere ....; sei tu che non soddisfi tutti i miei desideri. ESIGERE
5. Ho corso per due minuti e ce ne ho messi dieci per riprendere ....! FIATARE

2 **In coppia abbinate le parole alle definizioni tratte da un dizionario monolingue. Poi trovate le parole nel testo, alla riga indicata tra parentesi, e verificate le vostre risposte.**

a. cattiveria (2), b. intenzione (3), c. coscienza (12), d. svago (18), e. incompatibilità (28)

- ☐ capacità dell'uomo di riflettere su se stesso e di attribuire un significato ai propri atti
- ☐ ciò che si pensa, si desidera fare per raggiungere un dato fine
- ☐ discordanza tra termini, cose, persone, tale per cui uno non ammette l'altro
- ☐ attitudine a offendere, a far del male
- ☐ allontanamento temporaneo da un lavoro o da un'attività a scopo di distensione

3 **Nel testo abbiamo visto *marciapiede*; quante altre parole composte vi vengono in mente? Lavorate in coppia e scrivetele.**

E Ascoltiamo

CD2

1 Nel racconto di Moravia abbiamo visto Alfredo, il protagonista, interrogarsi sui possibili motivi che hanno portato Agnese a lasciarlo. Tuttavia, Alfredo non è arrivato a capire la vera ragione della separazione. Ascoltate il resto del racconto e completate le frasi che seguono (massimo 4 parole).

1. Non la lasciavo un momento sola, ..., forse stupirete, quando cucinava.
2. E io allora cucinavo da solo; e .... del libro di cucina...
3. Debbo riconoscere che in .... qualcosa di vero.
4. Non la lasciavo mai: neppure quando .... amica o la madre.
5. La seguii fino ai gabinetti e l'inserviente .... era il reparto signore.
6. E invece, no, non mi annoiavo e ....: "Hai visto? Non mi sono annoiato".

2 Con cosa potremmo sostituire le parole in blu?

1. "Le saltò in capo di ... prendere lezioni d'inglese"
   - a. Le andò in mente
   - b. Le venne l'idea
   - c. Le salì sulla testa

2. "...pur di starle accanto, mi adattai anch'io a imparare quella lingua..."
   - a. anche per
   - b. anche se
   - c. al fine di

F Parliamo e scriviamo

1 Voi potreste vivere con una persona come Alfredo? Quali sono, secondo voi, le regole e i segreti di una relazione o di un matrimonio felice? Discutetene.

Role-play

2 Situazione. Immaginate l'incontro finale tra i due protagonisti del racconto: Agnese (A) che spiega perché è andata via e Alfredo (B) che si giustifica e promette di cambiare.

3 Immaginate di essere Agnese: scrivete una lettera ad Alfredo spiegando i motivi per cui lo avete lasciato. Potete scegliere di essere:
a. sinceri e cattivi o
b. attenti a non ferire Alfredo. *(180-200 parole)*

G Riflettiamo sulla grammatica

Nel racconto abbiamo visto alcune congiunzioni come *a tal punto che*, *anzi*, *dunque*, *al contrario*; collegate le seguenti frasi usando alcune delle congiunzioni date di seguito.

perché, poiché, ma, siccome, a patto che, perciò, mentre, a meno che, benché

anch'io credo che sia difficile - dobbiamo fare un tentativo
Giorgia finirà tardi - ci incontreremo davanti al cinema
lei vuole una casa grande - a me basterebbe anche un bilocale
è un'attrice molto famosa in Italia - abbia girato solo un film

3 - 4

H Lavoriamo sulla lingua

Completate un altro testo di Alberto Moravia, con gli elementi che mancano.

Mia madre disse: "Sapevo che ti piace, l'ho fatto fare apposta per ....(1)."
"Buono, buono," dissi e ....(2) rovesciai sul piatto un'enorme porzione. Non potei fare ....(3) meno di pensare ....(4) continuava così la commedia del figliol prodigo. Tutto ad un tratto scoppiai ....(5) una risata. Mia madre domandò allarmata: "..................(6) ridi?"
Risposi: "..................(7) sono ricordato di aver letto in qualche luogo una divertente parodia ....(8) parabola del figliol prodigo, sai, ...(9) del Vangelo."
"E cioè?"
"..................(10) parabola il figliol prodigo ritorna a casa e il padre ....(11) accoglie con ....(12) gli onori e uccide per lui il vitello grasso. Nella parodia, ...(13), il vitello grasso fugge spaventato, appena il figliol prodigo ritorna, ben sapendo ....(14) è il suo destino. Allora ....(15) aspettano. Il vitello grasso ....(16) fa aspettare un bel po' e quindi si decide a tornare. ....(17) colmo della gioia, il padre, per festeggiare il ritorno del vitello grasso, ammazza il figliol prodigo e ....(18) dà in pasto."

tratto da *La noia*, di Alberto Moravia, Bompiani ed.

I Riflessioni linguistiche

In coppia completate il breve riassunto del racconto "Non approfondire" con la forma corretta dei seguenti modi di dire: portare all'altare - mettere le corna - fulmine a ciel sereno - a occhi chiusi - al settimo cielo - piantare in asso.

Agnese ha abbandonato Alfredo, lo .... Per lui è stata una grande sorpresa, un ....; non poteva credere che la donna che lui .... se ne fosse andata così, senza una parola. Ma soprattutto non riusciva a capire perché. Agnese credeva forse che lui le .... Impossibile: sapeva che di Alfredo poteva fidarsi .... Secondo lui, Agnese sarebbe dovuta essere felice, ... Ma si sa, le donne sono ingrate...

18 Computer

Per cominciare...

1 Dividetevi in due gruppi: il primo compila la tabella a sinistra, il secondo quella a destra.

A. Cose che possiamo fare con il computer/grazie a Internet

B. Aspetti negativi dell'uso del computer

2 Successivamente, ogni gruppo mette in ordine di importanza gli aspetti elencati e presenta la propria lista all'altro gruppo.

3 Voi che uso fate normalmente del computer?

A Comprensione del testo

1 Leggete le prime 2-3 righe del testo A e del testo B. Secondo voi, in quale dei due Severgnini, famoso giornalista e scrittore, parla un po' più positivamente della tecnologia?

Le cose che facciamo al computer

A

Mentre alcuni italiani rifiutano ogni novità (e fanno male), altri sono in piena isteria elettronica. Li vedi al mattino che leggono trenta e-mail, poi ne scrivono venti, poi controllano se ne sono arrivate di nuove, poi stampano quello che hanno ricevuto, poi cominciano a ricevere telefonate sul cellulare e a mandare messaggini, poi giocano in Borsa e poi si perdono nei meandri di Internet e commentano coi colleghi quello che hanno trovato. A un certo punto decidono che è ora di mettersi a lavorare. Ma sono le cinque del pomeriggio, ed è ora di andare a casa.
Questa dipendenza si può spiegare così: l'entusiasmo per il nuovo mezzo conduce all'abuso. Accade anche ai quattordicenni col motorino: sono così contenti di averlo, che continuano a girare attorno all'isolato. Ma i quattordicenni non lavorano; noi dovremmo farlo. La sindrome dell'eccesso elettronico si può riassumere in quattro parole: subito, superfluo, sinistro e salato.

Perché «subito»? Perché la rapidità degli strumenti ci ha ipnotizzato: abbiamo sempre fretta anche quando fretta non c'è. Superfluo: prima dell'e-mail e del cellulare comunicavamo con dieci persone al giorno, ma magari erano poche; adesso con cento, che sono decisamente troppe. Sinistro: siamo agli ordini di uno squillo e di uno schermo e non è una faccenda simpatica. Salato: sommate bollette e carte ricaricabili, il costo dei telefoni, dei computer, dei CD-ROM e delle periferiche, e pensate a quello che potevate realizzare, combinare, ottenere e guadagnare nelle ore trascorse a schiacciare pulsanti. Potevate guardare il cielo, per esempio. Non c'è schermo ad alta definizione che tenga. Oltre la finestra è più bello.

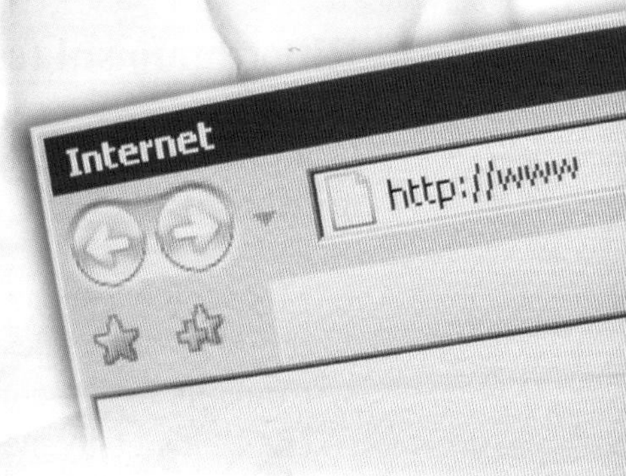

B

La posta elettronica è una strepitosa invenzione: discreta, fulminea, praticamente gratuita. Ma va usata con buon senso. A Natale, soprattutto. La lusinga del ricordo, l'impegno degli auguri scritti a mano e il rito del francobollo erano, infatti, quanto potevamo offrire ad amici e conoscenti. Molti di noi ricevono invece raffiche di biglietti virtuali (e virtualmente uguali: «Congratulazioni! Allegata a questa e-mail c'è una cartolina personalizzata creata appositamente per te!»). Oppure messaggi come questo, spedito a una lista di cento nomi: «Vorrei abbracciarvi tutti, ma sono pigra e la posta elettronica è così comoda!». Non c'è dubbio, mia cara. Ma tu non hai neppure letto la lista dei nomi prima di gettare il tuo cuore nel cyberspazio. Hai preferito economizzare: nonni, zie, amici e colleghi, tutti sistemati con un «clic» del mouse.
Ammettiamolo. Alle persone cui teniamo, ormai possiamo offrire un'unica cosa preziosa: il tempo (il resto si compra, si affitta, si duplica, si delega). Il tempo per scrivere un biglietto a mano, il tempo di una visita, il tempo di uno sguardo più lungo del solito, il tempo di una telefonata. Il tempo per avere un'idea originale e recapitarla (anche con la posta elettronica, perché no). I biglietti aziendali prodotti in serie, l'indirizzo autoadesivo uscito dalla stampante, la lista di indirizzi lunga come un canto della *Divina Commedia*, le *e-cards* velocissime da mandare (e lente da scaricare) sono ammissioni pubbliche di sentimenti tiepidi. Spedire il solito «Buon Natale! Buon @nno!» a cento conoscenti già riuniti in una mailing list richiede circa venti secondi, pari a 0,2 secondi per conoscente. Voi direte: meglio che niente. Non sono sicuro. Forse è meglio niente.

tratti dal *Manuale dell'uomo domestico*, di Beppe Severgnini, Rizzoli ed.

2 **Leggete i due testi e indicate a quale si riferisce ogni informazione.**

1. Con le e-mail comunichiamo in modo veloce, ma impersonale. A B
2. Secondo Severgnini, gli italiani sono ossessionati dalle e-mail. A B
3. C'è chi non sfrutta il computer in modo del tutto creativo. A B
4. Spesso si inviano messaggi identici a più persone. A B
5. Le nuove tecnologie ci hanno reso più impazienti. A B
6. Spesso, la tecnologia ci rende meno produttivi. A B
7. Più è facile usare un mezzo e più diventiamo pigri. A B
8. Solo con qualcosa di personalizzato dimostriamo sentimenti forti. A B
9. Secondo l'autore, dovremmo usare di meno il computer. A B
10. È preferibile non comunicare affatto piuttosto che in maniera impersonale. A B

Argomenti

Don Fortunato Di Noto

Mai da soli su Internet è una tutela per i minori

NUMERO ESCLUSIVO PER INFORMAZIONI SULLA D... UZIONE

Il Berga...

335.69

B Riflettiamo sul testo

Lavorate in coppia. Completate le frasi con le parti mancanti e successivamente verificate le risposte alle righe indicate tra parentesi.

1. Mi ascoltava silenzioso, ma poi a ...., si alzò e si mise a gridare! (7-8)
2. Ragazzi, basta televisione per stasera, è .... andare a letto. (7-8)
3. Come ha fatto a comprare questa casa? Non .... che l'ha aiutato anche suo padre. (31-32)
4. Puoi prendere tutti i vecchi cd che vuoi, ma non questo: ci .... in modo particolare. (35-36)
5. Quale trattoria? A quest'ora, al massimo troveremo qualche bar aperto. Beh, ... che .... (41-43)

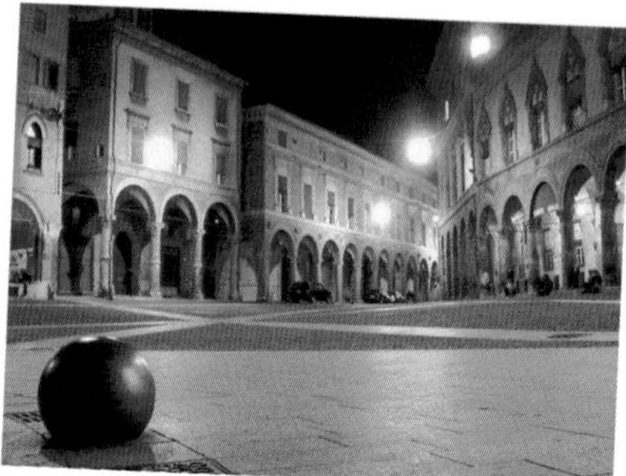

C Lavoriamo sul lessico

1 **Quelli di seguito sono sinonimi delle parole in blu del testo. Fate gli abbinamenti.**

testo A	testo B
aggiungete	rapidissima ....
inutile	insolita ....
premere	straordinaria ....
costoso	deboli ....
eccesso	si riproduce ....

2 **Completate l'e-mail con alcune delle parole date.**

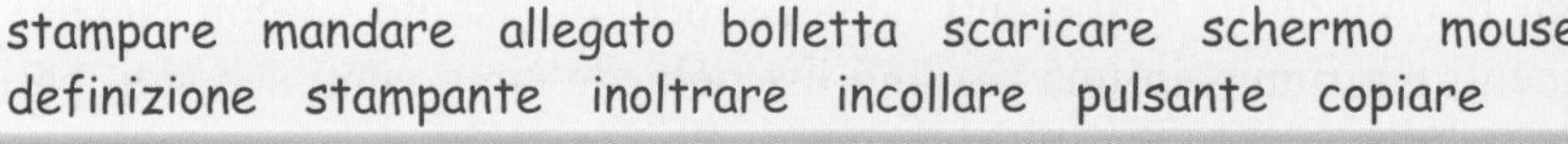

stampare mandare allegato bolletta scaricare schermo mouse
definizione stampante inoltrare incollare pulsante copiare

Cara Giovanna,

scusa se ti rispondo solo adesso, ma qui al lavoro la situazione va peggiorando! È incredibile, sono sempre più impegnata! :(Tanto per farti un esempio, la mattina ci metto mezz'ora per ....(1) la posta elettronica. Poi devo buttare le spam nella cartella della spazzatura e quelle "buone" le devo leggere tutte. Alcune e-mail le devo anche ....(2) (e andarle a prendere, visto che la ....(3) è in un altro ufficio!) e archiviare. Ma se capita, come oggi, che il mio ....(4) si blocca, vado in crisi! Però non mi devo lamentare: da una settimana ho un nuovo ....(5) da 20 pollici ad alta ....(6). La cosa migliore, che il mio direttore non sa, è che schiacciando un ....(7) diventa televisore! ;)
Devo andare. In ....(8) ti mando una foto della mia nipotina, non è bellissima?

Baci
Elena

3 **Quali altre "faccine", oltre a quelle usate nell'e-mail, conoscete? Lavorando in coppia, fatene una piccola lista e confrontatela con quella dei compagni.**

D Riflettiamo sulla grammatica

1 Nel testo abbiamo trovato espressioni come "quello che hanno ricevuto" (4) e "quello che hanno trovato" (6-7). Potete riformulare le frasi usando un altro pronome?

1 - 2

....

2 Inoltre, alla riga 12 abbiamo incontrato la parola "sindrome". Qual è il suo articolo determinativo? In coppia, scrivete anche l'articolo delle seguenti parole.

pilota pigiama fine radio

3 - 4

E Ascoltiamo

CD2 3

1 Ascoltate l'intervista radiofonica e indicate le risposte giuste tra quelle proposte.

1. La dipendenza da internet
a) ha dato vita a una nuova disciplina
b) ha raggiunto livelli molto alti
c) è stata analizzata da molti psicologi
d) è un tema di grande attualità

2. Internet diventa una risorsa per
a) le persone senza personalità
b) chi ha problemi di socializzazione
c) chi fa uso di sostanze stupefacenti
d) chi non vuole uscire di casa

3. In internet è possibile
a) sposarsi online su siti speciali
b) conoscere solo gente anonima
c) conoscere meglio la propria personalità
d) inventare un altro se stesso

4. Le donne online amano molto
a) navigare di notte
b) entrare in chat per adulti
c) assumere un'altra identità
d) innamorarsi di sconosciuti

2 Qual è il significato delle espressioni in blu?

1. "Io a questo punto chiamerei in causa Tonino Cantelmi". Il giornalista dice così perché vuole
☐ a. denunciare Tonino Cantelmi, ☐ b. sentire l'opinione di Tonino Cantelmi
2. "... si superano di colpo tutte le barriere relazionali, la timidezza, le difficoltà a socializzare con gli altri". Il giornalista usa questa espressione per sottolineare:
☐ a. il carattere violento di questo processo, ☐ b. il carattere improvviso di questo processo

F Parliamo e scriviamo

1 Voi che rapporto avete con internet? Che uso ne fate? Parlatene.

2 Tornando a quanto scrive Severgnini, secondo voi, il computer avvicina o allontana le persone?

Role-play

3 Situazione. Tuo padre, anche se ne avrebbe bisogno, continua a rifiutarsi di usare il computer. Secondo lui, è un oggetto che complica la vita e isola le persone. E poi è difficilissimo da usare. Cerchi ancora una volta di fargli cambiare idea, portando esempi sull'utilità della tecnologia e replicando alle sue argomentazioni.

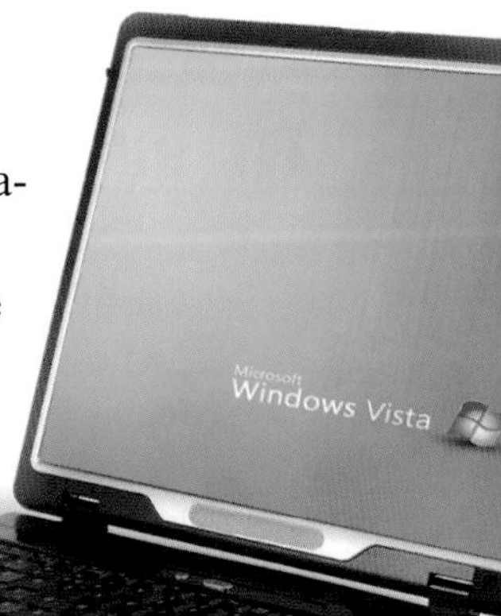

4 "Come forse tutte le cose nella vita, la tecnologia ha sia aspetti positivi che negativi". Commentate questa affermazione. *(160-180 parole)*

G Lavoriamo sulla lingua

Completate il testo con le parole mancanti (una per ogni spazio). In alternativa completate una delle due parti (1-15 o 16-28) e poi consultatevi con i compagni.

Amore e Internet. Una storia vera

L'amore ai tempi di Internet può essere meravigliosamente romantico e sorprendente. Come ci spiega una storia vera, avvenuta a Milano. a.

Lui si chiama Fabio, ...(1) ventuno anni, fa il disegnatore di pagine web e ....(2) a casa tutte le sere dal lavoro con la ....(3). Ha fatto così anche lunedì scorso ma ....(4) ha catturato la sua attenzione: una bella ragazza, seduta qualche ....(5) più in là, che sta leggendo. Fabio la guarda, il suo ....(6) batte sempre più forte, ma quando decide di ....(7), la folla che sale sul treno non gli ....(8) di raggiungerla. La ragazza scende dal treno, Fabio la ....(9) di vista. Torna a casa e non sa darsi ....(10), vuole trovare la sua Cenerentola. Allora prende una matita, ...(11) il ritratto della giovane, vestita con pantaloncini e ....(12) blu, e con un fiore tra i capelli. Quindi ....(13) di aprire una pagina web, la intitola www.tistocercando.it, ...(14) mette il disegno, il suo numero di cellulare e ....(15) sua email, chiedendo aiuto per ritrovarla.

Il messaggio si ....(16) rapidamente in maniera virale, altri siti rilanciano la ....(17) e pubblicano il disegno. In poche ore la sua mailbox ....(18) riempita di messaggi e il suo telefono inizia a ....(19) senza sosta, riceve messaggi di tutti i tipi, ...(20) a martedì sera, quando un'amica della ragazza lo ....(21) e gli spedisce una foto, per confermarne l'identità. "L'ho trovata! ....(22)!", scrive Fabio sul suo sito, "siamo stati messi in ....(23), vedremo cosa accade". Fabio scopre il giorno successivo che la misteriosa ....(24) bruna che ha rapito il suo cuore si chiama Luisa e ha 22 anni. "............................(25) posso credere che stia accadendo davvero", ha dichiarato lei ....(26) *Corriere della sera*. Inutile chiedere come sia andata a ....(27), Fabio ha lasciato solo una frase sul suo sito: "Non ci ....(28) più aggiornamenti su questo sito. A differenza delle commedie romantiche dovrete immaginare il finale di questa storia da soli". b.

H Riflessioni linguistiche

La parola ***computer*** ha una storia lunga: proviene dall'inglese *to compute*, ma non tutti sanno che a noi è arrivata dal francese e prima ancora dal latino *computare*. *Computare* è una parola composta dalla preposizione *cum*, cioè insieme, e *putare* che significava ripulire un albero, tagliare intorno. In seguito, siccome tali interventi comportano un ragionamento, un calcolo, la parola venne usata nel senso di *calcolare*. Da qui *computare* e *computer*. E pensare che per molti anni gli italiani hanno usato la parola *calcolatore* al posto di *computer*...

Autovalutazione

Cosa ricordate dell'unità 17?

Leggete le definizioni e risolvete il cruciverba.

1 2 3 4 5 6 7 8 9 10 11

Orizzontali
1. È destinato ai pedoni.
4. "Lei non fa altro che chiacchierare, lui al ... non apre mai bocca."
6. "Non ti aspettavo: nessuno mi ha detto che ... venuto!"
7. "Era arrabbiato a ... punto che ha dato un pugno al muro!"
10. Tutto ad un ..., in modo del tutto inaspettato.
11. Gli eroi vanno accolti in patria con tutti gli ... .

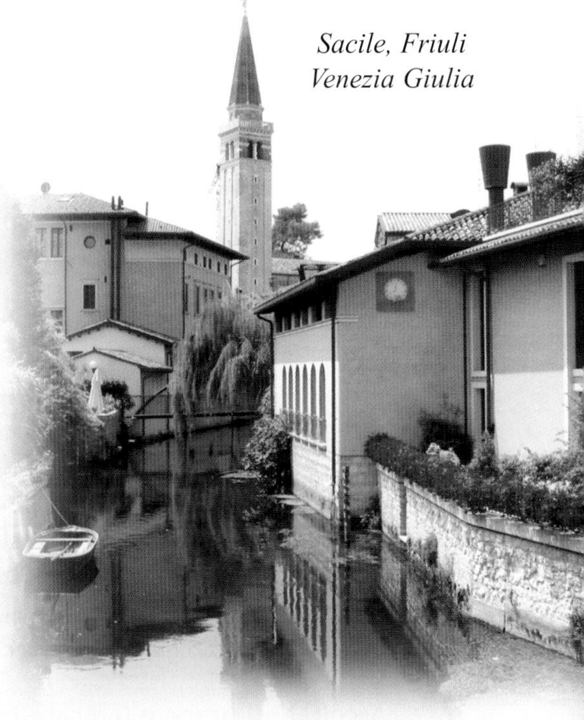
Sacile, Friuli Venezia Giulia

Verticali
2. Per dormire tranquilli è meglio averla pulita.
3. "Cosa farai se non ... superare l'esame?"
5. Ci sono gli uomini d' ..., ma anche gli ... di cuore.
8. Infastidire, provocare: *st...*
9. "Sono al ... della felicità perché Marta è incinta!"

Cosa ricordate dell'unità 18?

1. Completate gli spazi con le parole date, che sono di più!

pace meandri questo pullover ciò quiete pigiama corridoi

1. Secondo me non hanno capito una parola di .... che hai detto.
2. Mamma, hai visto il mio ....? Ci ho dormito solo una volta, mica l'avrai lavato, spero...
3. Non mi darò .... finché non troverò chi ha raccontato tutte queste bugie su di me!
4. Avevo cominciato una ricerca online, ma mi sono persa nei .... della Rete!

2. Scegliete la parola adatta per ogni frase.

1. Secondo Machiavelli "La/Il/Le fine giustifica i mezzi". Tu, sei d'accordo?
2. Raddoppiare/Duplicare/Sdoppiare cd, dvd, programmi informatici, anche se è diventato un gioco da ragazzi, è pur sempre illegale.
3. Il giornalista ha portato/chiesto/chiamato in causa uno dei massimi esperti in materia che ha risposto in diretta alle domande dei telespettatori.
4. Ti prego, non perdere il libro che ti ho prestato, me l'ha regalato un caro amico e ne/ci/lo tengo molto.

Verificate le vostre risposte a pagina 185. Siete soddisfatti?

Emigrazione

Per cominciare...

1 Osservate i due grafici e fate un confronto tra Nord, Centro e Sud Italia. A quali conseguenze può portare una situazione del genere, secondo voi?

FORZA LAVORO PER CONDIZIONE, SESSO E AREA GEOGRAFICA

	Uomini	Donne	Totale
OCCUPATI			
Nord	6.876	4.927	11.803
Centro	2.734	1.935	4.669
Mezzogiorno	4.330	2.187	6.517
Italia	**13.940**	**9.049**	**22.989**

	Uomini	Donne	Totale
IN CERCA DI OCCUPAZIONE			
Nord	196	267	463
Centro	128	174	302
Mezzogiorno	477	432	909
Italia	**801**	**873**	**1.674**

fonte: Istat, *L'Italia in cifre*

2 Immaginate che un vostro amico, un giovane sui 25 anni, debba spostarsi in un'altra città per motivi di lavoro. Discutetene con un compagno e completate la tabella che segue.

aspetti positivi	aspetti negativi
....	....
....	....
....	....

A Ascoltiamo

1 Conoscete il significato di questi termini ed espressioni?

in ripresa   Mezzogiorno   sottoccupato   mettersi in proprio   accoglienza

2 Ascoltate il brano e indicate le affermazioni veramente presenti.

- 1. In studio si parlerà soprattutto di immigrazione clandestina.
- 2. Rispetto agli anni '50, oggi il numero degli emigranti è inferiore.
- 3. Molti degli emigranti di oggi sono in possesso della laurea.
- 4. I giovani rappresentano una piccola percentuale degli emigranti.
- 5. Sono ancora pochi gli imprenditori che decidono di investire nel Sud Italia.
- 6. Emigrare verso un paese più ricco è sempre facile.
- 7. I giovani sono certamente meno fatalisti ai nostri giorni.
- 8. Il giornalista non ha nessun ospite in studio.

3 Il giornalista per introdurre il tema utilizza la metafora del "bicchiere mezzo pieno o mezzo vuoto". Qual è il suo significato? Discutetene e, se necessario, riascoltate il testo.

B Lavoriamo sulla lingua

1 **Completate i due testi con le forme corrette degli infiniti tra parentesi.**

"Io (*essere*) ....(1) di Bari e da quattro anni (*vivere*) ....(2) a Modena. Nonostante (*conoscere*) ....(3) già la situazione, ogni volta che vedo le statistiche sull'emigrazione (*arrabbiarsi*) ....(4). Perché non è possibile che più della metà dei cittadini italiani (*essere*) ....(5) costretta alla sopravvivenza, al degrado morale e culturale, resa semplice manodopera dai propri connazionali del Nord. Ora, (*provare*) ....(6) a fare un calcolo. Moltiplicate il numero degli emigranti che dal Sud (*andare*) ....(7) al Nord (180 mila solo l'ultimo anno), con uno stipendio mensile medio di 800 euro, e (*moltiplicare*) ....(8) il numero per dodici. Otterrete la somma totale di quanto il Sud (*perdere*) ....(9) annualmente."

Anonimo

"Io sono nata a Macerata, (*vivere*) ....(10) fino all'età di 18 anni in Calabria e poi (*fare*) ....(11) ingegneria a Firenze. E così a 24 anni (*ritrovarsi*) ....(12) sperduta in un posto dove avevo sempre creduto di non andare mai: Milano. Devo dire che anche se è una città brutta, (*conoscere*) ....(13) persone fantastiche. Una volta laureata (*trovare*) ....(14) lavoro a Roma. Ora (*trovarsi*) ....(15) in Germania. Qui a 30 anni ho uno stipendio che il mio precedente capo in Italia (*sognarsi*) ....(16) a 40. Il costo della vita è più basso che da noi: in Italia (*stare*) ....(17) in periferia in una camera in affitto per 500 euro al mese, qui (*stare*) ....(18) in centro a Monaco e pago 750 euro per un appartamento di 80 metri quadrati."

Francesca

tratto da *Profondo Italia, ed. Bur*

2 **Lavorate in coppia. Ascoltate la testimonianza del padre di un giovane emigrato. Prendete appunti e cercate di individuare somiglianze o differenze con le testimonianze lette nell'attività precedente. Parlatene.**

....

....

3 **Nel primo testo dell'attività B1 abbiamo visto il futuro del verbo *ottenere*. Ricordate altri verbi che presentano la stessa irregolarità al futuro (*rr*)? Scriveteli di seguito.**

....

....

C Comprensione del testo

1 **La lettura veloce è un'abilità molto utile (e anche un ottimo modo per "tenere in allenamento" il cervello). Avete due minuti per scorrere il testo e completare la tabella seguente. Cercate anche di esporre brevemente il contenuto del testo.**

periodo	fine del 1800	1900
destinazioni		

L'emigrazione

Nel 1861 gli italiani residenti fuori dei confini non erano più di 100.000. Si trattava di persone che avevano lasciato le loro regioni senza suscitare alcun turbamento sociale ed economico. A partire dal 1870 la situazione si capovolse. Fino al termine del secolo, vale a dire in circa trent'anni, emigrarono oltre mezzo milione di italiani. Una cifra ufficiale probabilmente assai lontana dalla realtà, poiché non potevano essere conteggiati i numerosi clandestini che varcavano i confini senza lasciare tracce.

Questi flussi migratori, indirizzati verso i paesi europei ma anche verso le due Americhe, appaiono oggi fenomeni storici di massa, quasi impersonali. In realtà furono la somma immane di tragedie individuali, che al dolore della partenza aggiungevano l'angoscia dell'ignoto; alla povertà dalla quale si fuggiva, aggiungevano la povertà nella quale si giungeva. Fu una specie di esodo che svuotò tanti paesi, lasciando una scia sterminata di sofferenze e di disperazione. Per chi partiva e, in misura non dissimile, per chi restava.

Agli inizi il maggior numero di partenze si ebbe nelle regioni settentrionali, soprattutto dal Veneto. La causa principale viene identificata nella crisi gravissima, che afflisse per decenni le regioni agricole del Nord Italia. Nelle regioni meridionali l'esodo ebbe un avvio più tardivo poiché, nonostante la povertà, si riusciva a produrre in misura bastante per il sostentamento familiare e perché più forte era l'attaccamento alle tradizioni. L'esodo continua fino al 1914, inizio della I Guerra mondiale, con un costante aumento.

I politici, gli industriali, i grandi proprietari terrieri vedono soltanto gli aspetti positivi di questo fenomeno. La popolazione cresce a ritmi notevoli e non è nemmeno pensabile che si possa offrire lavoro a tutti. Si favorisce perciò l'emigrazione, che libera posti di lavoro per i disoccupati. Ma non si pensò mai che questo "affare" gravava solo sulle spalle dei parenti; come non si pensò che l'emigrazione di massa sottraeva forze lavoro e capacità creative a vantaggio di tanti paesi, che le usarono con enormi benefici. Si fece insomma una valutazione errata a livello economico e a livello storico.

Nel 1921 gli Stati Uniti introdussero misure restrittive per l'immigrazione, riducendo la possibilità di assorbimento di un canale divenuto preferenziale. Aumentò di conseguenza l'emigrazione europea, soprattutto verso la Francia. D'altra parte, la dittatura fascista volle bloccare l'emigrazione per motivi nazionalistici. Nel 1927 il Commissariato generale all'emigrazione veniva chiuso, ritenendo con questo atto conclusa la fuoriuscita degli italiani dai confini del proprio paese. Ma la teoria fu smentita dai fatti. Tra il 1927 e il 1939 emigrarono dall'Italia oltre 700 mila persone, con una prevalenza assoluta verso la Germania.

Con la fine della II Guerra mondiale si apre il quarto periodo dell'emigrazione italiana in Europa. Se la nostra ripresa è molto rapida, tanto da far parlare di "miracolo economico", lo squilibrio tra domanda e offerta di lavoro non tende a diminuire. La disoccupazione inarrestabile e il disagio economico spingono gli italiani a uscire dalla loro patria.

tratto da *Gli italiani nelle vie del mondo*

2 **Rileggete il testo e individuate le affermazioni corrette tra quelle proposte.**

1. Prima del 1900 gli italiani residenti all'estero
a) erano circa 100 mila
b) erano tra i 100 e i 500 mila
c) erano circa 500 mila
d) erano molto più di 500 mila

2. Alla fine del 1800, coloro che emigrarono
a) lasciarono dietro molto dolore
b) lo fecero per sfuggire alla guerra
c) trovarono la terra promessa
d) dovettero ben presto tornare in Italia

3. All'inizio il motivo principale dell'emigrazione
a) fu la crisi dell'industria italiana
b) fu la crisi politica del paese
c) fu la vita difficile nelle campagne
d) fu la I Guerra mondiale

4. L'emigrazione che interessò l'Italia nel '900
a) contribuì a incentivare la crescita demografica
b) fece aumentare notevolmente la disoccupazione
c) portò la classe dirigente a commettere un grave errore di valutazione
d) non ebbe ripercussioni sulle famiglie degli emigranti

5. Dopo la I Guerra mondiale le mete dell'emigrazione erano nell'ordine:
a) gli Stati Uniti e la Germania
b) la Francia e la Germania
c) la Germania e gli Stati Uniti
d) la Germania e la Francia

D Riflettiamo sul testo

1 **Le parole che seguono sono sinonimi di altre presenti nel testo: quali? Lavorate in coppia.**

rovesciare (2-7): ....
oltrepassare (7-13): ....
vantaggio (37-44): ....
fuga (54-60): ....

2 **Le frasi che seguono potrebbero sostituirne altre presenti nel testo: potete individuarle?**

che vivevano all'estero (1-6): ....
uscivano di nascosto dal paese (righe 7-13): ....
a sufficienza (25-31): ....
aumenta rapidamente (31-37): ....
la realtà era diversa (54-62): ....

E Lavoriamo sul lessico

1 **Completate le tabelle secondo l'esempio.**

	sinonimo	aggettivo
nord	*settentrione*	*settentrionale*
sud	*m*....................	....

	sinonimo	aggettivo
est	*o*....................	....
ovest	*o*....................	....

2 **Da quali verbi derivano i seguenti sostantivi?**

sottrazione: .... fuga: ....
ripresa: .... prevalenza: ....
crescita: .... sofferenza: ....

Venditori ambulanti sul ponte degli Scalzi, a Venezia

3 **Cerchiamo di scoprire insieme le differenze tra alcune parole che possono confondere. In coppia, completate le frasi con la forma opportuna di:** clandestino, extracomunitario, straniero, emigrante, profugo.

1. Dopo la guerra, migliaia di .... furono costretti a lasciare le loro terre.
2. Le autorità hanno scoperto molti .... senza permesso di soggiorno.
3. In Italia ci sono molti .... ma anche parecchi immigrati europei.
4. Dal suo accento ho capito subito che era ....
5. Ogni .... ha una speranza quando parte: trovare una vita migliore.

F Riflettiamo sulla grammatica

Nel testo di pagina 110 abbiamo incontrato alcuni verbi alla forma impersonale (righe 16 e 38). Lavorando in coppia, scrivete nel quaderno una frase con il *si* impersonale e coniugatela a tutti i tempi e modi possibili.

3 - 4

G Parliamo e scriviamo

Role-play

1 Situazione. A ha deciso di andare all'estero per motivi di lavoro, considerando soprattutto o solamente i lati positivi di tale scelta. B, pensando anche alle difficoltà che ha incontrato un amico comune, espone i possibili svantaggi. Consultate anche le vostre tabelle a pagina 108.

Sbarco di clandestini: in cerca di una vita migliore

2 Osservate le foto di questa pagina. Aldilà dei flussi migratori interni, in Italia arrivano ogni anno centinaia di migliaia di stranieri. Alcuni riescono ad integrarsi nella società italiana, altri meno. Com'è la situazione nel vostro Paese? Quali sono le conseguenze dell'immigrazione?

3 Immaginate di esservi trasferiti da poco tempo in Italia. Scrivete una lettera/e-mail a un vostro amico, rimasto nel vostro Paese, per descrivere la città in cui vivete, la vostra "nuova" vita ed esporre eventuali difficoltà incontrate. *(160-180 parole)*

Stop alle auto

Per cominciare...

1 Lavorate a gruppi di tre. Secondo voi quali di queste parole si possono incontrare in un testo che parla di ecologia? Motivate le vostre scelte.

☐ surriscaldamento ☐ ferro ☐ emissioni ☐ biodegradabile ☐ deforestazione
☐ gas ☐ inquinamento ☐ riciclaggio ☐ risparmiare ☐ sprecare ☐ turismo
☐ scarpe ☐ solare ☐ stereo ☐ incendio ☐ risorse ☐ spegnere ☐ ridurre

2 Che cosa sapete sulla salute del nostro pianeta? Quali sono i suoi problemi? E le cause? In coppia completate la tabella e poi discutetene con i compagni.

problema ambientale	causa
1.	
2.	
3.	

3 Quale dei problemi emersi ritenete più preoccupante?

A Ascoltiamo

1 Ascolterete una trasmissione radiofonica sul cosiddetto "effetto serra". Cos'è? Provate a descriverlo in una frase.

....

CD2 6

2 Ascoltate l'intervista ad uno studioso che risponde alla domanda: "Chi è responsabile del surriscaldamento del pianeta?" Completate le frasi che seguono (massimo 4 parole).

1. Da molti anni si sta lanciando un messaggio, però l'opinione .... correttamente.
2. Da qualche parte della ...., abbiamo un guasto.
3. Non solo ...., ma anche gli inverni sono caldi.
4. Bisogna guardare il trend, cioè .... come vanno negli anni.
5. Quando, invece, arriva una perturbazione, questa è più violenta del normale e .... ci porta grandinate...
6. L'effetto serra è una conseguenza di un .... sbagliato: consumiamo troppo petrolio.

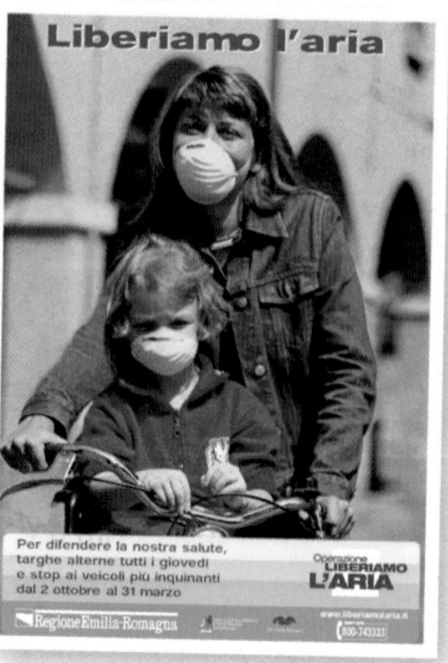

3 **Con cosa potremmo sostituire le espressioni in blu?**

1. "...l'opinione pubblica non viene informata correttamente, viene più che altro spaventata e disinformata con notizie diciamo da prima pagina"...
   - a. esclusivamente
   - b. più di altri
   - c. soprattutto

2. "...d'inverno significa un bel po' di caldo in più..."
   - a. pochissimo
   - b. molto
   - c. troppo

B Comprensione del testo

1 **Leggete il titolo dell'articolo. Secondo voi, l'autore quale soluzione propone?**

2 **Leggete il testo e indicate le informazioni presenti.**

ITALIANI, ANDATE A PIEDI!

Bravo in Tv, è soprattutto un geologo del Cnr. «La "cultura dell'auto" è una pazzia, le risorse della Terra non sono infinite».

«Ma quale "cultura dell'automobile"? È una pazzia. Io alla macchina ho rinunciato da tempo. Abbiamo mai pensato che per portare in giro 80 chili di carne muoviamo 1.500 chili di ferro?».

No. Forse non ci abbiamo mai pensato. E non guardiamo all'automobile come a un «termosifone ambulante, che per circolare produce un'inutile gran quantità di calore. Non ci sto, bisogna essere radicali. Non basta qualche domenica a piedi per cambiare rotta».

Parola di Mario Tozzi, noto conduttore di *Gaia - Il pianeta che vive*, ma prima ancora geologo e studioso del Cnr. Mario Tozzi, oltre a essersi inventato un originale modo di raccontare il pianeta, è anche un personaggio curioso quanto a scelte personali e convinzioni scientifiche.

«Credo che ciascuno possa dare un contributo. Perciò, per spostarmi, uso scarpe, bici, mezzi pubblici o una moto che quando sta ferma per tre secondi si spegne automaticamente». Ma non solo. Tozzi evita che l'acqua scorra inutilmente mentre si lava i denti e spegne tutti i *led* luminosi degli elettrodomestici. «In ogni casa», dice, «ce ne sono almeno tre o quattro. Se moltiplichiamo per milioni di famiglie, significa che ci sono almeno cinque centrali elettriche in funzione solo per tenere accese le lucine dello stereo o della Tv».

Lo incontriamo giovedì 17 febbraio, giorno di traffico limitato in molte città italiane. «Stamattina», dice, «ho sorvolato la città con l'elicottero, per fare delle riprese per *Gaia*. E ho visto quello che respiro: la stagnante cupola grigia sopra la capitale, come ogni giorno».

Passata un'emergenza, ne arriverà un'altra: il Pm10, il benzene e gli altri inquinanti sono uno dei problemi, sostiene Tozzi. La "questione ambiente" ne presenta molti altri: il riscaldamento climatico, le emissioni, la deforestazione.

«Siamo fuori strada: gli studiosi sono concordi sulla necessità di tagliare le emissioni del 60 per cento. Gli Usa non vogliono accettare di ridurle del 6 per cento. Mentre consumano il 25 per cento dell'energia e sono responsabili del 35 per cento delle emissioni. Capisce? Parliamo di metri al posto di chilometri. I comportamenti individuali sono importanti ma insufficienti. Occorrono interventi strutturali, che sono compito di Governi e

amministratori. Purtroppo, la politica si muove su tempi brevi. La natura ha bisogno di quelli lunghi».

Un salvadanaio mezzo vuoto

Un massiccio intervento sul verde urbano può influire fino al 10 per cento sulla temperatura nelle metropoli, risolvendo il problema dell' "isola urbana calda", il fenomeno per cui in città ci sono da 2 a 5 gradi in più che in campagna. Ma questo non dipende dal singolo cittadino. «Stiamo consumando un patrimonio che non è infinito. Energia, cibo, acqua li traiamo da un salvadanaio già mezzo vuoto: abbiamo esaurito più della metà del petrolio; e se i cinesi si mettessero a mangiar pesce quanto i giapponesi, si dovrebbe raddoppiarne la produzione. Ma non ce n'è abbastanza».

«La Terra», conclude Tozzi, «vive da 4,6 miliardi di anni. Se paragoniamo questo tempo a un metro, la presenza dell'uomo equivale a un centesimo dell'ultimo millimetro. Stiamo imprimendo un'accelerazione che la Terra probabilmente saprà sopportare, l'uomo no».

tratto da *Panorama*

1. Per il prof. Tozzi spostarsi a piedi costituisce un comportamento responsabile.
2. Le auto elettriche sono una soluzione per l'ambiente.
3. Il professore è spesso costretto a usare un motorino per spostarsi in città.
4. Gli elettrodomestici che non si spengono del tutto consumano molta energia.
5. Secondo il prof. Tozzi, l'atmosfera di Roma è molto inquinata.
6. L'effetto serra costituisce l'emergenza numero uno per l'ambiente.
7. Ormai tutti i governi sono consapevoli dei pericoli e hanno preso le dovute misure.
8. La campagna ha una temperatura più bassa rispetto alla città.
9. Stiamo consumando le risorse naturali a un ritmo che la Terra non può sostenere.
10. Lo scienziato è convinto che la fine della Terra non sia molto lontana.

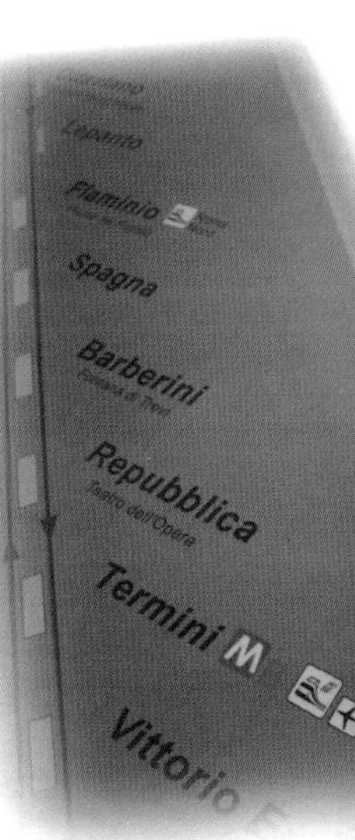

2 **Potete dare un titolo alternativo all'articolo?**

C Riflettiamo sulla grammatica

Nel testo, abbiamo letto che il prof. Tozzi quando si lava i denti non lascia scorrere l'acqua e che spegne tutti i led degli elettrodomestici. Volgete al passato prossimo queste due frasi ("Anche ieri...") e date il participio passato dei verbi che seguono.

1 - 2

D Riflettiamo sul testo

1 **Lavorando in coppia, abbinate le espressioni in blu a quelle a destra, che sono di meno.**

1. Non ci sto, bisogna essere radicali... (8)
2. ...qualche domenica a piedi per cambiare rotta... (10)
3. ...curioso quanto a scelte personali... (15)
4. ...ciascuno possa dare un contributo... (17)
5. ...in funzione solo per tenere accese... (26)
6. Siamo fuori strada... (39)
7. ...sono concordi sulla necessità... (39)
8. ...equivale a un centesimo... (66)

a. l'andamento delle cose
b. dello stesso parere
c. relativamente a
d. lo accetto
e. molto lontani
f. corrisponde

2 **Nell'articolo abbiamo visto l'espressione *dare un contributo*: nelle frasi che seguono sostituite le parti in blu con i modi di dire dati nel riquadro.**

dare... retta il via a per scontato carta bianca ai nervi

1. Nonostante fossi nuovo, il direttore mi ha dato piena fiducia, quindi la colpa è tutta sua...
2. Poco prima delle elezioni il governo ha fatto iniziare i lavori per un'opera annunciata nelle elezioni precedenti...
3. Tesoro, ascolta tuo padre: c'è tempo per gli amori, ora pensa a studiare...
4. A volte la tua presunzione mi infastidisce, specialmente quando non ammetti che ho ragione io!
5. Il mio ex marito era sicurissimo che avrei abbandonato carriera e amici: ex marito, appunto...

E Lavoriamo sul lessico

1 **Completate il testo con alcune delle parole date a fianco.**

Mario Tozzi è un noto ....(1) del Cnr. Secondo lui, per salvare il pianeta, i comportamenti ....(2) sono importanti, ma ....(3). Lui stesso ha ....(4) all'auto. Sostiene che solo per tenere accese le lucine degli elettrodomestici sono necessarie 5 centrali ....(5)! È convinto che stiamo consumando un patrimonio che non è ....(6). Paragona la Terra a un ....(7) mezzo vuoto.

rinunciato studioso personaggio scientifico salvadanaio elettriche individuali insufficienti occorre massiccio intervento esaurito raddoppiare infinito

2 **Lavorate in coppia. Completate le frasi con le parole adatte.**

1. Lo .... è dovuto anche ai .... delle automobili.
   spostamento smog rifiuti ozono gas di scarico
2. Una delle conseguenze del .... è anche il cosiddetto ....
   riscaldamento inquinamento buco dell'ozono effetto serra ecosistema
3. Il .... dei rifiuti è possibile solo se c'è una rete organizzata per la .... energia solare riciclaggio raccolta differenziata riutilizzo biossido di carbonio
4. Gli animali di un paese costituiscono la sua ...., mentre le piante la sua .... flora risorsa naturale deforestazione fauna agricoltura
5. Molte associazioni .... lottano per la tutela di animali .... in via di estinzione scomparsi feroci naturali ambientaliste

SMOG
pericolo per la salute

2000 gli italiani che ogni anno muoiono a causa dell'inquinamento

800 vite risparmiate ogni anno se si riducesse di un solo mg/m^3 la concentrazione giornaliera di monossido di carbonio

200/300 i morti all'anno per lo smog a Milano

60% le possibilità in più di contrarre malattie respiratorie per i bambini che vivono vicino a una strada trafficata

900 i decessi negli ultimi cinque anni, dovuti alle polveri sottili

F Parliamo e scriviamo

1 Riassumete brevemente il grafico a destra. Quale dato vi colpisce maggiormente?

2 Nel corso di questa unità abbiamo parlato delle cause dell'attuale crisi ambientale, ma anche di possibili soluzioni. Che cosa fate voi a livello quotidiano, o che cosa evitate coscientemente di fare cercando di proteggere l'ambiente? Raccontate.

3 Un noto sito italiano ha aperto un forum dal titolo "Come distruggere la Terra!", chiedendo ai suoi lettori di parlare degli errori dell'uomo negli ultimi 100 anni. Scrivete un'e-mail *(140-160 parole)* in cui esprimete le vostre considerazioni e critiche riguardo ai comportamenti dei governi, delle grandi aziende, ma anche dei singoli cittadini. Potete anche dare un'occhiata al testo seguente.

G Riflettiamo sulla grammatica

Alla fine dell'articolo "Italiani, andate a piedi!" abbiamo incontrato due periodi ipotetici: "Se i cinesi si mettessero a mangiare pesce quanto i giapponesi, si dovrebbe raddoppiarne la produzione" e "Se paragoniamo questo tempo a un metro, la presenza dell'uomo equivale a un centesimo dell'ultimo millimetro". Perché vengono usati tempi e modi diversi?

3 - 4

H Lavoriamo sulla lingua

1 **Nel testo seguente, in molte righe numerate ci sono errori di battitura. Correggeteli.**

L'immondizia

L'invezione più pericolosa del ventesimo secolo non è stata, come molti credono, la bomba atomica, ma l'immondizia. In Italia ogni abitante produce mediamente 1,65 kg d'immondizia a giorno, ovvero 6 quintali l'anno, ovvero 48 tonnellate nel corso della vita, pari al circa ottocento volte il proprio peso corporeo.

Quand'ero ragazzo io, l'immondizia era chiamata "monnezza" e consisteva a un sacchettino di carta che si metteva fuori dalla porta d'ingesso ogni mattino affinché un operaio del Comune la ritirasse.

Una familia media come la mia non andava oltre i duecento grammi di immondizia al giorno. Il pacchettino avolto in carta di giornale (la plastica non era stata ancora inventata) era costituito in gran parte da bucce di ortagi e di frutta. Tutto questo perché esisteva la buona abitudine di non buttare mai niente. Mia madre, tanto per dirla una, conservava una scatola di spaghi sulla quale aveva scritto la frase: "Spaghi troppi corti per essere usati".

Oggi, invece, la frenessia del cosumare e del gettare è diventata un bisogno insopprimibile. Non si è capito ancora se sia più bello il consumare o il buttare. Mi è stato detto che nei pressi di New York esiste una discarica di rifiuti grande come le città di Caserta, dove per inoltrarsi occorono trattori speciali e tute spazali appositamente studiate. Sembra, inoltre, che in questa gigantesca *trash-land* siano nate nuove specie animali non ancora conosciute dagli addetti ai lavori.

tratto da *Il pressappoco* di Luciano De Crescenzo, Mondadori ed.

2 **Nel testo di De Crescenzo ci sono punti che vi hanno colpito? Scambiatevi idee.**

Autovalutazione

Cosa ricordate dell'unità 19?

1. Scegliete la parola/le parole adatta/e per ogni frase.

1. In queste circostanze non ci si/si deve mai scoraggiare, capito ragazzi?
2. Anche i venditori itineranti/ambulanti sono tenuti al rilascio dello scontrino.
3. L'inflazione è ormai inarrestabile: il prezzo/costo della vita in Italia è ogni giorno più alto.
4. Non sappiamo ancora se stasera andremo alla festa di Antonio. Comunque... vedremo/verremo.

2. Completate gli spazi con le parole date. Attenzione: le parole sono di più!

scia   classe   tracce   faceva   terrò   società   rimarrò   voleva

1. Se volete partire per il fine settimana, lo .... io Matteo; a mio figlio piace tanto giocare con lui!
2. Un tempo, una volta emigrati non si .... ritorno in patria molto facilmente. Oggi si sono annullate le distanze ed è tutto più semplice.
3. La .... dirigente dovrebbe operare per il bene del Paese invece di pensare alla salvaguardia dei suoi privilegi!
4. I ladri hanno ripulito a fondo la villa e si sono dileguati senza lasciare ....

Cosa ricordate dell'unità 20?

Trovate, in orizzontale e in verticale, le 14 parole relative all'ecologia.

Il Lago di Garda

S	I	A	T	M	O	S	F	E	R	A	M	N	D
A	R	T	U	G	A	D	A	R	D	I	T	R	E
R	I	C	I	C	L	A	G	G	I	O	N	T	F
O	G	R	O	R	I	S	O	R	S	E	E	I	O
M	R	A	S	S	A	L	R	O	C	A	M	O	R
B	I	O	D	E	G	R	A	D	A	B	I	L	E
E	F	Z	I	D	R	O	M	O	R	R	S	A	S
N	I	O	M	E	N	E	R	G	I	A	S	T	T
Z	U	N	M	M	A	A	S	S	C	H	I	E	A
E	T	O	O	A	F	E	R	T	H	B	O	R	Z
N	I	T	N	C	A	L	O	R	E	I	N	P	I
E	S	A	O	C	A	F	F	A	L	O	I	A	O
I	N	Q	U	I	N	A	M	E	N	T	O	I	N
S	C	U	T	I	E	R	I	A	S	M	O	G	E

Verificate le vostre risposte a pagina 185.
Siete soddisfatti?

Il falso a tavola

Per cominciare...

1 Osservate questi prodotti alimentari. Quali sono italiani? Scambiatevi idee.

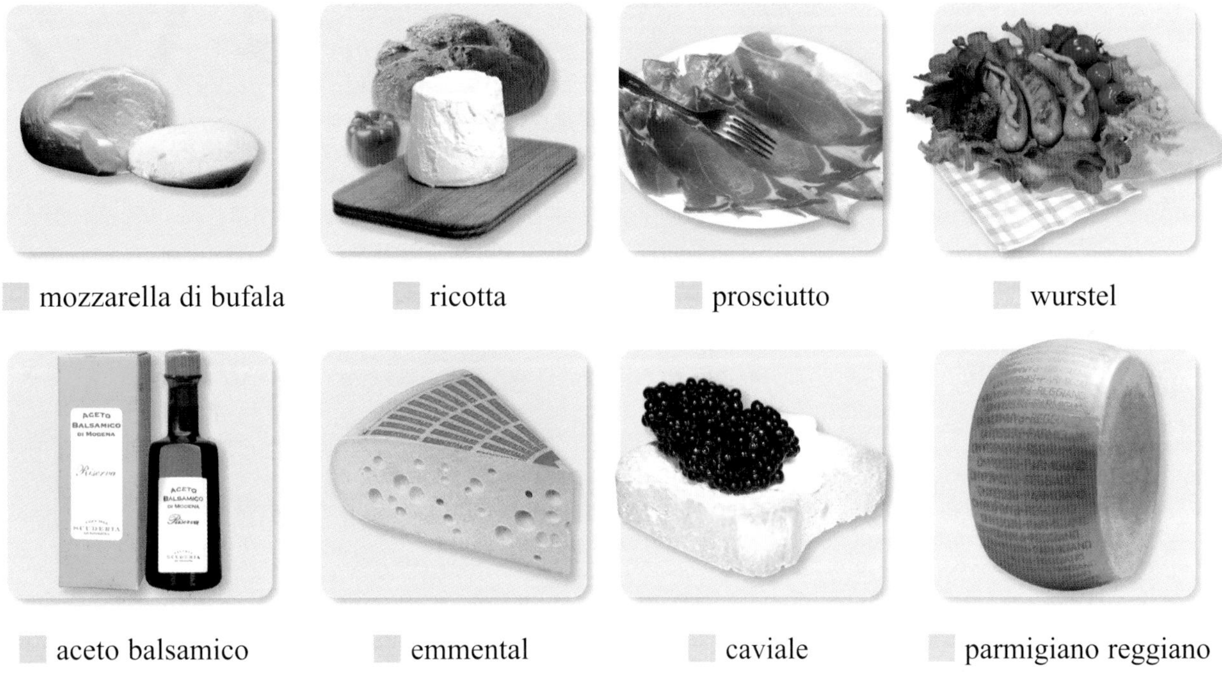

2 Quali di questi prodotti vi piacciono? Generalmente cosa vi piace di più della cucina italiana?

3 Comprereste o consumereste alimenti italiani tipici prodotti fuori dall'Italia? Motivate le vostre risposte.

A Comprensione del testo

1 In base al titolo, secondo voi di che cosa tratta l'articolo? Cos'è la pirateria alimentare?

Quando a tavola il Made in Italy è falso

Dilaga la pirateria alimentare, allarme dei produttori

Abbiamo già più volte sottolineato come i consumatori in tutto il mondo si facciano prendere per la gola dall'enogastronomia *Made in Italy*: profumi, sapori, originalità e qualità attirano da tempo i buongustai del pianeta, portando i nostri marchi sempre più in alto nella scala di un mercato molto competitivo. Ad oggi, secondo uno studio della Coldiretti di Napoli, tali privilegi acquisiti negli anni sono messi a rischio da produttori stranieri che spacciano sul proprio mercato prodotti apparentemente simili a quelli provenienti dalla celebre penisola.

Fare la spesa oggi sul mercato globale può significare riempire la nostra tavola di prodotti apparentemente *Made in Italy*, ma che in realtà nulla hanno del nostro Paese, tranne che l'immagine o il tricolore in etichetta o il nome che ricorda il meglio dell'italica enogastronomia. Alcuni casi eclatanti scovati dalla Coldiretti nei diversi continenti fanno sì che nel mondo un menu italiano su tre sia taroccato.
L'ipotetico e sventurato banchetto – sostiene la Coldiretti – potrebbe aprirsi con stuzzichini a base di mozzarella prodotta con latte di vacca del Minnesota o australiano o di Parmesan (o Parmeson) di quasi tutte le provenienze del mondo, ma che certamente nulla ha a che fare con le brume della Padania. Il primo piatto – prosegue la Coldiretti – si concretizza in una bella porzione di spaghetti alla bolognese, ma attenzione, la pasta viene dalla Germania e il ragù, dove non è presente carne, ma soltanto basilico, dall'Estonia. E se proprio si è vegetariani anche di etichetta, e non solo di contenuto, la salsa da impiegare può essere la magnifica "Contadina - Roma style tomatoes" proveniente dai migliori supermercati della California o i "Pomodorini di collina" inscatolati in Cina e pubblicizzati in una nota manifestazione fieristica parigina. A questo punto nessuno si scandalizza più se sulla pasta aggiungiamo un po' di Pecorino, anch'esso di provenienza orientale (Shangai), ma che stupisce per la raffigurazione di una ridente vacca. Per il secondo, la casa consiglia tre prelibatezze casearie: la Ricotta "perfect italiano" realizzata in Australia, il Provolone prodotto nel Wisconsin (Usa) e la Caciotta cinese. Sull'insalata di contorno si può far scendere, goccia a goccia, un po' di Aceto balsamico di Modena di produzione rigorosamente teutonica e abbondante olio extravergine d'oliva "Romulo" che fa dei gemelli Romolo e Remo in etichetta, impegnati a ciucciare il latte della Lupa, i fondatori di Madrid, vista la provenienza iberica del prodotto.
"Siamo di fronte a un inganno globale per i consumatori che causa danni economici e di immagine alla produzione italiana e che sul piano internazionale va combattuto" ha affermato il presidente della Coldiretti Paolo Bedoni.
L'agroalimentare Made in Italy vale oltre 180 miliardi di Euro e rappresenta circa il 15% del Prodotto Interno Lordo (PIL). Il danno calcolato da Coldiretti dei prodotti-pirata equivale a 50 miliardi di Euro: un dato assolutamente preoccupante che deve vedere in misure di controllo una soluzione più che rapida. Altrimenti ad essere presi per la gola, saranno i produttori nostrani.

tratto da *News Italia Press*

2 **Leggete il testo e rispondete alle domande.**

1. Cosa rivela lo studio della Coldiretti? *(15-20 parole)*

....

2. Dove e in che misura si manifesta la pirateria alimentare? *(15-20 parole)*

....

3. Quali sono i prodotti più spesso taroccati? *(10-15 parole)*

....

4. Quali sono le conseguenze della pirateria alimentare? *(10-15 parole)*

....

5. A quanto ammonta il danno economico per l'Italia? *(10-15 parole)*

....

6. Quali soluzioni propone la Coldiretti? *(10-15 parole)*

....

B Riflettiamo sulla grammatica

1 **Nel testo letto abbiamo trovato parole come "...quelli provenienti dalla celebre...", "...di una ridente vacca...", "...abbondante olio extravergine...", "...un dato preoccupante...". Riconoscete la forma verbale delle parole evidenziate in nero? Da quali verbi derivano?**

1 - 2

2 **Inoltre abbiamo incontrato i seguenti participi passati: "...alcuni casi scovati dalla Coldiretti...", "...mozzarella prodotta con latte...", "...pomodorini pubblicizzati in una manifestazione...", "...ricotta realizzata in Australia...". Riscrivete le frasi utilizzando gli stessi verbi in una forma diversa.**

3 - 4

C Riflettiamo sul testo

1 **Lavorate in coppia. Completando le frasi con la parola mancante scoprirete espressioni che abbiamo incontrato nel testo. Verificate le vostre risposte alle righe indicate tra parentesi.**

1. Tutte le nostre comodità saranno presto messe a .... se non riusciremo a risolvere almeno i problemi ambientali più urgenti. (5)
2. L'alto prezzo della benzina fa .... che tanta gente si sposti in bici. (11)
3. Il *carpaccio* è un famoso piatto italiano a .... di carne cruda. (14)
4. È giusto quanto dici, ma non ha niente a .... fare con quello che dico io. (16)
5. Non sono del tutto convinto, ma a .... punto facciamo come dici tu. (24)
6. Il sorriso e l'ottimismo .... di Anna una persona amata da tutti. (30)

2 **Riscrivete queste frasi del testo, iniziando con le parole date.**

1. E se proprio si è vegetariani anche di etichetta, la salsa da impiegare può essere la magnifica "Contadina - Roma style tomatoes".
Chi ....
....

2. A questo punto nessuno si scandalizza più se sulla pasta aggiungiamo un po' di Pecorino.
Un po' ....
....

3. Siamo di fronte a un inganno globale per i consumatori che causa danni economici e di immagine alla produzione italiana.
La produzione ....
....

D Parliamo e scriviamo

Role-play

1 Situazione. Immaginate di essere in un costoso ristorante italiano a Londra dove avete ordinato prodotti alimentari italiani; capite subito che non sono... del tutto italiani e la sorpresa iniziale si trasforma in rabbia. Il dialogo con il cameriere o il responsabile del locale è abbastanza animato.

2 Immaginate di essere il responsabile di una rubrica della rivista *Alimentazione e salute* e rispondete *(200-220 parole)* a questa e-mail di un lettore:

"Mia moglie ed io litighiamo spesso quando si tratta di scegliere cosa mangiare: a me piace la carne rossa e la pasta, detesto il pesce o le verdure e mi piace ordinare la pizza o prepararla io. Surgelata, ovviamente! In ufficio mangio ciò che capita, spesso vado al fast-food. Intanto, ammettiamolo, mangiare è uno dei piaceri della vita. Ma lei è una rompiscatole: parla continuamente di alimentazione sana, cucina leggera e roba del genere. Non crede che mia moglie stia esagerando?"

E Lavoriamo sulla lingua

Completate il testo con le parole mancanti (una per ogni spazio).

Il Parmigiano-Reggiano è un inno alla tradizione. A differenza di altri blasonati formaggi, infatti, non può essere 'fabbricato' industrialmente, 'lo si fa' ....(1) con le mani esperte del formaggiaio, nello stesso ....(2) artigianale dei tempi che furono. L'unica differenza ....(3) a un Parmigiano-Reggiano del XIII secolo è ....(4) controllo qualità che, grazie al Consorzio di tutela preposto a ....(5) pregiatissimo DOP*, assicura il rispetto delle rigide regole di ....(6).
Forse i vastissimi pascoli di un tempo non ci sono più; ma ....(7) mucche da latte 'preposte' al Parmigiano-Reggiano è riservata una ....(8) regale: solo foraggi di zona selezionati, profumatissimi e ....(9) di elementi vitali, primo elemento di spicco che contraddistingue la ....(10) di questo formaggio. La lavorazione del latte segue un ....(11) iter. Dopo l'aggiunta di caglio (elemento assolutamente naturale), il formaggio ....(12) immerso in un bagno di acqua salata, dove elimina la ....(13) acqua in eccesso e assorbe dolcemente una leggera ....(14) di sale. In seguito giunge negli spettacolari magazzini di stagionatura, ...(15) riposerà fino a 24 mesi. Verso il 12° ....(16) gli ispettori del Consorzio lo controllano: se presenta ....(17) le caratteristiche di idoneità, verrà marchiato.
Nel frattempo il Parmigiano-Reggiano ....(18) a maturare: la totale assenza di conservanti non 'blocca' i naturali processi di trasformazione.

* Denominazione di Origine Protetta

tratto da www.parmigiano-reggiano.it

F Lavoriamo sul lessico

1 **In coppia, completate le frasi con le parole adatte. Se necessario, usate il dizionario.**

1. La dieta .... è considerata una delle più sane e l'olio di oliva è tra i suoi .... base. ingredienti naturale mediterranea cibi leggera alimentari
2. Il latte fresco è meglio di quello a lunga ...., basta consumarlo entro la data di .... produzione conservazione stagionatura scadenza marchiatura allevamento

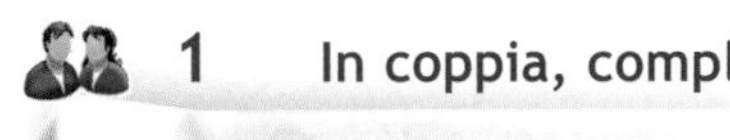

3. Mario è un .... convinto: non mangia che frutta e ....
cibi transgenici insalata vegetale verdura buongustaio vegetariano
4. In genere, la frutta è più .... quando è ....
nutriente vitamine profumata fresca fredda acerba
5. L'uomo può riconoscere quattro sapori diversi: dolce, acido, ... e ....
amaro piccante grasso salato squisito saporito

2 Riconoscete questi piatti? Scrivete nel vostro quaderno il loro nome e indicate se sono antipasti (a), primi piatti (pp), secondi piatti (sp), contorni (c) ecc.

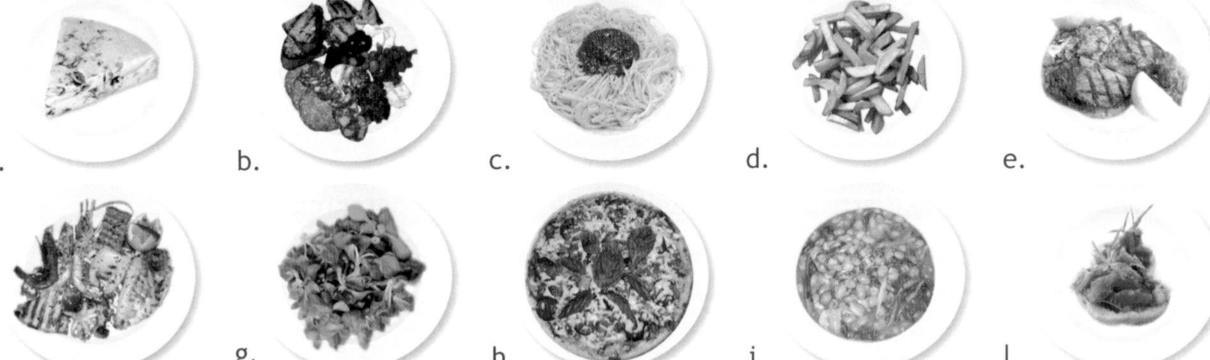

G Ascoltiamo

1 Ascoltate l'intervista e indicate la risposta corretta tra quelle proposte.

1. Un prodotto alimentare italiano
a) è già una garanzia di qualità
b) rende impossibili le contraffazioni
c) è un pretesto per alzare il prezzo
d) è malvisto dai produttori americani

2. La concorrenza straniera
a) si basa solo sulla contraffazione
b) è un problema solo italiano
c) si basa sul rapporto qualità-prezzo
d) è spesso una concorrenza sleale

3. Nel mercato americano
a) i prodotti italiani sono pochi
b) i prodotti autentici costano di più
c) tutti i prodotti italiani costano molto
d) il marchio italiano vende molto bene

4. L'on. Urso sostiene che negli Stati Uniti
a) bisogna frenare i prezzi dei prodotti italiani
b) per ogni prodotto italiano ce ne sono dieci contraffatti
c) nessuno pagherebbe di più per un marchio italiano
d) bisogna investire meno nel settore alimentare

2 Riassumete brevemente il brano ascoltato.

H Riflessioni linguistiche

Il *carpaccio* è stato inventato negli anni '50 dal proprietario del famoso *Harry's bar* di Venezia. Secondo la leggenda, una cliente doveva, su suggerimento del medico, mangiare la carne non cotta. Il proprietario, allora, pensò di servirle sottilissime fette di carne cruda. Siccome in quel periodo a Venezia c'era una mostra sul pittore Carpaccio, il piatto inventato prese questo nome. Il piatto ebbe tanto successo che ormai «carpaccio» è sinonimo di «cibo crudo».

22 Che fine ha fatto l'amicizia?

Per cominciare...

1 Lavorate in coppia: pensate ad almeno tre aggettivi per definire l'amicizia. In seguito, confrontateli con quelli scelti dalle altre coppie.

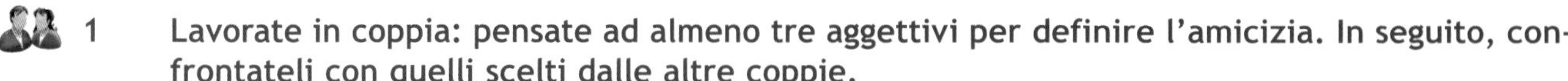

2 Quanto conta per voi l'amicizia?

3 Secondo voi, l'amicizia è più importante per i bambini, per gli adolescenti o per gli adulti? Per le donne o per gli uomini? Scambiatevi idee.

4 Leggete il titolo dell'articolo e fate delle ipotesi sul suo contenuto.

Che fine ha fatto l'amicizia?

Dici amicizia: e intendi il rapporto più serio che hai. Lo ripeti: e stai parlando di uno stupido gioco di società. Parli di un amico e pensi a un legame indissolubile. Vedi "gli amici" e ti ritrovi in un complicato intreccio di relazioni senza storia. Insomma: dovrebbe essere vietato usare la stessa parola per dire cose tanto diverse: l'amicizia è una cosa sola. Quella che *ti dà* ciò che l'amore non ti concede: un legame a due che non ti dimezza. Quella che *ti toglie* una sola libertà: quella di far finta di essere quello che non sei. L'amicizia, quella vera, è un valore in crisi? Un sondaggio, recentissimo, dice di sì. Secondo il mensile *Riza Psicosomatica*, gli italiani non crederebbero più nell'amico del cuore. Che cosa sta succedendo?

"L'amicizia è un sentimento che cambia con il tempo e le generazioni. Forse, oggi non è più riconoscibile nella formula amico del cuore, ma c'è. Eccome se c'è", dice Valentina D'Urso, psicologa. "La famiglia degli amici continua a essere indispensabile per i ragazzi". Famiglia? "Sì, in una società fondata sulla famiglia nucleare l'unica possibilità di allargare i propri punti di riferimento affettivi sono gli amici", dice D'Urso. "Per questo la figura dell'amico del cuore viene in qualche modo duplicata, triplicata... insomma non è più tanto esclusiva. Nemmeno nell'adolescenza". Cosa accade nelle altre età della vita? "Esiste una sorta di periodo di latenza nell'amicizia. Ed è la prima maturità", continua la psicologa. "Quel periodo della vita in cui si è alle prese con la costruzione del proprio futuro: figli, lavoro... C'è poco tempo per gli amici. Tempo che viene ritrovato più tardi: quando torna la voglia di parlare, di confrontarsi, di confidarsi...".

"Non mi sembra che si possa parlare di una caduta del valore dell'amicizia", dice Gabriella Turnaturi, docente di Discipline della comunicazione all'Università di Bologna e autrice di *Tradimenti*, in uscita da Feltrinelli. "Quello che tende a scomparire è l'amico del cuore, il rapporto di intesa esclusivo. Ma questo non mi sembra necessariamente un cattivo segno. Anzi: direi che è quasi un sintomo di maturità... Il rapporto di amicizia esclusivo è tipico dell'adolescenza. Una fase della vita dove si tende ad assolutizzare tutto, ad avere relazioni totalizzanti. Un'amicizia diffusa è più matura e più attuale".

Perché attuale? "Perché la nostra è una società complessa. Ognuno di noi vive molte vite diverse: il lavoro, la famiglia, gli interessi culturali... è naturale trovare amici in ogni singolo pezzo della propria giornata. Con la consapevolezza che un solo amico non può soddisfare la nostra complessità. Ma c'è un altro cambiamento che la nuova organizzazione sociale sta imponendo al nostro modo di vivere i rapporti". Quale? "Ha sempre più importanza la costituzione sociale di una fitta e solida rete di amici, in un mondo dove la famiglia è sempre meno presente e rassicurante. Se ti succede qualcosa cosa fai? Chiami gli amici. Se sei sola con un figlio chi ti dà una mano? Ti fai aiutare dagli amici... Altro che valore in calo".

adattato da *Grazia*

A Riflettiamo sul testo

1 Lavorate in coppia. Completate le frasi con alcune di queste espressioni del testo: alle prese, del cuore, ti fai aiutare, altro che, si tende a, fa finta di.

1. Incredibile! Ogni volta che mi vede, ... parlare al cellulare!
2. Per me sei speciale, sei proprio la mia amica ....
3. Alessia è proprio sparita! Sarà ancora .... con la sua tesi!
4. Se non hai alternative, perché non .... da tuo padre?
5. In quel momento difficile Gianni non ha voluto aiutarmi... .... amico!

2 A quali espressioni del testo corrispondono quelle date di seguito?

rapporto che dura tutta la vita (1-6): ....
essere impegnati (30-36): ....
sta per essere pubblicato (37-42): ....
ti aiuta (61-67): ....

B Comprensione del testo

1 Adesso leggete l'intero testo e indicate le affermazioni corrette tra quelle proposte.

1. Secondo l'articolo,
a) usiamo troppo spesso la parola "amicizia"
b) l'amicizia non è più tanto importante
c) abbiamo più amici del necessario
d) oggi non è possibile trovare amici veri

2. L'amicizia vera è quella che
a) può sostituire l'amore
b) ti lascia libero al cento per cento
c) ti permette di essere te stesso
d) possono condividere solo due persone

3. L'amicizia oggi è
a) meno esclusiva di un tempo
b) meno importante della famiglia
c) più indispensabile che in passato
d) più facile da riconoscere

4. Il bisogno dell'amico del cuore è più forte
a) nell'infanzia
b) nell'adolescenza
c) nella prima maturità
d) nella terza età

5. Secondo Gabriella Turnaturi, oggi
a) non abbiamo tanto bisogno di amici, perché siamo troppo impegnati
b) è molto difficile avere amici veri, perché ognuno pensa alla propria vita
c) cerchiamo amicizie esclusive su cui poter contare veramente
d) abbiamo bisogno di più amici, in vari settori della nostra vita

2 **Date all'articolo un titolo alternativo. Quale dei titoli proposti dai compagni vi piace di più?**

C Riflettiamo sulla grammatica

Nel testo abbiamo incontrato "stai parlando" (2), "sta succedendo" (16) e "sta imponendo" (59). Quando si usa questa forma verbale? Formulate una frase che la contenga a un tempo verbale diverso dal presente indicativo.

1 - 2

D Lavoriamo sul lessico

1 **In questo parolone sono nascosti i sinonimi delle parole in blu e i contrari di quelle in rosso.**

intelligentepermetterenecessarioampliaresempliceindipendenza

stupido: .... allargare: .... complicato: ....
vietare: .... libertà: .... indispensabile: ....

2 **Completate le frasi con un derivato (sostantivo, aggettivo) delle parole date.**

1. Il fatto che il pizzaiolo sia napoletano è ....! RASSICURARE
2. Non ci sono ancora prove scientifiche sull' .... degli extraterrestri. ESISTERE
3. Gli aveva sempre detto che non avrebbe perdonato un .... TRADIRE
4. "Che figura!" è il nome di un nuovo .... di attualità e gossip. MESE
5. Molti preferiscono dire 'trend' anziché '................................'. TENDERE

3 **Nell'articolo abbiamo letto "Secondo il *mensile*..." (14). Completate il testo.**

Il giornale si chiama anche *q*................................ perché esce ogni giorno. Una rivista che circola ogni settimana è un *s*................................, mentre se viene pubblicata ogni due mesi è un *b*................................ . Ci sono, poi, corsi di lingua che durano tre mesi e sono, quindi *t*................................ e altri della durata di sei mesi, cioè *s*................................ .
Una fiera ha una cadenza *a*................................, se si tiene ogni anno, ma altre manifestazioni culturali, come la *b*................................ di Venezia, vengono organizzate ogni due anni.

E Ascoltiamo

CD2 8

1 **Ascoltate una prima volta un brano sull'amicizia e indicate le parole pronunciate.**

- ☐ compagnia
- ☐ alternative
- ☐ socievole
- ☐ segreto
- ☐ coltivare
- ☐ vicino di casa

2 **Riascoltate il brano e completate le frasi (massimo 4 parole).**

1. Hanno creato una generazione di giovani uomini quasi privi ...., rivela un'indagine.
2. Significa che ormai gli amici "veri", quelli su .... e a cui si può dire tutto, si sono quasi dimezzati.
3. Quella dei pensionati che vivono a lungo, i cui amici di una vita ...., lasciandoli soli.
4. Non è la stessa cosa dell'amico del cuore .... al bar, facendo tardi.
5. Io sono molto .... un sacco, vedo tanta gente...
6. Quando metti su famiglia, rinunci quasi senza accorgertene ....

F Riflettiamo sulla grammatica

Nel testo "Che fine ha fatto l'amicizia", abbiamo visto l'espressione "ti fai aiutare dagli amici" (66); in coppia, completate le frasi che seguono con la forma "farsi + infinito" al tempo e al modo corretti.

1. Oggi sono senza macchina, forse (*farsi dare*) .... un passaggio da Andrea.
2. Se sei di nuovo al verde, (*farsi prestare*) .... dei soldi dai tuoi!
3. Qualche volta, se sono proprio stanco, (*farsi fare*) .... i compiti da mia sorella!
4. Claudio non è mai puntuale, pensa che (*farsi aspettare*) .... anche il giorno del suo matrimonio!

3 - 4

G Lavoriamo sul testo

1 **Senza preoccuparvi delle parole mancanti, riassumete brevemente e/o commentate il testo che segue.**

Operazione nostalgia. Tutti a caccia di vecchi amici

Se negli Stati Uniti, ...(1) pratica è ormai routine, la vecchia Europa sta recuperando il tempo perduto grazie a Internet. È un nuovo business ....(2) di riunire gli amici di un tempo nel miraggio di resuscitare gli anni felici. Se il sito Classmates.com, negli Usa, vanta ben 35 milioni di iscritti e 130 mila scuole recensite, iniziative analoghe ....(3) stanno moltiplicando anche nei principali paesi europei. In Italia un mese fa ha debuttato il sito AmiciRiuniti.it con un successo clamoroso. Nei ....(4) primi trenta giorni di vita ha totalizzato il numero di contatti ....(5) programmava di mettere insieme in un anno: cinquantamila. "È stata una vera esplosione, una corsa a rincontrar....................(6), dove sulla malinconia e sulla nostalgia prevale sempre la curiosità", commenta l'ideatore Flavio Menzani. Per ora il servizio è gratuito: navigazione, ricerca e visita ....(7) rimarranno; ....(8) invece vorrà inviare, con totale garanzia della privacy, delle e-mail dovrà iscriver....................(9), versando un canone annuo di 10 euro.

Ma ....(10) sono gli utenti del sito, i visitatori delle 50 mila fra scuole, università e caserme recensite in Italia? "....................(11) all'inizio pensavamo a un target fra i 30 e i 40 anni – racconta Menzani – ma ....(12) siamo accorti con ....(13) grande sorpresa ....(14) a prevalere sono gli ultracinquantenni. Più uomini ....(15) donne, 60 per cento contro 40. I più attivi, i più attenti e spesso anche i più ansiosi sono gli italiani ....(16) hanno abbandonato il ....(17) paese d'origine dopo gli studi e ....(18) ora lavorano all'estero, in Australia, negli Usa o in Sud America".

tratto da *www.corriere.it*

2 **Ora completate il testo con gli aggettivi e i pronomi.**

H Parliamo e scriviamo

1 Avete mai litigato con un amico? Volete raccontare perché e come è andata a finire?

2 In un suo racconto, Alberto Moravia scrive: "Dicono che gli amici si vedono nei problemi e nelle disgrazie. Io dico che l'amico vero lo vedi nei momenti di gioia.". Voi che ne pensate?

Role-play

3 Situazione. Hai scoperto, per caso, che per molto tempo un tuo caro amico non è stato sincero con te. Il momento di chiedere una spiegazione è arrivato e non è facile. Soprattutto perché l'altra persona continua a negare tutto trovando delle scuse.

4 Scrivete una lettera a un amico che vive all'estero per raccontare un fatto accaduto a un vostro amico comune. Chiudete la lettera con la frase "allora ho capito che è un vero amico", oppure con "come puoi capire, tu sei l'unico vero amico che ho". *(200-220 parole)*

Autovalutazione

Cosa ricordate dell'unità 21?

Leggete le definizioni e risolvete il cruciverba.

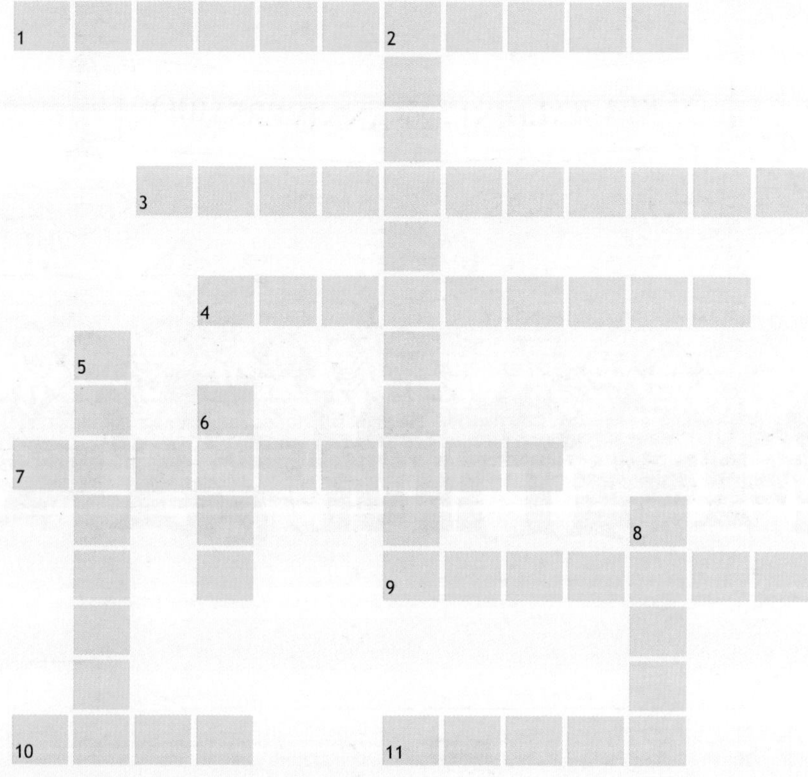

Orizzontali

1. "Il parmigiano si mantiene a lungo anche se è privo di ... ."
3. Il vero Parmigiano Reggiano è quello ... da determinate zone dell'Emilia Romagna.
4. La *p*... alimentare coinvolge molti prodotti italiani.
7. "I prodotti italiani ... causano danni ingenti alla nostra economia."
9. Denominazione di ... Protetta.
10. "Seguo una dieta a ... di frutta e formaggio."
11. C'è anche il latte a ... conservazione.

Verticali

2. Non mangia carne e spesso neppure il pesce.
5. Su ogni prodotto va indicata la data di ... .
6. Secondo alcuni, un uomo va preso per la ... .
8. "Sabina non è ben ... dai genitori del suo ragazzo."

Cosa ricordate dell'unità 22?

1. Completate gli spazi con le parole date. Attenzione: le parole sono di più!

mani eccetto indissolubile prese altro fatti chiedi indimenticabile

1. Quello che lega due fratelli è un legame .... che niente e nessuno può spezzare.
2. Se non hai la macchina, ... venire a prendere da Paolo che abita vicino a casa tua.
3. Scusa se non ti ho più chiamato ieri, ma ero alle .... con i preparativi del viaggio.
4. .... che malato! I miei amici hanno visto Alberto scatenarsi in discoteca sabato sera!

2. Scegliete la parola adatta per ogni frase.

1. È tanto che non ci vediamo! Dobbiamo assolutamente recuperare/riprendere/ritrovare il tempo perduto!
2. Di anno in anno aumentano i turisti a ricerca/cerca/caccia della vacanza alternativa.
3. Ieri stavamo guardando/guardato/guardante la finale della coppa del mondo quando è andata via la luce.
4. Dire sempre di sì è simbolo/sintomo/sindrome di debolezza.

Verificate le vostre risposte a pagina 185.
Siete soddisfatti?

Cortina d'Ampezzo, Veneto

23 Dottor Niù

Prima di cominciare...

1 Commentate le due vignette.

2 Qual è il vostro rapporto con la tecnologia? Secondo voi, facilita la nostra vita?

3 Leggete il titolo del testo. Perché lo scrittore ha chiamato così questo personaggio?

A Comprensione del testo

1 Leggete il primo paragrafo e verificate le ipotesi formulate nell'attività precedente.

DOTTOR NIÙ

Avevo appena parcheggiato la macchina, quando un tizio con occhiali neri e capelli rasati mi viene incontro e si presenta: dottor Niù, consulente di aggiornamento tecnologico per famiglie. Ha sessant'anni ma ha il fisico di un quarantenne. Mi spiega che la sua è una new profession nata insieme alla new economy per una new way of life. Devo solo avere un old conto corrente con un po' di old fashion money.

Travolto dal suo garbo e dal suo eloquio, firmo un contratto di consulenza. Diamoci subito da fare, dice il dottor Niù, la sua vita va ottimizzata e rimodernata. Cominciamo dalla sua auto, è un vecchio modello superato e ridicolo. Ma ha solo tre anni, dico io. Tre anni sono tre secoli nella new economy, spiega. La sua auto non ha il navigatore satellitare, i vetri bruniti, le sospensioni intelligenti. Però funziona bene, dico io. Si vede che non guarda la pubblicità, ride il dottor Niù. Cosa vuole dire "funziona"? L'auto non è fatta per funzionare, ma per mostrarla, per esibirla, per parlarne con gli amici, il funzionamento è un puro optional. Insomma in meno di tre ore ho il nuovo modello di auto, una specie di ovolone azzurro a dodici posti. Peccato che in famiglia siamo in tre.

Il giorno dopo il dottor Niù piomba a casa mia per organizzare un new restyling. Per prima cosa dice che la mia porta in legno è roba medioevale. La sostituisce con un lastrone blindato d'acciaio che sembra la lapide di Godzilla. Al posto del glorioso vecchio forno, mette un microonde che cuoce il pollo solo con lo sguardo. Il tutto mi prosciuga il conto in banca, per cui obietto: cosa mi serve cucinare velocemente se poi non avrò un cazzo da mangiare? Non si preoccupi, dice il dottor Niù, la nostra ditta fa prestiti rapidi, firmi qui e in trenta secondi avrà un mutuo con tasso al trenta per cento. Come in sogno, firmo.

L'indomani il dottor Niù si ripresenta. Cerco di telefonare a un fabbro perché intanto la new porta blindata si è bloccata col new alarm system, ma rapidissimo il dottor Niù mi strappa il telefonino di mano. Ma non si vergogna, dice? Questo cellulare è un modello vecchissimo, non è di quarta generazione, non ha il comando vocale e i games. Ma l'ho comprato solo due mesi fa, mi lamento, e ci telefono benissimo. In due mesi, i telefonini hanno enormemente mutato le loro funzioni, dice Niù. Dopo che si sarà collegato alla rete, avrà mandato un fax, avrà riempito la rubrica con novecento nomi e avrà comprato i biglietti della partita, pensa di avere ancora il tempo di telefonare? Forse ha ragione, dico io. Mi fornisce subito il nuovo telefonino, un biscottino nero con dei microtasti che ogni mio polpastrello ne prende quattro. Dopo dieci telefonate sbagliate, fortunatamente il mio cane Ricky lo ingoia e corre per tutto il giorno con l'ouverture del *Guglielmo Tell* in pancia, finché non si scarica la batteria.

adattato da *Dottor Niù*, di Stefano Benni, Feltrinelli ed.

2 Leggete l'intero testo e indicate le 6 affermazioni corrette tra quelle date.

1. Il dottor Niù ha più anni di quanti ne dimostri.
2. Offre una serie di servizi gratuiti al protagonista.
3. L'auto del protagonista non è vecchia.
4. Il dottor Niù gli fa comprare un'auto sportiva.
5. Secondo il dottor Niù, l'auto è uno status symbol.
6. Il protagonista compra una nuova porta in stile medioevale.
7. Il Dottor Niù fa comprare al protagonista un forno velocissimo.
8. Il protagonista compra anche una nuova lavatrice.
9. Secondo il dottor Niù, il telefonino va cambiato spesso.
10. Il nuovo telefonino è molto difficile da maneggiare.
11. La batteria del nuovo telefonino dura diversi giorni.
12. Il cane del protagonista adora la musica classica.

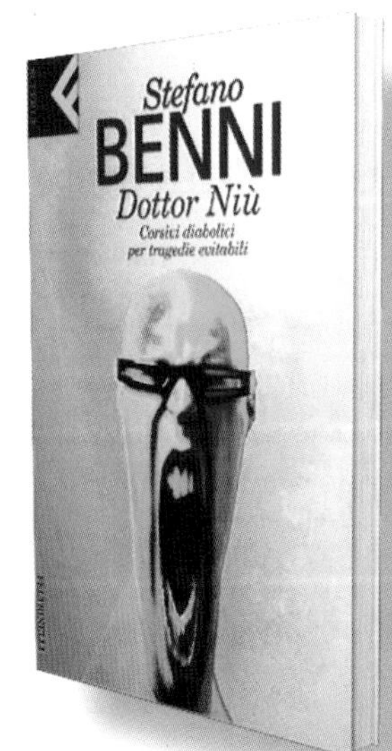

3 Lavorate in coppia. Quali sono, secondo voi, le frasi più divertenti del testo? Selezionatene una o due e poi commentatele con le altre coppie.

B Riflettiamo sul testo

1 **A quali frasi del testo corrispondono quelle date di seguito?**

cominciamo a lavorare (6-8): ....
il suo scopo non è (9-11): ....
un accessorio (11-13): ....
qualcosa di molto vecchio (15-17): ....
rimango senza soldi (16-18): ....
si sono evoluti moltissimo (24-27): ....

2 **Senza consultare il testo completate le seguenti espressioni con la preposizione corretta.**

un'auto .... dodici posti siamo .... tre con tasso .... trenta per cento
strappare .... mano .... meno di tre ore diamoci .... fare

C Lavoriamo sul lessico

1 **Scrivete gli avverbi che derivano dagli aggettivi dati.**

perfetto .... puro .... veloce ....
fortunato .... intelligente .... facile ....

2 **Tra le parole date a fianco troverete i sinonimi di quelle in blu e i contrari di quelle in rosso. Attenzione: ci sono due parole in più!**

mutuo .... esibire ....
lentamente .... superato ....
riempire .... mutare ....

mostrare guardare svuotare
rapidamente esattamente
moderno prestito cambiare

D Riflettiamo sulla grammatica

1 **Il brano di Benni contiene molti discorsi indiretti: trasformate al discorso diretto la frase:** "...il Dottor Niù dice che la mia porta in legno è roba medievale". **Il Dottor Niù dice: "...**

2 **Generalmente quali elementi cambiano nel passaggio dal discorso diretto a quello indiretto? Provate ad elencarli.**

1 - 3

3 **L'autore usa molte parole inglesi** (new profession, new economy, new way of life, optional, games ecc.). **Secondo voi, in italiano quali di queste sono femminili, quali maschili e perché?**

4 **Come si potrebbero tradurre in italiano? Scambiatevi idee.**

4

E Lavoriamo sulla lingua

1 **Nel testo abbiamo visto l'espressione 'diamoci da fare'. Nelle seguenti frasi sostituite le parti in blu con le espressioni idiomatiche date. Se necessario, usate il dizionario.**

1. Nonostante le disavventure economiche, la passione di Marco per questo lavoro è tanta che non si è mai arreso!
2. Il successo improvviso può veramente esaltare: ne abbiamo tanti esempi tra i personaggi famosi.
3. È chiaro che con quella macchina attiri l'attenzione: è l'ultimo modello della Lamborghini!
4. Bambini sbrigatevi, siamo in ritardo!
5. Carlo vuol farmi credere che è stato lui a lasciare Lucia, ma io so già come sono andate le cose.

...darsi una mossa ...dare alla testa ...darsi per vinto ...dare a bere ...dare nell'occhio

2 **Vediamo ora come finisce il racconto di Benni. Completate il testo scegliendo tra le parole date.**

Quando torno ritrovo il dottor Niù nel mio giardino, nervoso. Adesso basta, gli dico, non ho più una lira, mi lasci in ....(1)! Va bene, va bene, siete tutti irriconoscenti, risponde. Guarda il cielo, l'orizzonte e sbuffa. Cosa c'è che non va?, gli chiedo. Caro mio, risponde, questo mondo è un vecchio ....(2). Troppi boschi, pochi parcheggi. La Silicon Valley è senza elettricità, il petrolio sta ....(3), il traffico aereo è intasato, il clima ....(4), l'aria è irrespirabile. È un mondo sorpassato, non può più sopportare le esigenze della crescita tecnica, è una materia prima in ....(5). E allora cosa pensate di fare?, ho chiesto. Questo, ha detto il signor Niù con un'espressione ....(6). Ha estratto una scatola nera con un pulsante, ha ....(7) e all'orizzonte è ....(8) la nube di un'esplosione, poi un'altra ancora. Come in un film americano, piovevano dal cielo camion, mucche e cabine telefoniche. La gente gridava, l'aria era rovente. ....(9), ho detto, il mondo era un vecchio modello, ma avevamo solo quello. Adesso che lo avete distrutto, con cosa lo ....(10)? In effetti, ha detto il signor Niù, non ci avevo pensato...

1.	a. tranquillità	b. pace	c. calma	d. tregua
2.	a. tipo	b. prototipo	c. modello	d. esempio
3.	a. finendo	b. esaurendo	c. smettendo	d. scomparendo
4.	a. si ribella	b. si solleva	c. si rivolta	d. si innalza
5.	a. svuotamento	b. esaurimento	c. decadenza	d. declino
6.	a. sciocca	b. maniaca	c. folle	d. pazzesca
7.	a. pressato	b. compresso	c. premuto	d. spinto
8.	a. apparsa	b. uscita	c. sembrata	d. emersa
9.	a. povero	b. sfortunato	c. buffo	d. disgraziato
10.	a. sostituirete	b. cambierete	c. scambierete	d. ricambierete

F Parliamo e scriviamo

1 Credete che la nostra società consumi troppo? Motivate le vostre risposte.

2 Avete una carta di credito? Se sì, in quali occasioni la usate? Generalmente tutte le vostre spese sono motivate e necessarie? Parlatene.

3 "Avevo appena pagato la 48esima e ultima rata della mia 'nuova' auto. Eppure provavo un sentimento di tristezza, anziché di gioia. Avevo, sì, una macchina mia, ma quel prestito mi aveva creato tanti problemi..." Continuate voi la narrazione. *(160-180 parole)*

G Ascoltiamo

1 **Ascolterete un'intervista all'autore del testo, Stefano Benni (che abbiamo già incontrato nell'unità 7). Come ve lo immaginate? Ecco una serie di aggettivi che potreste usare per descrivere lo scrittore. Sceglietene tre o quattro e confrontatevi con i compagni.**

simpatico	presuntuoso	arrogante	intelligente	modesto
gentile	brillante	impegnato	spiritoso	noioso

CD2

2 **Ascoltate e indicate le affermazioni corrette.**

1. Stefano Benni ha scritto
a) 19 libri
b) più di 19 libri
c) meno di 19 libri

2. Stefano Benni
a) è tra gli autori italiani più amati all'estero
b) ha scritto libri in altre lingue
c) è uno scrittore molto tradotto

3. Nei suoi ultimi libri, Benni
a) sembra più altruista
b) appare più ottimista
c) sembra più pessimista

4. Secondo Stefano Benni, scrivere libri
a) significa andare contro la cultura dominante
b) è un gesto alternativo ai modelli dominanti
c) è un semplice esercizio letterario

3 **Qual è il significato delle seguenti frasi tratte dal brano ascoltato?**

1. Il giornalista dice: "...cosa devo dire di Stefano Benni...?" perché:
☐ a. non lo conosce bene, ☐ b. tutti lo conoscono

2. Un personaggio di Benni dice: "Ma la parola 'speranza' non mi sento più di pronunciarla" perché: ☐ a. 'speranza' è qualcosa in cui non crede più, ☐ b. 'speranza' è una parola che non usa più nessuno

Stefano Benni

H Riflessioni linguistiche

Dottore è chi ha una laurea (anche se per etimologia significa: "colui che insegna", derivato dal latino *doctor*, dal verbo *docére*, "insegnare"); si può essere dottori in Lettere, in Legge, in Economia e commercio, eccetera, e anche in medicina. Il dottore in Medicina è da secoli chiamato semplicemente *dottore*, mentre il termine professionale è ***medico***. Quindi... non tutti i *dottori* si occupano di salute.

Lo scheletro nell'armadio

Per cominciare...

1 Osservate le due copertine. Di che cosa parlano queste riviste? Scambiatevi idee.

2 Secondo voi, chi legge queste riviste e perché? A voi interessano le notizie sulla vita privata dei personaggi famosi?

3 Dividetevi in due gruppi. Un gruppo sceglie un personaggio di cui i mass media (del vostro Paese o stranieri) si occupano spesso; l'altro gruppo cerca di riferire quante più informazioni sulla sua vita personale, non quella professionale. Poi i ruoli si scambiano e così via. Vediamo quanto siete aggiornati sull'attualità!

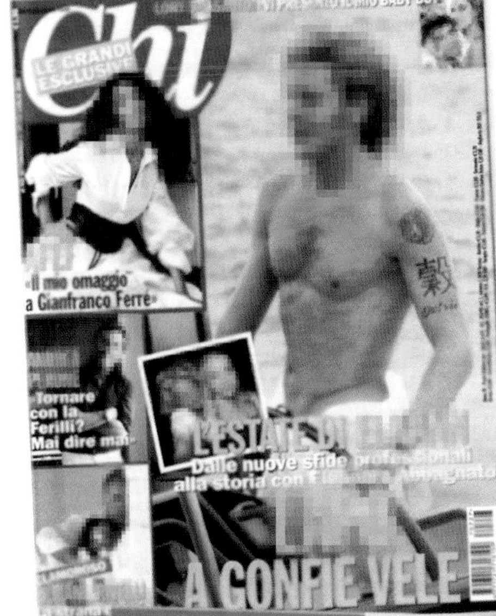

A Ascoltiamo

1 Vi è mai capitato di giudicare una persona solo in base a quello che avete sentito dire su di lui/lei? Quanto credete alle dicerie?

2 Ascoltate e completate le frasi che seguono (massimo 4 parole).

1. L'aveva già capito il cantautore genovese che .... più potente della verità.
2. Le "cavie" tendevano sempre a credere di più alle .... intessute da altri.
3. I gossip non influenzerebbero solo i giudizi sulle star dello spettacolo, ma inducono .... della vita comune.
4. In pratica, ad ogni studente è stata passata una ...., su un altro studente.
5. Ma è emerso anche che la chiacchiera ha più effetto .... sulla persona.

3 Fate un breve riassunto orale del brano ascoltato.

B Comprensione del testo

1 In coppia, osservate le parole in blu del testo. In quale di queste categorie le mettereste?

mass media					
sfera personale					
personaggi dello spettacolo					

2 Di cosa tratta il testo, secondo voi?

Lo scheletro nell'armadio

Da qualche anno le trasmissioni più seguite sono i telegiornali: vogliamo essere informati di quello che succede attorno a noi, e questo è molto bello. Sapere come vanno le cose in questa piccola palla che gira incessantemente nell'universo è indice di coscienza civile e di maturità. Anche se leggiamo poco, non siamo proprio tagliati fuori dalla grande corrente della storia. Le considerazioni positive, però, a questo punto finiscono: perché la "qualità" delle nostre informazioni non si può considerare delle migliori. Ciò che più ci interessa è il pettegolezzo, la chiacchiera da cortile.

Di uno scienziato o di un grande personaggio della politica non ci interessa sapere se abbia fatto un'importante scoperta destinata a rivoluzionare il nostro futuro o se abbia creato le premesse per un costante miglioramento delle nostre condizioni di vita. Quelli che realmente ci importano sono i retroscena della sua vita privata. Se ha l'amante; se a scuola era il primo o l'ultimo della classe; se il sabato sera si ubriaca.

Non ci credete? Eppure basterebbe dare un'occhiata ai rotocalchi per rendersi conto che siamo un popolo di curiosi: e la nostra è la curiosità un po' morbosa di chi vuole frugare nelle pieghe più nascoste della vita di chiunque sia uscito dall'anonimato. Lo testimonia il successo di quelle riviste, che raggiungono tirature da primato. Che cosa cambia, nella vita dell'uomo della strada, se viene a sapere che la tale principessa aspetta un figlio, oppure che quel divo dello schermo – che ama farsi vedere in giro al braccio di splendide ragazze – in realtà ha gusti un po' "diversi"? Queste trasgressioni dovrebbero interessare soltanto ai familiari, al massimo agli amici più intimi. Invece tutti dobbiamo conoscere, anche se poco ce ne importa, quei malinconici dettagli di vita privata. A nulla serve non acquistare le riviste e guardare il meno possibile la televisione: i pettegolezzi sono gridati a ogni ora del giorno e ci aggrediscono dalle locandine delle edicole.

I paparazzi tendono i loro agguati, a volte con la complicità delle stesse "vittime", che li hanno informati sulle loro mosse. Non date loro retta quando si lamentano: senza i pettegolezzi si sentirebbero morire, sono i termometri della loro popolarità. Ma non è di loro che intendiamo parlare. I veri responsabili del pettegolezzo siamo noi, con la nostra curiosità e la nostra voglia di sapere "che cosa c'è dietro". Le versioni ufficiali non ci convincono. Sappiamo che ogni casa è piena di armadi e che in ogni armadio c'è uno scheletro. Quel leader di partito che sorride a trentadue denti, che scheletro nasconde nel suo armadio? Non occorre nemmeno andare tanto in alto. Di quella bella attrice che in pochi mesi ha conquistato la celebrità vogliamo sapere tutto: le storie di letto, i compromessi. "Privacy", è per noi una parola senza senso. A meno che non si tratti della nostra "privacy": anche se non siamo famosi ci infuriamo se qualcuno cerca di scoprire qualcosa sul nostro conto. Come se non avessimo anche noi il nostro scheletro nell'armadio. Ma, mentre ci sentiamo autorizzati a ficcare il naso nelle faccende altrui, non tolleriamo che qualcuno lo infili nei fatti nostri.

tratto da *La Settimana Enigmistica*

3 Leggete il testo e indicate le affermazioni corrette tra quelle proposte.

1. Secondo l'autore,
a) ultimamente i telegiornali riportano solo buone notizie
b) la televisione in genere non ci offre niente
c) la qualità delle informazioni che riceviamo è scadente
d) la televisione italiana è di pessima qualità

2. Agli italiani
a) interessano più gli attori che i politici o gli scienziati
b) non interessa molto il lavoro dei politici e degli scienziati
c) interessa solo che migliorino le loro condizioni di vita
d) non interessano molto le chiacchiere e il pettegolezzo

3. I pettegolezzi sui VIP
a) si apprendono anche senza comprare le riviste
b) sono quasi sempre esagerati
c) ci fanno acquistare più riviste
d) sono spesso relativi ai loro familiari

4. I paparazzi
a) sono anche loro "vittime" del sistema
b) spesso si mettono d'accordo con le "vittime"
c) si lamentano perché vengono accusati
d) sono in fondo persone molto curiose

5. Secondo l'autore, moltissime persone
a) non capiscono la parola "privacy"
b) amano rendere pubblica la loro vita privata
c) non hanno niente da nascondere
d) vorrebbero sapere tutto di tutti

C Riflettiamo sul testo

1 Ricercate nell'articolo le parole in blu e indicate qual è il loro significato all'interno del contesto.

indice (6) elenco segno
premessa (16) presupposto introduzione
retroscena (18-19) parte del teatro segreto
primato (28) record priorità
mosse (44) spostamenti azioni
intendere (47) capire avere intenzione

2 Lavorate in coppia. A quali frasi o parole del testo corrispondono quelle date di seguito?

isolati, senza contatto (5-10): ....
chi è diventato noto (23-28): ....
non prestate loro attenzione (40-45): ....
su di noi, relativo a noi (60-65): ....
occuparsi degli altri, essere curiosi (61-66): ....

D Lavoriamo sul lessico

1 **Nel testo abbiamo visto parole come *leader* e *privacy*; in coppia abbinate le parole straniere che seguono, entrate ormai nel vocabolario degli italiani, al loro equivalente in blu.**

hostess	hobby ....
film	chauffeur ....
manager	meeting ....
sandwich	monitor ....

schermo riunione
assistente di volo autista
pellicola dirigente
panino passatempo

2 **In coppia, cercate di spiegare, attraverso esempi orali o scritti, la differenza tra queste parole. Confrontate poi le vostre frasi con quelle dei compagni.**

a. personaggio persona personale personalità
b. famoso popolare rinomato importante
c. sapere conoscere imparare venire a sapere

3 **Completate le frasi con alcune delle parole date.**

mondanità violata diva scandali stampa rosa notorietà intervista curiosità

1. La grande .... ha rilasciato un' .... esclusiva alla rivista *Chi*.
2. I VIP godono di grande ...., però vedono spesso .... la loro privacy.
3. La .... si occupa spesso dell'attore come protagonista più di .... che di film.

E Lavoriamo sulla lingua

1 **Leggete il testo, prima di completarlo, e discutete: siete a favore o contro la videosorveglianza nei luoghi pubblici?**

2 **Completate con una parola per ogni spazio.**

"Grande Fratello Spa", siamo tutti spiati

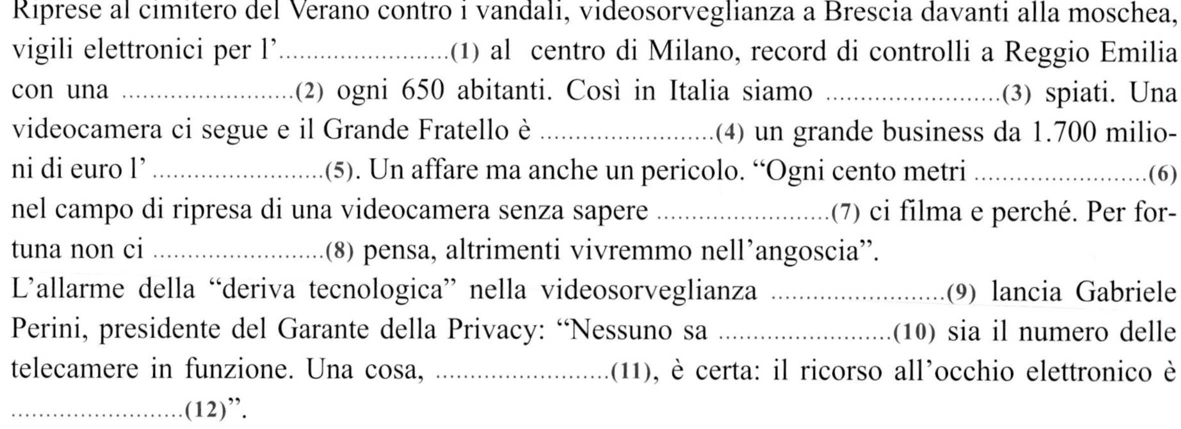

Riprese al cimitero del Verano contro i vandali, videosorveglianza a Brescia davanti alla moschea, vigili elettronici per l'........................(1) al centro di Milano, record di controlli a Reggio Emilia con una ....(2) ogni 650 abitanti. Così in Italia siamo ....(3) spiati. Una videocamera ci segue e il Grande Fratello è ....(4) un grande business da 1.700 milioni di euro l' ....(5). Un affare ma anche un pericolo. "Ogni cento metri ....(6) nel campo di ripresa di una videocamera senza sapere ....(7) ci filma e perché. Per fortuna non ci ....(8) pensa, altrimenti vivremmo nell'angoscia".
L'allarme della "deriva tecnologica" nella videosorveglianza ....(9) lancia Gabriele Perini, presidente del Garante della Privacy: "Nessuno sa ....(10) sia il numero delle telecamere in funzione. Una cosa, ...(11), è certa: il ricorso all'occhio elettronico è ....(12)".

Il ricorso alle telecamere è un fenomeno che negli ....(13) anni ha registrato un autentico boom, un business in ....(14) crescita. Migliaia di poliziotti virtuali ci sorvegliano, registrando ....(15) nostro movimento da quando usciamo di casa: ci filmano sui ....(16) pubblici, leggono la nostra targa agli incroci, ci controllano ....(17) supermercati e in discoteca. Nella Capitale ce ne sono già più ....(18) 2.000: in via Veneto, immortalata da Federico Fellini come "teatro della dolce vita", ...(19) ne contano 35, una ogni venti metri. Cento sorvegliano la ....(20) Termini. Una decina la colonna Traiana a Roma, danneggiata tempo ....(21) da vandali.
Di fronte all'invasione nella nostra ....(22) del Grande Fratello, il presidente del Garante della Privacy si chiede "per salvarsi la vita, si può perdere l'anima?".

tratto da *Il Messaggero*

F Riflettiamo sulla grammatica

1 **Nel testo "Lo scheletro nell'armadio" abbiamo incontrato spesso queste congiunzioni:** però, oppure, invece, ma, mentre. **Provate a riutilizzarle in altrettante frasi, magari lavorando insieme ad un compagno.**

1 - 2

2 **Nell'articolo "Grande Fratello Spa", invece, abbiamo incontrato alcuni indefiniti:** tutti, nessuno, ogni. **Sapreste spiegare la differenza tra *ogni* e *ognuno*? E tra *alcuno* e *qualcuno*?**

3 - 5

G Parliamo e scriviamo

1 Secondo voi, la violazione della privacy è il giusto prezzo della popolarità? O anche i VIP hanno gli stessi diritti di chi vive nell'anonimato? Parlatene.

2 Chi è colpevole di questo eccesso di pettegolezzi sulle persone famose? La stampa, i lettori o i personaggi stessi?

3 Immaginate di essere giornalisti di una rivista scandalistica; scrivete un articolo *(180-200 parole)* su un divo del cinema, in base a queste indicazioni: locale - sorpresi - abbracciati - accorgersi - paparazzo - arrabbiarsi - litigio - ricatto - denuncia.

4 Immaginate di essere il personaggio protagonista dell'articolo precedente (G3); scrivete una lettera *(160-180 parole)* al direttore della rivista e protestate per l'invasione nella vostra vita privata.

H Riflessioni linguistiche

La parola 'paparazzo' è, come si può immaginare, di origine italiana e, per essere più precisi, di invenzione "felliniana"! Il grande Federico Fellini è stato il padre di questo termine: nel famoso film *La dolce vita* (1960), il protagonista (Marcello Mastroianni) è un giornalista che scrive per un rotocalco scandalistico; il suo amico fotoreporter nel film si chiama Paparazzo, cognome inventato dal regista. Da allora, dato il successo mondiale de *La dolce vita*, questo termine è diventato internazionale.

Autovalutazione

Cosa ricordate dell'unità 23?

Leggete le definizioni e risolvete il cruciverba.

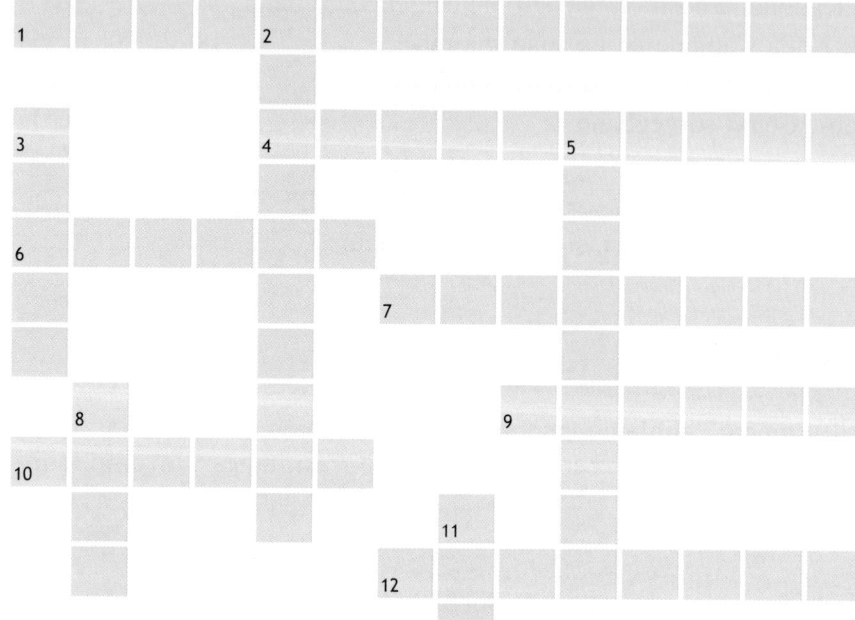

Orizzontali

1. Lo è chi non dimostra riconoscenza.
4. Molte auto hanno quello satellitare.
6. Molti oggetti sono diventati degli ... symbol.
7. "Ti prego, cerca di venirmi ..., troviamo un compromesso."
9. La presenza di quelle prime determina la ricchezza di un Paese.
10. Si dice di capelli tagliati corti corti.
12. Sorpassato, non più di moda.

Verticali

2. Prima di un investimento importante si parla con il proprio ... finanziario.
3. Quando si chiede un prestito, si spera che sia basso.
5. Presuntuoso, che si sente superiore agli altri.
8. "Caro, lasciala in ... ora, è stanca. Ti darà delle spiegazioni domani."
11. Lo si chiede alla banca per comprare casa.

Cosa ricordate dell'unità 24?

1. Scegliete la parola adatta per ogni frase.

1. Il centro commerciale è protetto da un sofisticato sistema di videoripresa/videosorveglianza.
2. Due sono le cose: o è veramente impegnato eppure/oppure sta facendo di tutto per evitarmi.
3. Sono solo delle dicerie/notizie, chiacchiere del tutto prive di fondamento.
4. Mamma, quante volte ti ho detto di non frugare/trovare tra le mie cose?

Ostia antica, Lazio

2. Completate gli spazi con le parole date, che sono di più!

conto privacy ognuno però anonimato ogni perciò calcolo

1. Anche se non lo ammettiamo, ... di noi prova curiosità nei confronti della vita privata dei personaggi noti.
2. Quell'attore si è arrabbiato all'arrivo dei paparazzi, ... era stato proprio lui a chiamarli!
3. Non posso esprimere un'opinione su Filippo, non so niente sul suo ....
4. Nelle chat ci si sente più liberi di esprimersi perché si è protetti dall'.............................. .

Verificate le vostre risposte a pagina 185.

Pasticceria Grazia

Per cominciare...

1 Facciamo un... veloce test. Abbinate le parole alle immagini.

1. grappa, 2. chicchi di caffè, 3. caffè macinato, 4. tazzina da caffè, 5. tazza, 6. caffettiera automatica, 7. caffettiera, 8. caffè ristretto, 9. caffellatte, 10. caffè lungo

2 Si può trovare un buon caffè italiano nella vostra città? Dove?

A Lavoriamo sulla lingua

Completate il testo con gli elementi mancanti.

Com'è nato il bar

Fu una mattina del 1570 che i veneziani scoprirono ....(1) la prima volta l'aroma forte del caffè. Era stato un medico-botanico, Prospero Alfino, che aveva soggiornato a lungo in Egitto e ....(2) aveva scoperto la bevanda "..................(3) colore nero e di sapore simile ....(4) cicoria". Pensò che ....(5) ai suoi concittadini sarebbe piaciuta. E non ....(6) sbagliava. Fu così che a Venezia ....(7) aprì anche il primo "bar" o meglio la prima caffetteria. La primissima, ...(8) ordine di tempo, era stata aperta ....(9) 1554 a Costantinopoli. In Europa fu aperto un caffè a Marsiglia nel 1659 e ....(10) ad Amburgo nel 1679. A Venezia la pianta fu inizialmente conosciuta come medicinale, ...(11) presto fu utilizzata per preparare la piacevole bevanda: nel 1683 (.......................(12) anticipano questa data al 1640 e addi-

rittura al 1615) ....(13) Piazza San Marco, sotto le Arcate delle Procuratie, fu aperta la prima "bottega del caffè". ....(14) allora nuove botteghe sorsero ovunque in città (nel 1763 se ....(15) contavano 218!), divenendo luoghi ....(16) incontro per discutere di affari, per fare quattro chiacchiere. La nuova usanza dilagò ben presto ....(17) tutta l'Italia: a Torino, Genova, Milano, Firenze e Roma sorsero caffè ....(18) divenuti celebri e importanti centri culturali, punto ....(19) incontro di scrittori, politici e studiosi d'ogni tempo. ....(20) i Francesi mostrarono di gradire molto la nuova bevanda: ....(21) dice che il celebre scrittore Balzac arrivasse a ber..................(22) cinquanta tazzine al giorno. In Inghilterra il primo locale fu aperto a Oxford. Insomma, ...(23) la metà del '700 in tutta l'Europa e in America ....(24) beveva caffè.

Lo storico caffè Florian a Venezia

tratto da www.cappuccinoitaliano.it

B Riflettiamo sulla grammatica

1 **Nel testo letto abbiamo incontrato alcuni verbi alla forma passiva: "la pianta fu inizialmente conosciuta come medicinale" e "presto fu utilizzata per...". Sostituite il verbo *essere* con *venire*.**

2 **Potete volgere al passato prossimo le due frasi che avete scritto? Che cosa notate? Quando è possibile usare il verbo *venire* nella forma passiva? E il verbo *andare*?**

1 - 3

C Comprensione del testo

1 **Discutete in coppia. Che cosa pensate delle seguenti affermazioni?**

a. Quando si visita un Paese bisogna rispettare le abitudini e le usanze locali.
b. C'è un'ora precisa per ogni tipo di caffè.
c. Il caffè e il bar sono molto importanti per gli italiani.
d. I bar e i locali sono più o meno uguali nelle grandi città e in provincia.

2 **Leggete il testo e scoprite cosa ne pensa l'autore, il quale è di nazionalità inglese.**

La Pasticceria Grazia

La mattina successiva al nostro stressante arrivo ci siamo messi in strada senza indugio alla ricerca del bar pasticceria del paese, non solo per consolarci con il lato più piacevole della situazione, ma anche per fare una piccola ricognizione e saggiare il terreno. È questa un'abitudine che raccomando caldamente a tutti gli stranieri che pensano di venire a vivere in Italia: frequentate il vostro bar, meglio se bar pasticceria; frequentatelo assiduamente, persino religiosamente.

Occhio però all'orologio. Come regola generale, se volete ordinare il cappuccino con la brioche, fareste bene ad arrivare prima delle 10.30. Certo, si possono ordinare le stesse cose anche più tardi, ma sarebbe come sbandierare in pubblico il vostro passaporto straniero. E se agli italiani di solito piacciono gli stranieri, gli stranieri più graditi sono quelli che conoscono le regole, quelli che hanno capitolato ammettendo che il modo italiano di fare le cose è migliore in assoluto. Perché questo è un popolo orgoglioso e profondamente tradizionalista, e potrete constatarlo voi stessi osservando attentamente come si ordina al bar. Ed è un popolo profondamente omogeneo per certi aspetti. Come fanno gli italiani a sapere d'istinto, senza neppure uno sguardo all'orologio firmato, che è giunta l'ora di passare all'aperitivo? E quanti sorrisetti di sufficienza spuntano sui volti italiani quando, dopo pranzo, il tedesco e l'inglese ordinano il cappuccino invece del caffè, rovinando con quel latte il pasto appena consumato. Ed ecco un particolare curioso: l'espresso va sempre bene, 24 ore al giorno, e persino corretto con la grappa, mentre il cappuccino ha un suo orario preciso e inderogabile: dalle 8 alle 10.30. Dettagli banali? No, sono tutte tappe di una formazione indispensabile.

Avvertimento. Se il primo sorso del vostro cappuccino vi avverte che è stato usato latte a lunga conservazione, cambiate subito bar prima di dedicare troppo tempo a quel locale. L'uso del latte a lunga conservazione indica o che vi siete sperduti nelle più remote zone rurali, dove le delizie urbane del cappuccino non sono mai state apprezzate, oppure che quello è un bar dove i clienti (di sesso maschile) ordinano soprattutto la grappa o il vino, e se ordinano il caffè ci aggiungono la grappa o il vino, certamente non il latte. La conferma tipica che vi trovate proprio in questo genere di bar viene dal barista, che al vostro italiano – sciolto o esitante che sia – risponde in un dialetto così stretto da sfidare la vostra comprensione. Per quanto vi possa sembrare caratteristico questo bar a lunga conservazione, pittoresche le sue seggiole di legno, le coppe di ciclismo e i trofei di caccia lungo i muri e i suoi anziani clienti stagionati che borbottano attorno al tavolo delle carte, la verità è che voi non avete nulla da spartire con loro e non entrerete mai a far parte di quel mondo, malgrado tutta la vostra buona volontà. La vostra presenza non farà altro che gettare un'ombra di disagio su quella compagnia di brave persone.

adattato da *Italiani*, di Tim Parks, Bompiani ed.

3 **Indicate le informazioni veramente presenti.**

- 1. Secondo l'autore, arrivati in un paese italiano è bene fermarsi al bar.
- 2. In Italia il cappuccino viene servito fino alle 10.30 di mattina.
- 3. La maggior parte degli stranieri non conosce le regole dei bar.
- 4. Se uno straniero conosce le tradizioni italiane piace di più agli italiani.
- 5. Non si deve tornare in un bar che non usa latte fresco.
- 6. Nei bar dei piccoli paesi di campagna si può gustare il caffè migliore.
- 7. Per gli abitanti dei piccoli paesi il dialetto e il caffè sono importanti.
- 8. In questi bar gli stranieri resteranno sempre degli estranei.

D Lavoriamo sul lessico

1 **Dividetevi in coppie: vince chi riesce a trovare quante più parole con la stessa radice dei termini dati (sostantivi, verbi, aggettivi, avverbi, contrari ecc.).**

presenza .... corretto ....
consumare .... frequentare ....
osservare .... preciso ....

2 **Nel testo abbiamo visto espressioni come *in assoluto* e *in pubblico*. Quali delle parole date di seguito possono formare espressioni con la preposizione *in*? Completatele, lavorando in coppia.**

.... effetti / .... nuovo / .... fondo / .... solito / .... grado / .... particolare / .... solo
.... genere / .... giorno / .... realtà / .... forza / .... occasione / .... favore / .... sicuro

3 **Abbinate i contrari.**

stretto piacevole banale indispensabile successivo vicino

sgradevole	superfluo	largo ....
precedente	originale	remoto ....

E Riflettiamo sul testo

Individuate nel testo espressioni o parole che corrispondono a quelle date di seguito.

1. bisogna stare attenti (5-8): ....
2. è consigliabile (6-9): ....
3. mettere in mostra, esibire (7-10): ....
4. sotto alcuni punti di vista (12-15): ....
5. vi fa capire (19-22): ....
6. sia che parliate bene o meno (27-30): ....
7. niente in comune (31-34): ....
8. dare fastidio (33-36): ....

F Parliamo e scriviamo

1 Vi siete mai trovati in una situazione simile a quella del protagonista del secondo testo? Cioè di non conoscere le "regole" di un luogo/paese/locale? Generalmente preferite adattarvi alla situazione o agire come al solito? Scambiatevi idee.

2 Nel vostro Paese il bar è importante così come lo è per gli italiani? Ci sono differenze o somiglianze con l'ambiente della pasticceria Grazia (righe 31-33)? Parlatene.

Role-play
3 Situazione. A è studente a Perugia e lavora part time come barista in un piccolo bar della città. B è uno straniero, appena arrivato in Italia, che non conosce ancora né il caffè né il bar italiano. Vorrebbe bere il suo "solito" caffè e rimane incredulo nel vedere le tazzine sul bancone. A si rende conto della sua sorpresa e cerca di spiegare a B, che lo segue con attenzione, le abitudini degli italiani in fatto di caffè.

4 Per molti un caffè al bar rappresenta un momento di relax, ma anche di socializzazione. Per altri una perdita di tempo. Per voi?

5 "Non avrei mai immaginato che in un piccolo bar di Milano avrei incontrato la persona che mi ha cambiato la vita". Continuate il racconto. *(180-200 parole)*

G Riflettiamo sulla grammatica

Le frasi di seguito, tratte dal testo "La Pasticceria Grazia", presentano preposizioni diverse. C'è, secondo voi, una differenza di significato? Quale?

"Come fanno gli italiani a / per sapere..."
"Come si ordina al / nel bar".
Una tazzina di / da caffè.
Vado al bar a / per incontrare Silvia.

4 - 5

H Ascoltiamo

1 **Ascolterete l'intervista alla titolare di un bar. Quali pensate siano i lati positivi e negativi del lavoro di barista? Fate una breve lista e confrontatevi con i compagni.**

CD2

2 **Ascoltate e completate la griglia. Quindi riassumete l'intervista.**

momenti della giornata	tipo di clientela	abitudini della clientela
Happy hour		
La mattina		
Soprattutto la sera		

3 **Con cosa potremmo sostituire le parole in blu?**

1. "L'happy hour è una novità di questi ultimi anni e anche qui ha preso abbastanza piede..."
   - a. è durata poco
   - b. si è diffusa
   - c. è stata accolta male

2. "...essendo un bar abbastanza giovane, si rinnova sempre la clientela"
   - a. purché sia
   - b. perché è
   - c. poiché è

I Riflessioni linguistiche

Bar - caffè: sono praticamente la stessa cosa. In entrambi si beve in piedi, al banco o al tavolino. La parola *bar* (inglese) significa "sbarra", appunto perché il pubblico è diviso dal personale da un bancone.

Bevanda - bibita: derivano dal latino *bíbere*, "bere", ma *bevanda* (letteralmente "cosa da bersi") è qualsiasi liquido che si possa bere, magari semplicemente dell'acqua fresca; la *bibita* invece può essere dolce, amara, gassata e può avere gusti diversi.

Caffelatte - cappuccino: il *caffelatte* si prepara a casa, aggiungendo latte al caffè. Il *cappuccino*, invece, si beve a casa o al bar e si prepara aggiungendo all'espresso schiuma di latte. È detto così perché il suo colore ricorda quello dell'abito dei frati cappuccini.

26 Unità Medicina alternativa

Per cominciare...

1 Lavorate in coppia. Commentate il grafico a destra. In caso di parole sconosciute consultatevi con la coppia più vicina.

2 Quali delle seguenti terapie rientrano nella medicina alternativa?

agopuntura omeopatia fitoterapia shiatzu
chirurgia chiropratica fisioterapia

3 Che cosa sapete delle terapie alternative e cosa ne pensate? Scambiatevi informazioni e idee.

4 Leggete i sottotitoli dei due testi (A e B) che seguono. Secondo voi, sono a favore o contro la medicina alternativa?

SPESA* EFFETTIVA FAMILIARE PER BENI E SERVIZI SANITARI	
Ricoveri	387
Visite mediche	108
Dentista	403
Servizi ausiliari	152
Analisi cliniche	55
Radiografie/ecografie	69
Occhiali/lenti	161
Medicinali	148
Termometri/siringhe	31

* in euro

Ma la medicina alternativa funziona?

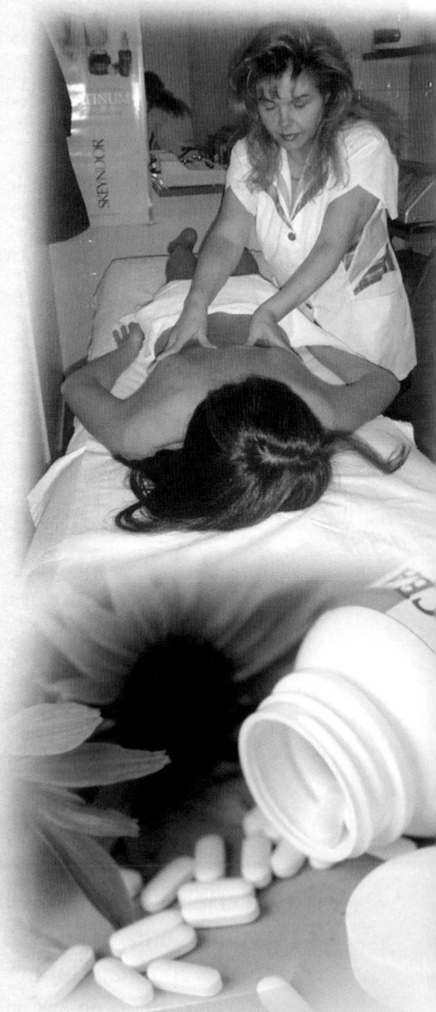

A. Perché non funziona

Non funziona perché non rispetta la legge di guarigione totale. Infatti, secondo la legge, "una terapia è valida quando la patologia è guarita totalmente nella totalità dei casi." Non esistono patologie curate globalmente dalle medicine alternative. Globalmente significa "tutti i pazienti che hanno quella patologia con la cura del caso guariscono". Le medicine alternative riferiscono guarigioni, ma sono sempre singole, non esiste mai la certezza che invece fornisce la medicina tradizionale, almeno su un numero ormai vasto di malattie. Se siete in preda ad un attacco di appendicite, preferite utilizzare un prodotto erboristico o farvi operare e dopo pochi giorni essere in piedi? Se andate in piscina e vi prendete un banale fungo, preferite curarvi con l'omeopatia con il rischio di non guarire o prendete una pomata e dopo una settimana la fastidiosa irritazione è scomparsa?

Occorre sottolineare l'ingratitudine dell'alternativo verso il tradizionale. Se fossero ancora diffuse patologie come la tubercolosi, il tifo, la difterite, non ci sarebbe tempo per occuparsi di patologie minori e le medicine alternative non esisterebbero. L'alternativo esiste solo perché le grandi conquiste della medicina hanno reso la vita dell'uomo migliore; ovviamente la medicina tradizionale ha anche colpe, in particolare il delirio di onnipotenza che ha portato all'abuso di farmaci inutili e a un rapporto medico/paziente spesso frettoloso.

B. **Perché sembra funzionare**

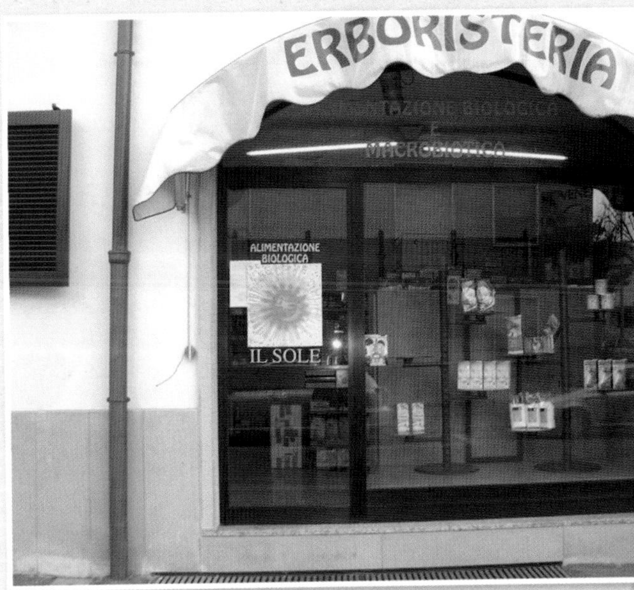

Di solito il terapeuta alternativo è molto disponibile e sa gestire molto bene il rapporto con il paziente. Ciò è un grosso supporto psicologico che rassicura il paziente e gli fa credere che veramente l'alternativo possa curare tutto, dal semplice raffreddore alle forme più terribili di tumore. Se fosse vero che una terapia o un farmaco guariscono totalmente una malattia, in brevissimo tempo tutti userebbero i nuovi rimedi. Se per esempio pensate che la medicina orientale sia meglio di quella occidentale, meditate sul concetto che in Oriente la vita media non è superiore a quella in Occidente.
Molte terapie alternative si diffondono sfruttando l'effetto risultato: chi (a ragione o per caso) ne ha avuto giovamento diffonde la notizia, mentre chi non ha ottenuto nulla se ne sta zitto, vergognandosi anche un poco di aver sprecato tempo e soldi in qualcosa di inutile. Per fare un esempio tragico possiamo citare molte terapie anticancro che pretendevano di curare la malattia. Di alcune di esse si occupò a lungo la cronaca in seguito al miglioramento temporaneo di alcuni pazienti. Si propagò la notizia non del loro miglioramento, ma della validità totale della terapia, creando un mucchio di false speranze. È ovvio che in presenza di qualche guarigione ampiamente pubblicizzata, migliaia di altri insuccessi sono passati sotto silenzio.

tratti dal *Corriere della Sera*, inserto Salute

A Comprensione del testo

Leggete i due testi e abbinate le informazioni al testo corrispondente.

	A	B
1. I media riportano spesso notizie relative alle terapie alternative.		
2. I risultati di un intervento chirurgico sono più sicuri di una terapia alternativa.		
3. Anche la medicina tradizionale ha dei punti negativi.		
4. Non ci sono prove concrete che le medicine alternative allunghino la vita.		
5. Si tende a far credere che le terapie alternative possano curare una malattia.		
6. Si discute molto di più dei successi che degli insuccessi della medicina alternativa.		
7. La medicina alternativa cura solo alcuni casi di una patologia, non tutti.		
8. La medicina tradizionale è riuscita a curare molte gravi malattie.		
9. Il medico tradizionale dedica, di solito, poco tempo ai suoi pazienti.		
10. I terapeuti alternativi sanno convincere i pazienti dell'efficacia delle cure.		

B Riflettiamo sul testo

Abbinate le parole e le definizioni che seguono a quelle evidenziate in blu nei testi.

mania, passione collettiva: ....
recupero della salute: ....
mancanza di riconoscenza: ....
grande quantità: ....
provvisorio: ....
si diffuse: ....

C Lavoriamo sul lessico

1 Abbinate le parole alle immagini. Potete spiegare l'uso di quanto raffigurato?

compresse   cerotti   siringa   gesso   termometro   stetoscopio

a.

b.

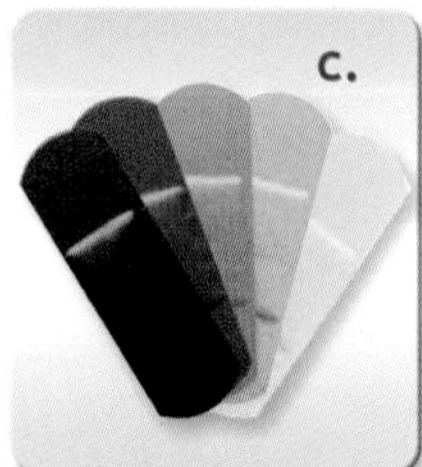
c.

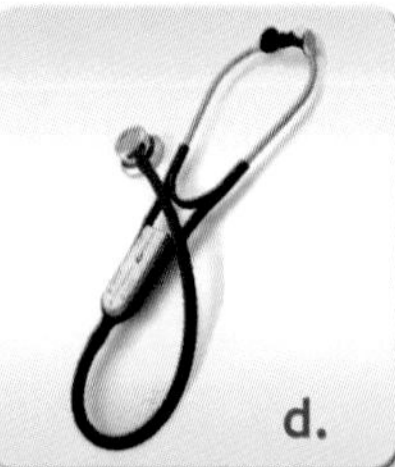
d.

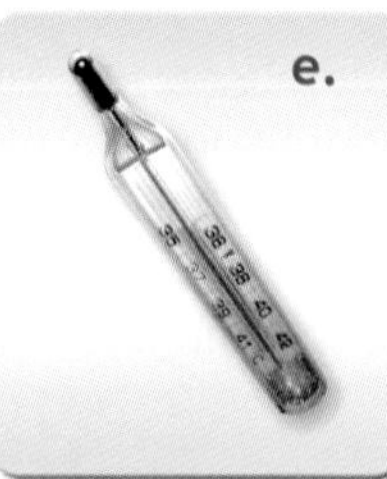
e.

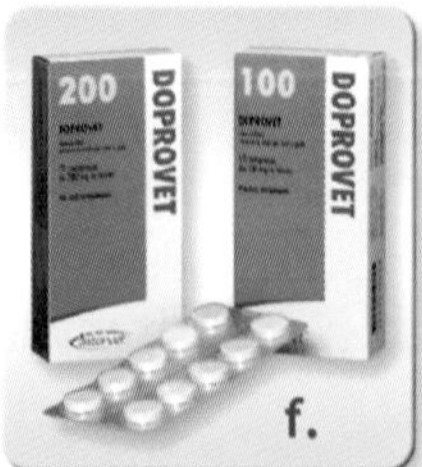

f.

....

2 Da chi andare se...? Abbinate ciascun caso e sintomo allo specialista corrispondente. Delle parole in blu, due sono superflue.

a. medico generico, b. veterinario, c. chirurgo, d. fisioterapista, e. pediatra, f. oculista, g. dietologo, h. dentista

- ☐ ...abbiamo mal di denti?
- ☐ ...abbiamo problemi alla vista?
- ☐ ...il bambino sta male?
- ☐ ...dobbiamo fare un piccolo intervento?
- ☐ ...abbiamo la febbre e la tosse?
- ☐ ...il vostro gatto deve essere vaccinato?

3 Completate le frasi con le parole adatte. Se necessario, usate il dizionario.

1. - Mi scusi, signore, questi .... non si possono vendere senza la .... del medico. rimedi   medicinali   punti   terapia   ricetta   prognosi
2. Molti politici non si ricoverano in .... pubblici, ma in .... private. ambulanze   cliniche   ospedali   ambulatori   pronti soccorsi   sale operatorie
3. - Signora, guardi che la sua è una semplice ...., non c'è bisogno di fare delle .... analisi   radiografia   visite   epidemia   infezioni   influenza

D Ascoltiamo

CD2

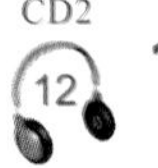

1 Tra quelli elencati in basso, secondo voi, quali potrebbero essere i problemi maggiormente diffusi negli ospedali italiani? Formulate delle ipotesi, quindi verificatele ascoltando il brano.

- ☐ strutture vecchie
- ☐ dottori incapaci
- ☐ macchinari rotti
- ☐ medicinali insufficienti
- ☐ attese per il ricovero
- ☐ mancanza di acqua potabile
- ☐ pochi posti letto
- ☐ pasti cattivi
- ☐ sporcizia

2 **Ascoltate il brano ancora una volta e indicate le informazioni realmente presenti.**

1. Uno dei problemi del Policlinico di Roma sono i troppi pazienti.
2. Il reparto di oncologia ha solo il servizio Day Hospital.
3. Nel reparto chirurgia c'è molta carenza di personale.
4. È possibile trovare rifiuti pericolosi all'interno dell'ospedale.
5. In alcuni reparti manca l'acqua.
6. I malati si lamentano per le lunghe attese.
7. C'è chi aspetta più di un mese per un'operazione chirurgica.
8. Le degenze prolungate sono costose per l'ospedale.

E Parliamo e scriviamo

Role-play

1 Situazione. Un vostro zio si deve operare, ma la lista d'attesa è molto lunga. Il chirurgo, però, vi fa capire che l'operazione potrebbe avvenire in tempi brevi... in una clinica privata non convenzionata. Voi non avete la possibilità di affrontare una simile spesa... Immaginate il dialogo.

2 Come giudicate il sistema sanitario del vostro Paese: servizi, ospedali, medici ecc.? Parlatene.

3 Qual è il vostro rapporto con i medici? Ne avete paura? Ci andate spesso? Prendete facilmente medicinali?

4 In una rivista italiana si è aperto un dibattito sulle medicine alternative: alcuni lettori le esaltano, altri le criticano severamente. Scrivete un'e-mail in cui riassumete gli aspetti positivi e negativi di queste terapie in confronto a quelle tradizionali, riferendo magari esperienze di familiari o amici. *(140-180 parole)*

F Riflettiamo sulla grammatica

Nel testo B ("Perché sembra funzionare") abbiamo trovato alla riga 39 "si occupò a lungo la cronaca" **e a quella seguente** "si propagò la notizia". **Che differenza c'è tra i due *si*? Quante funzioni della particella *si* conoscete?**

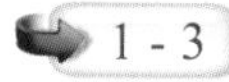
1 - 3

G Lavoriamo sulla lingua

1 **Nel testo A ("Perché funziona") abbiamo visto "prendere una pomata" (12). Nelle espressioni che seguono sostituite il verbo *prendere* con i verbi in blu.**

prendere il ladro	*prendere un leone*	catturare temporeggiare
prendere un diploma	*prendersi la responsabilità*	assumersi arrestare
prendere tempo	*prendere i soldi in banca*	prelevare conseguire

2 **Completate il testo con le parti mancanti scegliendo tra quelle date.**

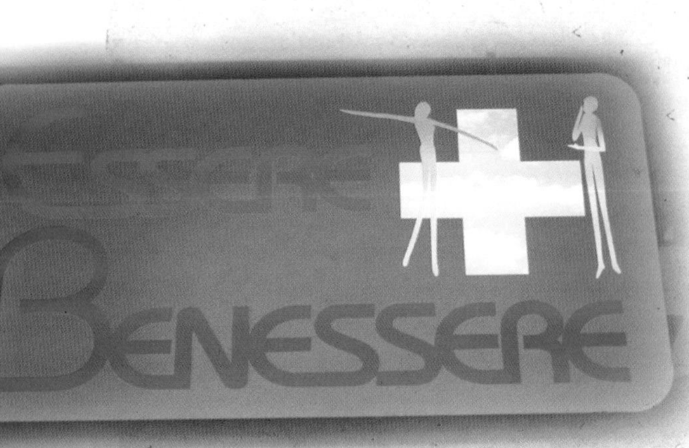

Miti salutisti tutti da sfatare

Qualcuno ci avrà certamente detto almeno una volta che leggere a luci basse fa male agli occhi. Eppure non è vero. Così ___(1) servono otto bicchieri d'acqua al giorno per stare bene, né che usiamo solo il dieci per cento del nostro cervello.

Queste teorie sono alcune delle quattro "leggende mediche" elencate e sfatate ___(2) dal *British Medical Journal*. La prestigiosa rivista scientifica, come da tradizione, durante il periodo natalizio tratta di argomenti più "leggeri" del solito. Due ricercatori americani hanno preso ___(3) alla medicina e hanno cercato le prove scientifiche della loro validità, senza però riuscire a trovarle.

Ecco le "leggende" ___(4):

- **Bere otto bicchieri d'acqua al giorno toglie il medico di torno.** Non c'è bisogno di bere tanto per mantenersi in salute. Non ___(5) su questo argomento.
- **Leggere a luci basse rovina la vista.** Secondo la maggioranza degli esperti ___(6) danni permanenti ma, secondo i ricercatori, ___(7) strizzare gli occhi, sbattere le palpebre e causare problemi di messa a fuoco.
- **Radersi col rasoio fa crescere i peli più spessi.** Chissà quante volte le ragazze ___(8) il rasoio, la famosa "lametta", per il terrore di veder poi crescere la "barba" sulle gambe. La rasatura invece, secondo gli studi dei ricercatori americani, ___(9) sullo spessore e la frequenza della ricrescita.
- **L'essere umano utilizza solo il dieci per cento del proprio cervello.** Questa "leggenda medica" si è diffusa agli inizi del '900, ma le analisi per immagini ___(10) completamente inattiva.

tratto da *Focus*

a. quattro "luoghi comuni" legati
b. sfatate dai ricercatori
c. miti in cui tante persone credono
d. come non è vero che
e. si sono rifiutate di usare
f. non avrebbe alcun affetto
g. credenze ribadite anche dai medici
h. non mostrano alcuna area del cervello
i. in un documento pubblicato
l. esiste una sola prova registrata
m. non dovrebbe causare
n. potrebbe comunque far

H Riflessioni linguistiche

Completate il testo con:
odontoiatra, ottico, dentista, medico.

Ecco alcune parole che possono confondere: il .... è il medico che cura i denti (è quindi specializzato in odontoiatría, la "cura dei denti"). Da questo vocabolo greco proviene il più formale titolo professionale: .... L'oculista è il .... che cura gli occhi, mentre l'.................... è il tecnico, oppure chi vende occhiali, lenti a contatto ecc.

Torna all'università a studiare medicina: non sei assolutamente portato per questo lavoro!

Autovalutazione

Cosa ricordate dell'unità 25?

Completate le frasi con le parole nascoste in orizzontale e in verticale nel crucipuzzle.

1. Quando ha ragione non lo sopporto: ti lancia sguardi e sorrisetti di .... !
2. Esiste il detto "Paese che vai... .... che trovi!".
3. È da un po' che Michela .... quel tipo, forse è una cosa seria.
4. Alla fine hanno dovuto .... e accettare le nostre condizioni contrattuali.
5. Tanti auguri, Giorgio! Oggi entri a far .... anche tu del club dei quarantenni!
6. Non che fosse un segreto, ma non c'era bisogno di .... tutto ai quattro venti!
7. Durante il trasloco sono .... persi un mucchio di documenti importanti.
8. Non è possibile che a 30 anni Carla non sia ancora in .... di cavarsela da sola!
9. L'acqua .... sembra più dissetante.
10. Questa volta è veramente finita: non voglio avere più niente da .... con lui!

P	U	O	T	O	S	A	R	S	A	C
G	R	A	D	O	U	O	M	B	G	A
U	A	A	P	I	F	A	F	A	G	P
O	P	P	A	N	F	A	R	N	U	I
S	P	A	R	T	I	R	E	D	A	T
T	E	N	T	A	C	E	Q	I	L	O
O	L	D	E	S	I	Q	U	E	L	L
U	S	A	N	Z	E	U	E	R	O	A
R	I	T	O	N	N	A	N	A	T	R
M	A	I	Z	O	Z	N	T	R	O	E
O	G	A	S	S	A	T	A	E	R	I

Cosa ricordate dell'unità 26?

1. Completate gli spazi con le parole date, che sono di più!

ricoverano prognosi ecografia diagnosi analisi pomata curano

1. La prossima settimana andrò a fare l'.............................. e finalmente sapremo di che sesso è il bambino.
2. Oggi si .... molte malattie che un tempo erano mortali.
3. Ho comprato in erboristeria una .... contro le zanzare veramente efficace.
4. Non si sa se e quando si rimetterà: è ancora in .... riservata.

2. Scegliete la parola adatta per ogni frase.

1. Ha così paura delle influenze/infezioni/siringhe che ogni volta che vede un ago sviene.
2. C'è un detto popolare che dice: "Una mela al giorno toglie il medico di turno/torno/intorno".
3. Mia sorella come ha appoggiato la testa sul cuscino si è dormita/addormentato/addormentata subito.
4. Entrambi i loro figli hanno consentito/conseguito/consegnato la laurea in Medicina.

Verificate le vostre risposte a pagina 185.

Palazzo Comunale e Fontana Maggiore, Perugia, Umbria

27 Come arricchirsi sul dolore altrui

Per cominciare...

1 Descrivete e commentate le foto.

2 Chi sono di solito i clienti di questi "professionisti" e perché si rivolgono a loro?

3 Voi credete alla possibilità di entrare in contatto con i defunti, di prevedere il futuro e al paranormale in genere? Scambiatevi idee.

A Comprensione del testo

1 Leggete il titolo dell'articolo: secondo voi, qual è l'argomento trattato?

2 Scorrete velocemente il testo e verificate le vostre ipotesi.

Come arricchirsi sul dolore altrui

Se la vostra situazione economica non vi soddisfa e volete cambiare mestiere, quella del veggente è un'attività tra le più redditizie e (contrariamente a quello che potreste pensare) tra le più facili. Basta avere una certa carica di simpatia, una minima capacità di capire gli altri e un poco di pelo sullo stomaco. Ma anche senza queste doti, c'è sempre la statistica che lavora per voi.

Provate a fare questo esperimento: avvicinate una persona qualsiasi, anche scelta a caso (ma certamente aiuta se la persona è ben disposta a verificare le vostre qualità paranormali). Guardatela negli occhi e ditele: «Sento che qualcuno sta pensando intensamente a Lei, è qualcuno che Lei non vede da tanti anni, ma che un tempo Lei ha amato moltissimo, soffrendo perché non si sentiva corrisposto. Ora questa persona si sta rendendo conto di quanto L'ha fatta soffrire, e si pente, anche se capisce che è troppo tardi».

Può esistere una persona al mondo, se proprio non è un bambino, che nel passato non abbia avuto un amore infelice, o comunque non sufficientemente ricambiato? Ed ecco che il vostro soggetto sarà il primo a corrervi in aiuto e a collaborare con voi, dicendovi di aver individuato la persona di cui voi captate così nitidamente il pensiero.

Oppure, dichiarate di poter vedere accanto ai vostri soggetti i fantasmi dei loro cari scomparsi. Avvicinate una persona di una certa età e ditele che le vedete accanto l'ombra di una persona anziana, che è morta per qualcosa al cuore. Qualsiasi individuo vivente ha avuto due genitori e quattro nonni e se siete fortunati anche qualche zio o padrino o madrina carissimi. Se il soggetto ha già una certa età è facilissimo che questi suoi cari siano già morti, e su un minimo di sei defunti uno che sia morto per insufficienza cardiaca ci dovrebbe essere.

I lettori accorti avranno individuato le tecniche di alcuni personaggi assai carismatici che appaiono anche in trasmissioni televisive. Nulla è più facile che convincere un genitore che ha appena perduto il figlio, o chi piange ancora la morte della madre, o del marito, che quell'anima buona non si è dissolta nel nulla e che invia ancora messaggi dall'aldilà. Ripeto, fare il sensitivo è facile, il dolore e la credulità degli altri lavorano per voi.

A meno naturalmente che non ci sia nei paraggi qualcuno del Cicap, il Comitato Italiano per il Controllo delle Affermazioni sul Paranormale, di cui potete avere notizie al sito www.cicap.org. I ricercatori del Cicap vanno infatti a caccia di fenomeni che si pretendono paranormali (dai poltergeist alla levitazione, dagli ufo alla rabdomanzia, senza trascurare fantasmi, piegamento di forchette per mezzo della mente, lettura dei tarocchi, madonne piangenti, ecc.) e ne smontano il meccanismo, ne mostrano il trucco, spiegano scientificamente quello che appare miracoloso, spesso rifanno l'esperimento per dimostrare che, conoscendo i trucchi, tutti possono diventare maghi.

tratto da un articolo di Umberto Eco su *L'Espresso*

3 **Leggete il testo e indicate quali delle informazioni che seguono sono presenti.**

1. Sono tante le persone che di mestiere fanno il veggente.
2. Fare il veggente è più facile di quanto si creda.
3. Quasi tutti abbiamo avuto qualche delusione d'amore.
4. Le persone anziane sono più propense a credere a queste cose.
5. È estremamente probabile che un anziano abbia perso delle persone care.
6. L'insufficienza cardiaca è la più frequente causa di morte.
7. Può darsi che anche "maghi" molto conosciuti ingannino la gente.
8. Chi ha perso un familiare è più propenso a credere al paranormale.
9. Il Cicap cerca di svelare gli inganni usati dai "maghi".
10. Il Cicap comprende anche veri maghi.

B Riflettiamo sul testo

1 **In coppia individuate nel testo le frasi che corrispondono a quelle date di seguito.**

pronto a, incline a (9-14): ....

non reciproco (22-27): ....

una persona anziana (30-35): ....

nei dintorni (50-56): ....

cercano di trovare (55-60): ....

2 **Riformulate iniziando con le parole date.**

se proprio non è un bambino (23): a meno ....
dicendovi di aver individuato (27): vi dirà ....
di cui voi captate il pensiero (28): il cui ....
che le vedete accanto l'ombra (33): che accanto ....

C Riflettiamo sulla grammatica

1 **Di modo, di tempo, di quantità, di giudizio: secondo voi, che tipo di avverbi sono i seguenti? Discutetene in coppia.**

1. ...ma certamente aiuta se... (12) ....
2. ...un amore non sufficientemente ricambiato... (25) ....
3. ...alcuni personaggi assai carismatici... (43) ....
4. ...spesso rifanno l'esperimento... (64) ....

2 **Conoscete almeno un altro avverbio per ognuna delle categorie citate?**

1 - 2

D Lavoriamo sul lessico

1 **Dividetevi in due gruppi: avete 3 minuti a disposizione per trovare quante più parole possibili (verbi, aggettivi, sostantivi ecc.) con la stessa radice di quelle date. Vediamo chi vince!**

attività ....
certo ....
collaborare ....
verificare ....
esperimento ....
caccia ....
soffrire ....
mago ....

2 **Individuate nel 'parolone' i sinonimi (in nero) e i contrari (in blu) delle parole che seguono.**

proficuopregiolietosparireaccertaresoccorsoesigeredissuaderevivo

apparire	pretendere	infelice ....
redditizio	convincere	dote ....
aiuto	defunto	verificare ....

E Ascoltiamo

1 **Ascolteremo una trasmissione radiofonica dedicata alla superstizione. Abbinate le seguenti parole al loro significato.**

1. sètta
2. cartomante
3. creduloneria
4. superstizione
5. mago

a. credere nelle forze irrazionali
b. attitudine a credere a tutti e a tutto
c. persona con poteri soprannaturali
d. gruppo di persone legate da una fede o altro interesse specifico
e. persona in grado di prevedere il futuro dalla lettura delle carte

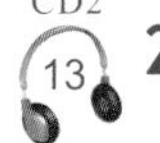

2 **Ascoltate ora la trasmissione e indicate la risposta corretta.**

1. La persona intervistata è
a) un medico
b) uno psicologo
c) un mago

2. Ci si rivolge ai maghi perché si è
a) indecisi
b) preoccupati
c) insicuri

3. Il "mago" ha la capacità di
a) fornire al cliente un'altra realtà
b) leggere nella mente delle persone
c) capire subito i problemi del cliente

4. Chi si rivolge ai maghi
a) è spesso a disagio con se stesso
b) ha rapporti sociali difficili
c) ha crisi d'identità frequenti

3 **Nell'intervista vengono utilizzate le seguenti espressioni in blu. Sapreste dire perché?**

1. Nella frase "Quindi questa 'creduloneria' Lei la vede abbastanza legata con una incapacità di crescere", il giornalista usa le parole in blu perché vuole: ☐ a. dissociarsi dalla posizione dello psicologo, ☐ b. sottolineare il punto di vista dello psicologo, ☐ c. dire che è d'accordo con lo psicologo.

2. Nella frase "Molte persone hanno bisogno appunto di distrarsi con altre cose e allora il mago aiuta...", lo psicologo usa la parola in blu perché vuole: ☐ a. rafforzare quanto da lui detto finora, ☐ b. contraddire il suo interlocutore, ☐ c. ribaltare i risultati del sondaggio.

F Riflettiamo sulla grammatica

Nel testo "Come arricchirsi..." abbiamo visto le frasi che seguono. In coppia, riformulatele usando la forma di cortesia.

...provate a fare questo esperimento...:

....

...avvicinate una persona...:

....

...guardatela negli occhi e ditele...:

....

3 - 4

G Lavoriamo sulla lingua

Scoprite nel testo gli errori presenti. Ce n'è uno in quasi ogni riga.

Una testimonianza

"Ho iniziato a rivolgermi ad una 'santona' perché lo faceva una mia amica. A quel momento avevo bisogno di qualcuno che si risollevasse dai miei problemi. Mi ero separata da poco ed ero caduta in depressione. Ma purtroppo la santona da cui mi ero rivolta, invece che migliorare la mia situazione ha peggiorato molto le cose: all'inizio il rapporto era tranquillo e io avevo fiducia in questa maga, che poi però iniziò a fare prendere dei psicofarmaci e riusciva a farmi fare tutto quello che voleva. Con tutte quelle medicine io non ero più autonoma ed ero sempre più dipendente con lei.

Mio figlio, che era in casa con me, vedeva tutto questo e ovviamente non aprovava. Ma quando ne parlavo alla santona, lei diceva che io non ero "in grazia di Dio" e questa frase a me faceva venire un grande senso di colpa; è stato un lavaggio del cervello da quale sono uscita dopo ben otto anni e quasi 100 mila euro buttati!

Ne sono uscita con fatica. Come? D'improvviso mi sono chiesto: "Ma cosa sto facendo?" e ho iniziato ad allontanarmi da lei, che però mi diceva che tornerei una buona a nulla, una fallita come prima. Ho sofferto molto, ma alla fine ce l'ho fatto. Quello che ora vorrei dire a tutti è che non dare assolutamente ascolto a questi cosiddetti maghi e guaritori, sono solo dei truffatori che approfittano dalla buona fede della gente".

.......in........

tratto da www.cicap.it

H Parliamo e scriviamo

1 Riassumete e commentate il testo precedente.

2 Conoscete persone che si rivolgono o si sono rivolte ai "professionisti dell'occulto"? Parlatene.

Role-play

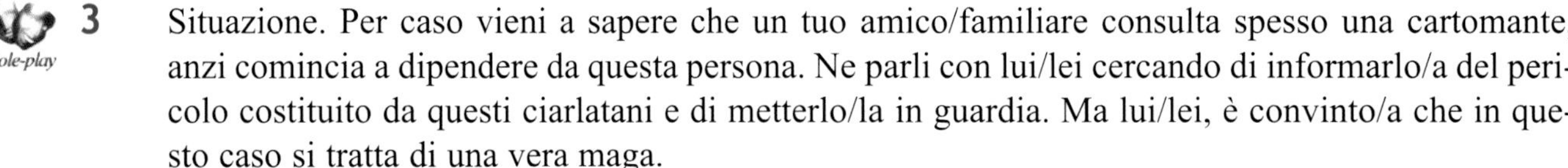

3 Situazione. Per caso vieni a sapere che un tuo amico/familiare consulta spesso una cartomante, anzi comincia a dipendere da questa persona. Ne parli con lui/lei cercando di informarlo/a del pericolo costituito da questi ciarlatani e di metterlo/la in guardia. Ma lui/lei, è convinto/a che in questo caso si tratta di una vera maga.

4 Esprimete la vostra opinione riguardo allo sfruttamento del dolore altrui, il vostro disappunto verso i cosiddetti "maghi" che, grazie all'ausilio di trasmissioni televisive e di inserzioni su giornali e riviste, hanno messo in piedi un fruttuoso "mercato della speranza". Portate degli esempi per motivare le vostre tesi. *(220-240 parole)*

I Riflessioni linguistiche

Sottolineate le espressioni idiomatiche presenti nel testo.

Purtroppo non sono poche le persone furbe, quelle che cercano di imbrogliare la gente, di tirare un bidone, di vendere fumo. D'altra parte le vittime non mancano, pronte a farsi fregare, ad abboccare all'amo o a cadere nella rete, fidandosi a occhi chiusi di chi cerca di ingannarli. Per fortuna, di solito, arriva l'ora della verità e gli imbroglioni finiscono al fresco (cioè in carcere), perché si sa che le bugie hanno le gambe corte.

Per cominciare...

1 Lavorate in coppia. Conoscete questi personaggi?

2 Alcuni di questi personaggi hanno delle cose in comune (collaborazioni, genere di film a cui hanno lavorato ecc.). Discutetene in coppia e scambiatevi informazioni con gli altri compagni.

3 Nanni Moretti e Roberto Benigni sono due grandi attori-registi del cinema italiano. Cosa sapete di loro? Leggete i due testi che seguono per saperne di più.

A

Nanni Moretti

Nato a Brunico (in provincia di Bolzano) nel 1953, Nanni Moretti è cresciuto a Roma, a tutti gli effetti la sua città d'adozione.

Nel 1976 ha realizzato il suo primo lungometraggio, *Io sono un autarchico*. Il film tratta dei rapporti interpersonali, degli amori e delle delusioni della generazione del post '68 e non poteva non divenire, oltre che un inno generazionale, un film-simbolo di un clima epocale.

Nel 1978 Moretti è approdato finalmente nel mondo del cinema professionale con il fortunato *Ecce Bombo*, a cui sono seguiti altri film sempre di buon successo, tra cui *Sogni d'oro* (1981, Leone d'Oro a Venezia), *Bianca* (1983), *La messa è finita* (1985, Orso d'Argento a Berlino), *Caro Diario* (1993, premio per la migliore regia a Cannes). Nel 2001 Moretti ha vinto la Palma d'oro al Festival di Cannes con *La stanza del figlio*, un film altamente drammatico e toccante.

Moretti ha partecipato da protagonista anche a pellicole di altri registi, molte delle quali a sfondo sociale. Assai riservato, il regista ha un pessimo rapporto con i media e raramente concede interviste. Parla solo quando ne sente davvero l'esigenza e usando, più che banali parole, la sua stessa arte.

Moretti non ha mai nascosto la sua tendenza politica progressista e di sinistra: anzi, questo aspetto è sempre stato presente sin dai suoi primi film. Non stupisce quindi che sia stato proprio lui a scrivere e realizzare *Il caimano*, un film apertamente ispirato alla figura di Silvio Berlusconi e presentato nel pieno della campagna elettorale per le elezioni politiche.

B

Roberto Benigni

Il popolare comico toscano nasce nel 1952 in un piccolo paese in provincia di Arezzo. Personalità aperta e dall'allegria contagiosa, Roberto Benigni sente molto presto il desiderio di mettersi in mostra e far ridere le persone.
Dopo alcune apparizioni televisive in ruoli secondari è il regista Giuseppe Bertolucci a scoprirlo. Un monologo teatrale che scrivono insieme diventa nel 1977 *Berlinguer ti voglio bene*, un film controverso e, all'epoca, molto discusso.
Il primo grande successo popolare arriva nel 1984 con *Non ci resta che piangere*, interpretato in coppia con Massimo Troisi. Non mancano anche sue partecipazioni a film stranieri: come *Daunbailò* di Jim Jarmusch. Nel 1993 interpreta il figlio segreto dell'ispettore Clouseau ne *Il figlio della Pantera Rosa* di Blake Edwards.
In Italia, un altro grande successo lo ottiene con *Il piccolo diavolo* al fianco di Walter Matthau. L'anno dopo partecipa all'ultimo film di Federico Fellini *La voce della Luna* e nel 1991 *Johnny Stecchino* firma un record di incassi per il cinema italiano.
La vera e propria consacrazione internazionale arriva con *La vita è bella*: il film trionfa nell'edizione degli Oscar del 1999, vincendo la statuetta non solo nella categoria "miglior film straniero" ma anche in quella "miglior attore protagonista".
Due anni dopo iniziano le riprese di *Pinocchio*, in assoluto il film più costoso nella storia del cinema italiano, a cui segue *La tigre e la neve*. Indimenticabile è anche la sua apparizione in *Asterix e i romani* accanto a Gerard Depardieu.
Un rapporto particolare lega da sempre l'attore toscano con la Divina Commedia di Dante: Benigni è molto apprezzato per le sue recitazioni di interi canti del poema, che ha portato in giro per l'Italia in un tour chiamato appunto *Tutto Dante*.

adattati da www.biografieonline.it

A Comprensione del testo

Abbinate le seguenti informazioni al testo relativo.

	A	B
1. Qualche suo film ha avuto un grande successo commerciale.		
2. Ha collaborato con grandi registi italiani.		
3. Le sue scelte politiche sono note a tutti.		
4. È appassionato di letteratura italiana.		
5. È stato premiato anche come attore.		
6. Non vive più nella sua città natale.		
7. Non è una persona molto estroversa.		
8. Ha vinto diversi premi a livello italiano ed europeo.		
9. Ha partecipato a film internazionali.		
10. Prima del cinema ha esordito in tv.		

B Riflettiamo sul testo

In coppia, cercate di completare le frasi con le parole mancanti. Dopo, da soli, cercate la conferma tra le parole in blu dei due testi.

1. Il suo ultimo libro .... rapporti tra l'Italia e l'Europa. (A)
2. .... tempi della scuola si vedeva che Mario avrebbe fatto carriera. (A)
3. Nonostante sia tanto piccolo, ti assicuro che è un computer .... (A)
4. Anna è una ragazza veramente in gamba, ... bella! (A)
5. Dopo il divorzio, il grande divo è apparso .... una giovane attrice. (B)
6. Eleonora è molto socievole, anzi spesso le piace .... (B)
7. *La vita è bella* è stato .... il film più visto della televisione italiana. (B)
8. L'Italia è .... un paese con grandi contraddizioni sociali. (B)

C Lavoriamo sul lessico

1 **Tra le parole nel riquadro trovate i sinonimi di quelle in blu e i contrari di quelle in rosso.**

memorabile negare sconosciuto importante commovente sorprendere originale indiscutibile arrivare conseguire

secondario approdare controverso toccante popolare
indimenticabile banale stupire concedere ottenere

....
....
....
....

2 **Completate le frasi con le parole corrette.**

1. Molti grandi .... hanno cominciato con piccole apparizioni come ....
   attori protagonisti comparse film registi
2. Il grande Federico Fellini ha vinto quattro .... Oscar per la .... e uno alla carriera. regia interpretazione commedia premi riconoscimenti
3. Il film è da tre settimane nelle ...., ma ha già registrato .... da record.
   incassi cinema grande schermo biglietti sale
4. Stasera all'*Ariston* .... il film di Tornatore in prima .... Ci andiamo?
   danno girano proiezione visione pellicola

D Riflettiamo sulla grammatica

1 **Nel primo testo abbiamo letto "Nanni Moretti è cresciuto a Roma" (1) e "sono seguiti altri film" (7). I verbi *crescere* e *seguire* possono prendere come ausiliare sia *essere* che *avere*. Per quali tra i verbi che seguono vale la stessa regola?**

finire raggiungere salire camminare passare coprire

Tra i verbi che prendono sia *essere* che *avere*, sceglietene un paio e formulate delle frasi coniugandoli con entrambi gli ausiliari.

2 Nel testo su Benigni abbiamo letto "un tour chiamato appunto *Tutto Dante*" (42). Sapreste spiegare perché in questo caso usiamo un avverbio come *appunto*?
Altri avverbi o locuzioni avverbiali usati spesso in italiano all'interno di un discorso sono: *proprio, all'improvviso, a proposito*. Formulate una frase con ciascuna di esse.

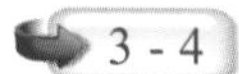

E Ascoltiamo

CD2

1 Ascoltate una celebre intervista a Roberto Benigni fatta da uno dei più grandi giornalisti italiani, Enzo Biagi, e completate le frasi che seguono (massimo 4 parole).

1. Che cosa gli diresti del mondo ....?
2. Ma una particolarmente ...., che è il sunto di tutte le sue cose.
3. Fai che il cielo .... te e dentro pensa a qual è in questo momento che devo scegliere...
4. Perché l'abbiamo in prestito, questo mondo, dai nostri figli, non è che ce l'abbiamo in ....
5. Allora uno è a posto. E allora va con il cielo stellato luminosissimo .... e una bella legge morale in sé...
6. E se lei mi permette io gli do un altro bacio, ... a mio figlio.

2 Riassumete brevemente l'intervista o i punti che ritenete più interessanti.

F Parliamo e scriviamo

1 Secondo voi, il cinema è solo uno svago, un modo per divertirsi, o qualcosa di più? Motivate le vostre risposte.

2 Quale influenza esercita il cinema sulla gente, in particolare sui giovani?

3 In coppia raccontate le vostre preferenze riguardo a generi cinematografici, film, attori ecc, quindi riferite le informazioni ottenute dal compagno.

4 Situazione. State cercando di decidere quale film andare a vedere. Uno di voi si fida ciecamente del parere di un'amica che ha già visto uno dei film in questione, l'altro solo della recensione che ha letto sul giornale. Inoltre, per il primo è la trama che conta, per il secondo i protagonisti.

5 Sei un appassionato di cinema italiano: scrivi una lettera a una rivista specializzata del tuo Paese per lamentarti dello scarso numero di film italiani distribuiti nelle sale cinematografiche, specialmente quando ci sono tanti film di basso livello artistico in giro. *(180-200 parole)*

G Lavoriamo sulla lingua

Completate il testo scegliendo tra le parole date.

"Ecco i cento film italiani da salvare"

Anna Magnani

Vittorio Gassman

ROMA - Monumenti dell'arte. Patrimonio di spettacolo e di costume. Tesori del nostro Novecento. Strumenti di riflessione. Testimonianza ....(1) di cultura. Non parliamo di architettura, pittura o letteratura. Parliamo di cinema. E questa è già una bella ....(2): perché per la prima volta, in maniera organica, i film italiani vengono visti come un vero e proprio tesoro. Qualcosa da proteggere, da ....(3), da far vedere ai giovani. Una commissione di esperti ne ha ....(4) cento. In un arco temporale che va dal 1942 al 1978. Dall'alba del neorealismo agli anni di piombo.

Cento titoli, una fetta enorme di ....(5) made in Italy. Guardando ai registi, su tutti prevale – e non poteva essere altrimenti – Federico Fellini, con sette opere inserite in graduatoria. In questa ....(6) tra i cineasti italiani più rappresentativi, al secondo posto troviamo Luchino Visconti, con sei citazioni. Dopo di lui, l'indimenticabile Vittorio De Sica, con cinque. Ma questo non vuole dire che la grande stagione della commedia all'italiana non sia presente in ....(7) nella top 100. Anzi. E infatti, ex aequo con De Sica, troviamo il grande Mario Monicelli. Dietro di lui, con quattro film, ci sono invece un grande ....(8) del neorealismo come Roberto Rossellini e un altro mito della commedia, Dino Risi.

Ma il cinema non è fatto solo di autori, è fatto anche di volti. Indimenticabili volti d'attore, interpreti ....(9), che hanno fatto la fortuna di registi e produttori. Nella classifica ci sono tutti, e con più di un film: Vittorio Gassman, Marcello Mastroianni, Alberto Sordi, Nino Manfredi, Totò.

E poi ci sono i volti femminili. Bellissimi, intensi. Silvana Mangano, Anna Magnani, Gina Lollobrigida, Sophia Loren. In questo contesto, però, una citazione particolare la ....(10) Stefania Sandrelli, presente con ben cinque film.

Ultima osservazione. Come in ....(11) classifica che si rispetti, il gioco di chi non figura, un po' inspiegabilmente, è inevitabile. Si potrebbero citare, tanto per fare degli esempi di grandi ....(12), *La ciociara* di De Sica; o *Ecce Bombo* di Nanni Moretti; o l'intera carriera di Sergio Leone. Ma il bello delle graduatorie è anche questo.

tratto da *Leggo*

1. a. fresca, b. viva, c. piacevole, d. moderna
2. a. innovazione, b. nuova, c. novità, d. invenzione
3. a. appoggiare, b. tenere, c. mantenere, d. tutelare
4. a. distinti, b. trovati, c. valutati, d. selezionati
5. a. inventiva, b. efficienza, c. bravura, d. creatività
6. a. lotta, b. partita, c. gara, d. concorrenza
7. a. mucchio, b. quantità, c. massa, d. maggioranza
8. a. maestro, b. insegnante, c. docente, d. professore
9. a. insoliti, b. inconsueti, c. straordinari, d. rari
10. a. vale, b. conquista, c. guadagna, d. merita
11. a. ogni, b. ognuna, c. qualche, d. ciascuna
12. a. esclusi, b. rifiutati, c. scartati, d. trascurati

Sergio Leone

Vittorio De Sica

Autovalutazione

Cosa ricordate dell'unità 27?

1. Scegliete la parola adatta per ogni frase.

1. Non creda/credi a chi dice di poter leggere la mano! Si tratta sempre di imbroglioni senza scrupoli.
2. Quasi tutti abbiamo sperimentato il dolore di un amore non risposto/corrisposto.
3. Michele è un buono a niente/nulla, non riesce a tenersi un lavoro per più di una settimana!
4. È molto facile approfittarsi delle persone in buona fede/fiducia.

2. Completate gli spazi con le parole date. Attenzione: le parole sono di più!

capo aldilà cervello dissuaso paraggi tarocchi fregato

1. Nella sètta di cui è adepto gli hanno fatto il lavaggio del ....: fa tutto quello che gli dicono.
2. Quando hai bisogno di un amico non ce n'è mai uno nei ....!
3. Ci sono persone che si credono in grado di comunicare con l'............................!
4. Lo hanno .... dal firmare il contratto, anche se avrebbe voluto prima consultarsi con un avvocato.

Mantova, Lombardia

Cosa ricordate dell'unità 28?

Leggete le definizioni e risolvete il cruciverba.

Orizzontali

1. Qualcosa su cui non tutti sono d'accordo: *co*...
5. Opera teatrale recitata da un solo attore.
6. Commovente, che tocca la nostra sensibilità.
7. "Sono di Roma, ma la mia città di ... è Bologna."
9. A pari merito, in latino: ex ...
10. Dietro ogni primo piano c'è sempre uno ...
11. Riconoscimento, trofeo.
12. "La sceneggiatura non è originale, il film è ... a una storia vera."

Verticali

1. Anche se non sono attori si vedono nei film.
2. "Le proteste degli studenti ... continuate fino a tardi".
3. "È molto egocentrico, non fa altro che mettersi in ... ."
4. "Hai visto Mario? A ..., come sta? Non lo sento da mesi."
8. "Stasera, su Rete 4, danno un bel film in prima ... ."

Verificate le vostre risposte a pagina 185. Siete soddisfatti?

Roma antica

Per cominciare...

a.

1 In ogni angolo dell'Italia si respira aria di antichità. Abbinate i nomi delle opere e dei monumenti dati alle immagini di questa pagina.

- Romolo e Remo ....
- Le terme di Caracalla ....
- L'arco di Costantino ....
- Il Pantheon ....
- La statua di Augusto ....
- I mosaici di Pompei ....

2 Il test... continua, ma in coppia. Per ciascuna delle opere viste, scrivete accanto la prima parola che vi viene in mente. In seguito, scambiatevi informazioni con le altre coppie.

b.

c.

d.

e.

A Ascoltiamo

1 Nell'attività precedente, avete imparato qualcosa di più sulle terme? Che cosa erano?

CD2
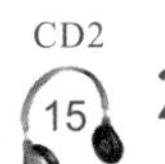

2 Ascoltate il brano e indicate le affermazioni realmente presenti.

- 1. Andare alle terme faceva parte della quotidianità dei Romani.
- 2. Gli imperatori romani andavano spesso alle terme.
- 3. Tutte le terme erano costruite nel centro della città.
- 4. Esistevano differenti categorie di terme.
- 5. Le terme erano dei veri e propri centri di cultura e svago.
- 6. Le operazioni dei bagni richiedevano molte ore.
- 7. Erano previsti bagni ad uso esclusivamente femminile.
- 8. Molti uomini andavano alle terme anche per cenare.

f.

B Comprensione del testo

1 Come abbiamo ascoltato, il brano precedente si riferisce soprattutto alla vita quotidiana degli uomini nell'antica Roma. Come immaginate la vita delle donne, il loro ruolo nella società? Scambiatevi informazioni e ipotesi.

2 Leggete la prima frase di ogni paragrafo. Potete capire a quali settori della vita fa riferimento il testo?

Le donne nell'antica Roma

Pompei: affresco

I padri romani erano molto affezionati alle loro figlie; davano loro nomignoli gentili quali Uccellino o Mammina. Agli inizi della Repubblica, le figlie erano considerate effettivamente delle piccole madri: apprendevano a cucinare, a filare e a tessere. La figlia di una famiglia agiata era affidata alle cure di una nutrice greca che le raccontava le prime favole in lingua greca. La ragazza doveva imparare a dipingere, poiché la madre pensava che ciò le sarebbe più tardi servito nella scelta dei tappeti e dei tendaggi per la sua casa. Imparava anche a cantare, a danzare e a suonare alcuni strumenti.

Se la famiglia non aveva un precettore, a 6 anni la fanciulla veniva mandata a scuola per imparare a leggere e a scrivere. Verso i 10 anni veniva fidanzata dal padre o dal tutore, che le sceglievano il futuro sposo: lui le regalava un anello di fidanzamento d'oro o di ferro su cui aveva fatto incidere due mani che si stringevano. Il matrimonio avveniva alcuni anni dopo. Alla fine della Repubblica, essendo divenuto il divorzio un fatto assai comune, non era difficile vedere uomini o donne che si sposavano quattro o cinque volte. Cesare si sposò quattro volte; Cicerone divorziò da sua moglie per sposare un'ereditiera più giovane della figlia Tullia.

Quando il matrimonio veniva celebrato religiosamente, la futura sposa portava sul capo un velo arancione sormontato da una corona di fiori d'arancio. Anche presso i Romani, come presso i Greci, la sposa superava la soglia della casa fra le braccia del marito. Verso la fine della Repubblica, il matrimonio generalmente si limitava a una cerimonia civile. Lo sposo, davanti ai testimoni, domandava alla sposa se voleva diventare "madre di famiglia": lei rispondeva di sì e a sua volta domandava allo sposo se voleva diventare "padre di famiglia".

Benché la sposa potesse disporre liberamente dei propri beni e della propria dote, in realtà il capo di casa era sempre il marito. Ma secondo quanto diceva un romano: "Noi governiamo il mondo, ma sono le nostre mogli a governare noi". Non era cosa rara che una sposa dodicenne abbandonasse la casa paterna per stabilirsi nella propria, passando per così dire dalla balia alla vita pubblica. Altre donne si occupavano di politica, preparavano le campagne elettorali in occasione delle elezioni e addirittura dipingevano frasi di incitamento sui muri delle case. Dopo le elezioni, iscrizioni del genere venivano cancellate con una mano di calce. Avendo il Senato proposto un giorno una legge tendente a limitare i gioielli di proprietà di una donna, una matrona infuriata tenne nel Foro, il luogo delle pubbliche riunioni, un discorso così violento che la legge fu subito abrogata. Negli ultimi anni della Repubblica vi furono perfino avvocatesse che difendevano i loro clienti nei tribunali.

Durante l'Impero, donne di nobili famiglie lottarono come gladiatori nell'arena, parteciparono a incontri di lotta e guidarono carri durante la caccia al cinghiale.

tratto da www.instoria.it

Villa del Casale, Sicilia: mosaico

3 **Leggete il testo e rispondete alle domande *(20-25 parole)*.**

1. Che cosa imparava a fare una bambina romana? ....

....

2. Come ci si fidanzava? ....

....

3. In che cosa consisteva il matrimonio civile? ....

....

4. Qual era il rapporto delle donne con la vita politica? ....

....

C Riflettiamo sul testo

Lavorando in coppia, abbinate le espressioni in blu a quelle a destra che sono di più.

1. ...nomignoli gentili quali... (2)
2. ...le sarebbe servito nella scelta (6)
3. ...il divorzio un fatto assai comune (14)
4. ...si limitava a una cerimonia civile (21)
5. ...e a sua volta domandava (22)
6. ...disporre liberamente dei propri beni (24)
7. ...passando per così dire dalla balia (27)
8. ...una legge tendente a limitare (32)

a) in altri termini
b) che ha lo scopo di
c) che avveniva spesso
d) consisteva solo in
e) si sarebbe rivelato utile
f) fare quello che si vuole
g) dal canto suo
h) in cerca di
i) come

D Riflettiamo sulla grammatica

Nel testo della pagina precedente abbiamo letto "essendo divenuto il divorzio" (14) e "avendo il Senato proposto" (31). Sapreste riformulare le due frasi senza usare il gerundio? Quali altri usi del gerundio conoscete (temporale, concessivo ecc.)?

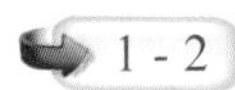
1 - 2

E Lavoriamo sul lessico

1 **Da questi verbi derivano dei sostantivi che abbiamo visto nel testo *Le donne nell'antica Roma*. Quali?**

divorziare	ereditare	cacciare ....
testimoniare	riunirsi	curare ....

2 **Sinonimi (=) o contrari (#)? Quelle in blu sono parole che abbiamo incontrato nel testo.**

affezionato legato	infuriato irritato	abrogare approvare
civile religioso	nobile popolano	violento aggressivo

3 **In italiano, come in molte altre lingue, si usano diversi termini latini. In coppia, completate le frasi con alcune delle espressioni date.**

a priori ad hoc in primis pro capite ex novo curriculum vitae alter ego lapsus
bis referendum sui generis in extremis post scriptum ultimatum idem

1. Le apparenze ingannano: non bisogna giudicare .... le persone.
2. Non bastano le solite soluzioni, ci vuole un piano pensato ....
3. Negli ultimi anni il reddito .... degli italiani è cresciuto meno della media europea.
4. Hai un ottimo ...., secondo me puoi trovare un lavoro migliore di questo.
5. L'Italia ha giocato male, ma si è salvata .... grazie a un rigore al 90° minuto.
6. Come lo stesso Fellini sosteneva, Marcello Mastroianni era il suo ....

4 **Con l'aiuto del dizionario cercate di costruire due frasi con le espressioni non utilizzate.**

F Parliamo e scriviamo

1 In gruppi di tre discutete e prendete appunti. Cosa sapete/ricordate dell'Impero Romano? Quanto durò, perché cadde? Poi scambiatevi informazioni con gli altri gruppi.

2 Nel testo abbiamo letto l'affermazione: "Noi governiamo il mondo, ma sono le nostre mogli a governare noi". Commentate questa frase. Secondo voi è ancora valida?

3 In coppia, preparatevi per 2-3 minuti e poi parlate brevemente al resto della classe di un personaggio importante nella storia del vostro Paese.

4 I tesori artistici non sono soltanto attrazioni turistiche, ma anche la storia viva di un Paese. Eppure quante volte ci passiamo accanto senza riflettere sulla loro importanza? Spesso i turisti li conoscono e li rispettano più di noi. Esprimete le vostre riflessioni in proposito. *(220-250 parole)*

Roma, il Foro Romano

G Riflettiamo sulla grammatica

Nell'ultimo paragrafo del testo a pagina 164, abbiamo letto che alcune donne nell'Antica Roma "lottarono come gladiatori" e "parteciparono a incontri di lotta e guidarono carri". Sapreste spiegare la differenza tra l'uso del passato remoto e del passato prossimo? Ricordate come si forma il trapassato remoto?

3 - 4

H Lavoriamo sulla lingua

1 Che cosa sapete del Colosseo e dei gladiatori? Parlatene.

2 Completate il testo con gli elementi mancanti.

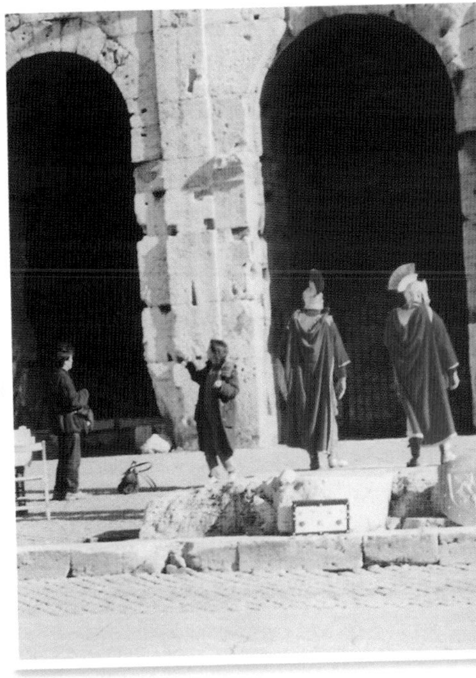

"Soldati romani" davanti al Colosseo.

"I gladiatori lottavano per finta"
Nuova teoria di un archeologo

Morire al Colosseo? Per un gladiatore sarebbe molto più probabile essere ucciso a Hollywood. È ....(1) sostiene Steve Tuck, archeologo statunitense ....(2), esaminando una serie di reperti provenienti dall'antica Roma, si è convinto che i combattimenti gladiatori erano delle messe ....(3) scena, paragonabili ai moderni match di wrestling, nei ....(4) nessuno si faceva male davvero. ....(5) a che vedere, dunque, con le scene cruente di ....(6) kolossal hollywoodiani, ...(7) *Quo Vadis* o il *Gladiatore*.

"La lotta gladiatoria è ....(8) stata associata all'uccisione e allo spargimento di sangue, – ha spiegato Tuck ....(9) un articolo pubblicato dalla rivista New Scientist – ....(10) in realtà penso che si trattasse di un'arte marziale a puro scopo d'intrattenimento, volta ....(11) far divertire gli spettatori".

Per circa 800 anni criminali, prigionieri ....(12) guerra e schiavi erano comprati da facoltosi romani per essere addestrati a combattere ....(13) giochi gladiatori. Lottavano fra ....(14) o contro gladiatori professionisti, che erano uomini liberi, in anfiteatri ....(15) il Colosseo. Generalmente dovevano sostenere due o tre combattimenti l'anno e se riuscivano ....(16) sopravvivere a cinque anni di combattimenti, potevano ottenere la libertà. ....(17) secondo Tuck, che ha analizzato 158 immagini risalenti a ....(18) periodo raffiguranti i giochi, il rischio per un gladiatore ....(19) venire ucciso era quasi inesistente. Lo studioso fonda la ....(20) tesi su un raffronto delle immagini contenute su lampade e dipinti murali ....(21) i manuali sulle arti marziali prodotti in Germania e in Italia ....(22) il Medioevo e il Rinascimento. Da ....(23) confronto emergono una serie di similitudini, dalle ....(24) risulta che lo scopo del gladiatore era semplicemente quello di sconfiggere l'avversario, non di ucciderlo.

tratto da *Ulisse*, mensile scientifico

I Riflessioni linguistiche

Quo Vadis è il titolo di un famoso film, ma anche una delle tante frasi celebri latine, che significa "Dove vai?". Altre frasi celebri o molto usate sono: *Alea iacta est* (Cesare): "il dado è tratto", cioè ormai non ci si può tirare indietro; *Carpe diem*: "cogli, vivi l'attimo"; *O tempora o mores* (Cicerone), cioè "che tempi!, che costumi!"; *Dura lex sed lex*: "dura legge, ma è la legge"; *Dulcis in fundo*: "il dolce, la parte migliore, viene in fondo, alla fine". Forse il latino non piace a tutti, però *De gustibus non est disputandum*, cioè "i gusti non si discutono...".

30 Il teatro... napoletano

Unità

Per cominciare...

 1 Dividetevi in coppie: alcune scrivono quante più parole sui generi di spettacolo dati in basso; altre potrebbero, invece, pensare a possibili differenze e somiglianze. Alla fine confrontatevi con i compagni.

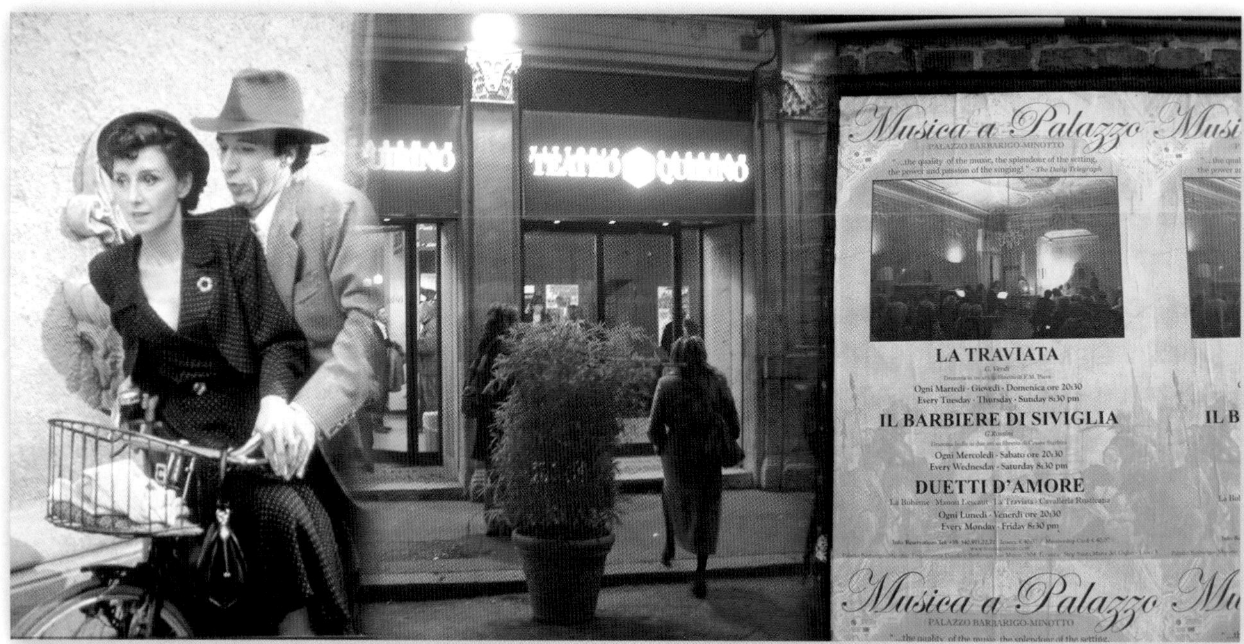

cinema	teatro	opera
parole comuni		

 2 Vi piace il teatro? Motivate le vostre risposte.

3 Osservate le parole in blu del testo seguente. Quali dei personaggi e delle opere citati conoscete già? Scambiatevi informazioni.

Il teatro napoletano

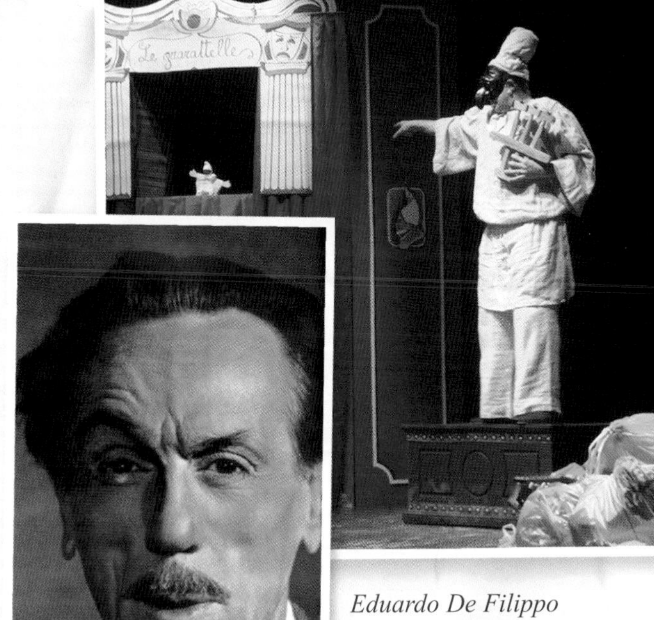

Eduardo De Filippo e, sopra, Pulcinella

La storia del teatro napoletano offre esempi di notevole interesse artistico e sociale. Come a Venezia e in altre città italiane, il richiamo del palcoscenico fu vivissimo a Napoli. Come altrove, anche in Campania le maschere della *Commedia dell'arte* riproponevano i difetti e le virtù del popolo o, per lo meno, i sentimenti con cui il popolo riusciva ad affrontare il quotidiano rapporto con la durezza del vivere e con le classi sociali più abbienti.

Protagonista dominante del teatro tipico di Napoli è Pulcinella: Goethe scrisse che questa maschera "impersonava egregiamente il popolo napoletano". Ma qual è la carta d'identità di Pulcinella? Luogo di nascita incerto, come altrettanto incerte sono le generalità di chi l'ha messo al mondo. Sembra però che a dargli vita sia stato un comico napoletano. Costui si sarebbe presentato sulla scena con quel costume che subì nel tempo alcune modifiche, fino a diventare, sul cadere del Settecento, così come lo conosciamo oggi: ampio camicione bianco stretto in vita e largo sui fianchi, larghi pantaloni bianchi, cappello a cono, anch'esso bianco, pantofole e, sul volto, una maschera nera col naso a uncino. Il suo carattere è complesso, ma i vizi... sembrano superare le virtù. Scrive Mayer di lui:

"Ora è un filosofo che non apre la bocca senza dire una stupidità; ora è un pazzo che è pieno di saggezza. Oggi appare un servitore goffo, mangione, furbo, che getta a terra la minestra e nasconde la bottiglia in un angolo, ora è un distinto signore che la sua gente fa a gara ad ingannare. Oppure è un marito che fa le corna".

Questa maschera ebbe una grande fortuna e, con Arlecchino, fu celebre in tutti i paesi d'Europa. A Napoli la maschera non sembrò legarsi a particolari ideologie. I grandi attori recitavano davanti a un pubblico appassionato, spesso alla presenza perfino dei sovrani. Ebbero sempre il plauso di tutte le platee, indipendentemente dal mutare delle condizioni politiche: Pulcinella era sempre lui, sia con i Borboni che con il re di casa Savoia.

Un involontario "nemico" di questa maschera fu Edoardo Scarpetta (1853-1925), che con le sue celebri commedie propose il personaggio di Don Felice. Quest'ultimo mise in ombra l'antica maschera dal bianco camicione. La commedia scarpettiana ebbe risonanza nazionale e si inserì convenientemente nello spensierato mondo della *Belle Epoque*.

A livello nazionale più tardi si ebbe il trionfo dei fratelli De Filippo e, in particolare del grande Eduardo (1900-1984), figlio illegittimo di Scarpetta. Scrisse commedie di grande successo (*Napoli milionaria*, *Questi fantasmi*, *Filumena Marturano*, *Gli esami non finiscono mai*, *Non ti pago* e tante altre), meritando la stima e l'amicizia di Pirandello e l'apprezzamento unanime (come autore e come attore) della critica nazionale e mondiale. Tra l'altro, osò dare a Pulcinella un figlio, John, che "se ne frega del padre".

adattato da *Campania*, EMZ editrice

A Comprensione del testo

Leggete il testo e indicate le affermazioni corrette tra quelle proposte.

1. Le maschere
a) esprimevano i sentimenti del popolo
b) criticavano i ricchi e i potenti
c) impersonavano tutte le classi sociali

2. Pulcinella nacque
a) prima del '700
b) nel '700
c) alla fine del '700

3. Il carattere di Pulcinella
a) ha subìto molte modifiche
b) cambiava a seconda della trama
c) ha molti difetti e nessun pregio

4. Le commedie di Scarpetta
a) segnarono il declino di Pulcinella
b) segnarono la rinascita di Pulcinella
c) avevano come protagonista Pulcinella

5. Eduardo De Filippo
a) aveva un figlio, John, anche lui autore di commedie
b) aveva un figlio illegittimo di nome John
c) è un celebre esponente del teatro napoletano

Pulcinella è anche tra i burattini più popolari e amati, soprattutto dai bambini

B Riflettiamo sul testo

1 **Individuate nel testo frasi o parole che corrispondono a quelle date di seguito.**

dati personali (12-17): ....
col passar degli anni (17-22): ....
infedele (28-34): ....
la stima di tutti (55-60): ....
non si interessa minimamente di (56-63): ....

2 **Delle due alternative proposte, qual è quella più vicina al significato che hanno nel testo le parole in blu?**

1. ...il richiamo del palcoscenico fu vivissimo... (3): a. attrazione, b. chiamata
2. ...con quel costume che subì nel tempo alcune modifiche... (19): a. usanza, b. abito teatrale
3. ...camicione bianco stretto in vita... (22): a. esistenza, b. cintura
4. ...ora è un distinto signore... (32): a. caratterizzato, b. elegante
5. Questa maschera ebbe una grande fortuna... (35): a. successo, b. ricchezza
6. Un involontario "nemico" di questa maschera fu... (45): a. inconsapevole, b. casuale

C Riflettiamo sulla grammatica

1 **Abbiamo visto che Pulcinella indossava un** camicione**. Come cambia il significato delle seguenti parole rispetto al sostantivo** gatto**?**

1. Aveva un gattone bianco che adorava.
2. Ieri abbiamo trovato un gattino per strada.
3. È fissata con quel gattaccio, se lo porta sempre dietro.

2 **Abbiamo letto nel testo che perfino i re presenziavano agli spettacoli di Pulcinella. 'Re' è un sostantivo invariabile al plurale; quali delle parole che seguono lo sono?**

☐ auto ☐ clima ☐ virtù ☐ specie ☐ uovo ☐ crisi

D Lavoriamo sul lessico

A coppie, completate le frasi con le forme opportune di alcune delle parole date.

autore compagnia recitare debuttare palcoscenico sipario camerino interpretare attore protagonista atto spettacolo scenario copione

1. "Il .... è la mia vita, e finisce ogni volta che cala il ....", disse il vecchio attore.
2. È un bravissimo ...., eppure non ha spesso un ruolo da ....
3. Al teatro *Eliseo* sarà messo in scena un nuovo .... in due ....
4. La grande attrice .... un ruolo drammatico, proprio come quando ....

E Ascoltiamo

1 **Il gioco del Lotto ha una grande importanza nella realtà di Napoli. Sapete in che cosa consiste? Ci sono giochi simili nel vostro Paese? Che ne pensate?**

CD2 16

2 **Ascoltate un brano tratto dall'opera teatrale "Non ti pago!", recitato dallo stesso De Filippo, e rispondete alle domande.**

1. Perché don Ferdinando sostiene che il sogno di Bertolini in realtà non è di quest'ultimo? ....
....
2. Su quale dettaglio linguistico si basa don Ferdinando per confermare la sua tesi? ....
....
3. Perché secondo don Ferdinando il prete può dargli un consiglio da esperto? ....
....
4. Perché secondo don Ferdinando il padre defunto avrebbe dovuto dare i numeri del Lotto a lui e non a Bertolini? ....
....

Eduardo De Filippo (a sinistra), nei panni di don Ferdinando.

F Parliamo e scriviamo

Role-play

1 Situazione. Sei al botteghino di un teatro italiano. Di' all'impiegato quanti biglietti vuoi comprare, per quale spettacolo e per quale giorno. Purtroppo la combinazione (giorno, ora e posti) da te desiderata non è possibile: cercate insieme la soluzione migliore.

2 Un po' di tempo fa un tuo amico ti aveva consigliato di andare a teatro, suggerendoti anche uno spettacolo. Finalmente trovi il tempo e l'occasione giusta per andarci. Gli scrivi quindi un'e-mail per ringraziarlo del consiglio, poiché è stata un'esperienza veramente piacevole. Gli racconti, quindi, i particolari e gli chiedi di suggerirti altri spettacoli. *(180-200 parole)*

G Lavoriamo sulla lingua

1 **Nel testo abbiamo visto le espressioni "mettere al mondo" e "mettere in ombra". Nelle frasi che seguono sostituite le parti in blu con le forme giuste di** mettersi in testa, mettere su, mettere in croce, mettere in dubbio, mettere la pulce nell'orecchio.

1. Mi fidavo ciecamente di lui, ma le battute di Maria mi hanno fatto riflettere!
2. Mauro ha realizzato il sogno che aveva fin da bambino: avviare un'attività tutta sua!
3. Non discuto la tua versione dei fatti, ma devi riconoscere che la tua storia ha dell'incredibile!
4. Quando Lucia ha saputo delle piccole bugie di Enzo lo ha tormentato!
5. Hai sentito cosa vuole fare a tutti i costi Dino? Vuole vincere al lotto per comprare una *Ferrari*!

2 **Completate la trama dell'opera di De Filippo con le parole mancanti (una ogni spazio).**

Non ti pago!

Ferdinando Quagliolo è il gestore di un botteghino del lotto. Gioca ....(1) ma non azzecca mai un numero, mentre il ....(2) impiegato, Procopio Bertolini, vince sempre. Anzi ora ....(3) una quaterna* che gli ha dato in sogno ....(4) il padre di Ferdinando. Quest'ultimo si rifiuta ....(5) pagargli la quaterna e si tiene la scheda ....(6) considera sua la vincita. Secondo lui, suo ....(7) ha sbagliato persona, poiché Bertolini abita proprio nella ....(8) dove abitava lui quando suo padre era ....(9) vivo. Ricorre anche all'avvocato e al prete ....(10) tentativo di trovare appoggi alla sua tesi, ...(11) alla fine è costretto a ridare la ....(12) all'impiegato. Ma tutto finisce bene: Procopio sposa la ....(13) di Ferdinando – che non gliela voleva concedere proprio ....(14) la rabbia che gli causavano le sue ....(15) vincite – e il denaro rimane così in famiglia.

* combinazione di quattro numeri

H Riflessioni storico-linguistiche

1 Nella *Commedia dell'arte*, genere teatrale nato a Venezia nel '500, gli attori portavano maschere e interpretavano ruoli fissi senza canovaccio, improvvisando le loro battute. Oltre a Pulcinella, maschere importanti sono:

Arlecchino, servo imbroglione

Colombina, la servetta

Pantalone, anziano mercante veneziano

Il *Dottore*, misterioso e presuntuoso

2 Pulcinella è entrato anche nella lingua del popolo, con un celebre modo di dire: il *segreto di Pulcinella*, cioè un segreto che sanno tutti...

Autovalutazione

Cosa ricordate dell'unità 29?

Leggete le definizioni e risolvete il cruciverba.

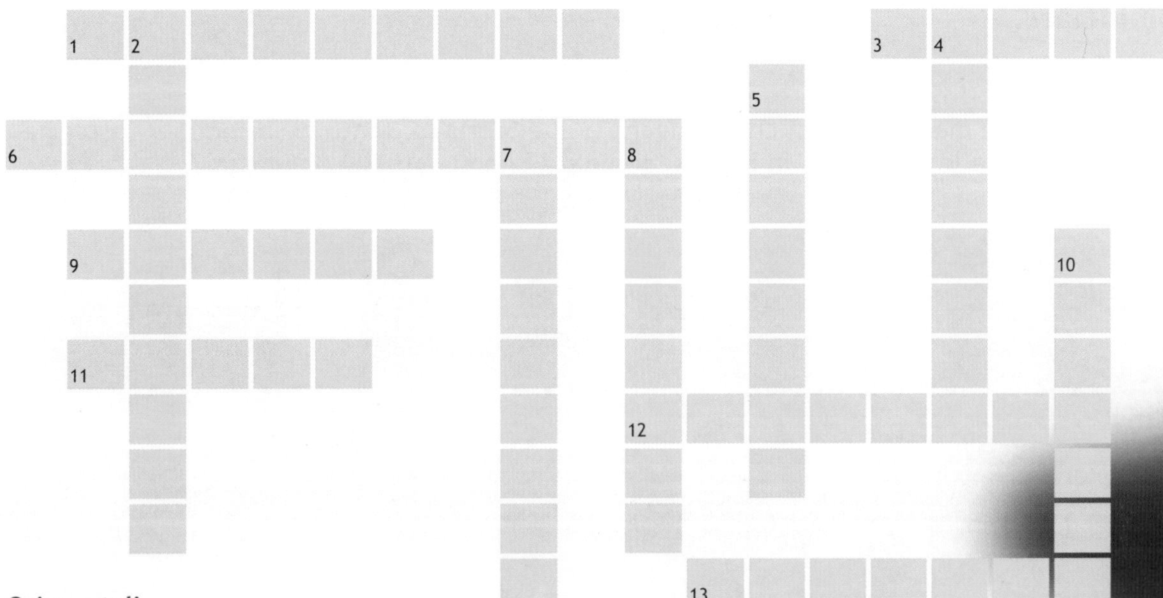

Orizzontali
1. Ne sono necessari almeno due per il matrimonio.
3. "Nessuno gli ha creduto, tutti hanno capito che era una messa in ... !"
6. Non esiste, immaginario.
9. Lo è il matrimonio in Comune.
11. Simulare, fare ... .
12. Il judo è un'arte ... .
13. Uomini non liberi ai tempi di Roma antica.

Verticali
2. Lo sono Athina Onassis e Paris Hilton.
4. "Tra sei mesi andremo alle urne ed è già iniziata la ... elettorale!"
5. *Annullare* una legge.
7. Soprannome: *no...*
8. All'ultimo momento, in ... .
10. Li cercano gli archeologhi nel corso delle loro ricerche.

Cosa ricordate dell'unità 30?

1. Scegliete la parola adatta per ogni frase.

1. È una bella ragazza, ha solo un po' i lati/bordi/fianchi larghi.
2. Il nostro rappresentante è stato eletto a voti unici/unanimi/univoci.
3. Per richiedere il certificato, compili questo modulo con le Sue generalità/generali/genericità.
4. Saputi i suoi problemi, in molti hanno fatto a gara/corsa/partita per aiutarlo.

2. Completate gli spazi con le parole date, che sono di più!

vincite azzeccato gattaccio virtù difetti gattino apprezzare vittorie

1. Come ogni popolo, anche gli italiani hanno vizi e ....!
2. La mia vicina ha un .... veramente dispettoso e aggressivo.
3. Ho giocato al SuperEnalotto, ma non ho .... neanche un numero!
4. L'anno scorso le .... al lotto non riscosse sono state il 3%, pari a 150.000 euro!

Verificate le vostre risposte a pagina 185.

Anfiteatro e Campanile del Duomo, Lecce, Puglia

Sagre e feste

Per cominciare...

1 In Italia il Medioevo è molto presente nella memoria collettiva. In ogni regione e provincia ci sono eventi e manifestazioni che risalgono a quel periodo: tante occasioni per festeggiare e per rivivere le tradizioni. In coppia, abbinate i nomi dati alle immagini.

a. La giostra del Saracino, Arezzo, Toscana
b. Il Carnevale di Venezia, Veneto
c. Il calcio storico, Firenze, Toscana
d. Il Palio di Siena, Toscana
e. La corsa dei ceri a Gubbio, Umbria
f. La battaglia delle arance, Ivrea, Piemonte

2 Quale di queste feste conoscete? In che cosa consistono a giudicare dalle foto?

3 Quale evento vi sembra più spettacolare? A quale vorreste assistere?

A Lavoriamo sulla lingua

1 Un'altra festa famosa è la Regata storica di Venezia. Osservate la foto. Potete immaginare cosa si festeggia?

2 Completate il testo con le parti mancanti scegliendo tra quelle date sotto.

La Regata storica

L'acqua è l'elemento che maggiormente caratterizza Venezia e non è certamente un caso che la Regata Storica, _____(1) e spettacolare della città, si svolga proprio sulle acque del Canal Grande.
La prima domenica di settembre un corteo storico (una sfilata di imbarcazioni tipiche cinquecentesche, _____(2) Bucintoro, la barca di rappresentanza della Serenissima) rievoca l'accoglienza riservata nel 1489 a Caterina Cornaro, sposa del Re di Cipro, _____(3) in favore di Venezia.
Seguono poi decine e decine di imbarcazioni multicolori con _____(4) il doge, la dogaressa, Caterina Cornaro, tutte le più alte cariche della Magistratura veneziana, in una fedele ricostruzione _____(5) delle Repubbliche Marinare più potenti e influenti, che ha dominato per secoli il Mediterraneo.
Assiepati _____(6), oppure ospitati nelle tribune galleggianti, o nelle imbarcazioni ormeggiate lungo il Canale, gli _____(7), con grida di incoraggiamento rivolte ai propri beniamini impegnati nelle competizioni agonistiche.
La Regata è soprattutto _____(8), che vede partecipare uomini e donne vissuti da sempre con il remo in mano. Gente che conosce, _____(9) ed è portatrice di una tradizione che si perde nella notte dei tempi.
Il nome Regata ha un'incerta derivazione; _____(10) da riga, cioè la disposizione che le imbarcazioni assumono per la partenza.

tratto da www.doge.it

a. gondolieri in costume che trasportano
b. del passato glorioso di una
c. ama e rispetta il mare
d. spettatori partecipano appassionatamente
e. è comunque probabile che derivi
f. con in testa il caratteristico
g. la festa più conosciuta
h. che rinuncia al trono
i. lungo le rive
l. una gara tra imbarcazioni

B Comprensione del testo

1 Leggeremo un testo sul Palio di Siena. Avete un minuto per scorrerlo e cercare le seguenti informazioni:

a. Quando e in quale parte della città si tiene?
b. Quanto dura?
c. Cos'è un "Palio"?

Contradaioli si nasce

Il più celebre Palio del mondo ha origini lontane e leggendarie

Due volte all'anno, il 2 luglio e il 16 agosto, un'intera città dà fuori di testa; divisa in diciassette microrealtà – le contrade, ciascuna dotata di una sua struttura organizzativa e istituzionale – si ritrova a riempire la piazza principale della città (piazza del Campo). Se ne capita l'occasione (e di regola capita sempre) la contrada dà corpo e sostanza alla sua identità primaria attraverso scontri niente affatto simulati fra chi vive ad appena due strade di distanza ma si identifica con differente simbolo, differente nome, differente bandiera; gioisce, soffre, esulta, si dispera per la corsa di dieci cavalli. Una corsa che, di regola, non dura più di 90 secondi.

Vi prendono parte dieci delle diciassette contrade cittadine scelte con il seguente meccanismo: hanno diritto a gareggiare le sette escluse la volta precedente, più altre tre estratte a sorteggio. La sera della vigilia le contrade che hanno acquisito il diritto a correre organizzano beneauguranti e rumorose cene all'aperto. Al fastoso corteo storico che precede la gara partecipa una moltitudine di figuranti (circa seicento), che sfilano fra i rulli dei tamburi, gli squilli delle trombette e il volteggiare delle bandiere.

Chi vince porta in contrada un "drappellone" dipinto (un tessuto di seta, un Palio appunto), il cui valore venale è pari a zero, ma per conquistare il quale ciascun contradaiolo si toglie dal portafogli cifre talvolta ragguardevoli, impiegate per pagare il proprio fantino e per tentare di corrompere quelli delle altre nove contrade in gara. Questa è Siena; questi sono i senesi; questo è il palio. Tutte e tre le cose messe insieme creano una delle più vistose anomalie che il panorama sociale, antropologico, culturale italiano possa offrire.

A partecipare a questo stato di cose è tutta la popolazione, senza distinzione di sesso, di età, di ceto sociale o di grado di istruzione. Tutti purché siano nati fra queste mura (ovviamente, in senso figurato, poiché la città ha dilagato ormai ben oltre la cinta muraria quasi intatta del XIV e del XV secolo).

Due volte all'anno (due volte per quanto riguarda la manifestazione più eclatante e intensa, ovvero la corsa: la sola a cui partecipano turisti e visitatori, ma che rappresenta il culmine di un'attività che non si interrompe mai nel corso dell'anno) Siena squaderna il suo sentirsi città medievale. Eppure, il palio di Siena è tutt'altro che una manifestazione medievale. Affonda sì le sue radici nel Medioevo ma è un'elaborazione dell'età moderna, conformatasi in questo aspetto non prima del XVII secolo.

tratto da *Medioevo*, mensile culturale

2 **Rileggete il testo e indicate le affermazioni corrette tra quelle proposte.**

1. Le contrade
a) provengono da diciassette piccole città
b) sono in vera concorrenza tra loro
c) fanno una corsa a cavallo intorno alla città
d) cambiano simboli e bandiere ogni anno

2. Alla corsa partecipano
a) dieci contrade estratte a sorteggio
b) sempre le stesse contrade
c) solo alcune delle diciassette contrade
d) le contrade escluse la volta precedente

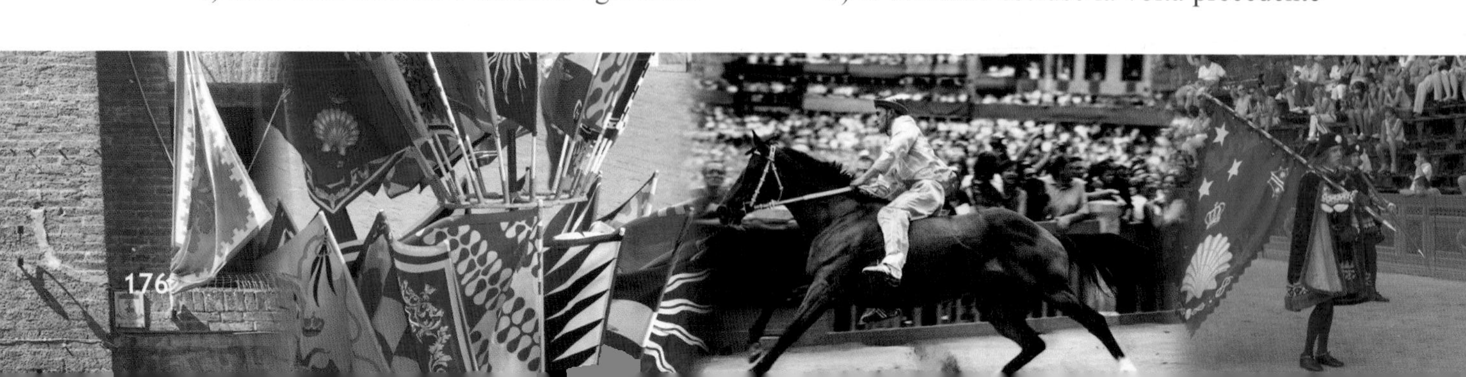

3. Grandi somme di denaro
a) vengono spese per fini nobili e non
b) vengono date alla contrada vincitrice
c) vengono pagate per seguire la corsa
d) vengono spese per l'acquisto dei cavalli

4. Hanno diritto a partecipare alla corsa
a) sia uomini che donne, purché italiani
b) tutti gli abitanti di Siena
c) gli appartenenti a nobili famiglie
d) tutti, compresi turisti e visitatori

5. Il Palio di Siena
a) si svolge più di due volte all'anno
b) coinvolge i senesi senza interruzione
c) non si è mai interrotto dal Medioevo a oggi
d) è rimasto inalterato dal Medioevo a oggi

C Riflettiamo sul testo

Abbinate le espressioni e le parole in blu a quelle date a destra, che sono di più.

1. ...attraverso scontri niente affatto simulati (6) ___
2. ...scelte con il seguente meccanismo (12) ___
3. ...il cui valore venale è pari a zero (20) ___
4. ...ciascun contradaiolo si toglie dal portafogli (21) ___
5. ...poiché la città ha dilagato ormai (27) ___
6. ...ben oltre la cinta muraria (27) ___
7. ...nel corso dell'anno (30) ___
8. Affonda le sue radici nel Medioevo (31) ___

a. durante	g. è diventata
b. risale a	h. uguale a
c. si è estesa	i. molto
d. reali	l. nasconde
e. metodo	m. spende
f. all'inizio	n. fino a

D Lavoriamo sul lessico

1 **Tra le parole date sotto troverete i sinonimi di quelle in blu. Tre parole sono degli intrusi.**

semplice gioire tipo finto ricco estrazione classe autentico rinomato

celebre	esultare	fastoso ....
ceto	simulato	sorteggio ....

2 **Nel testo abbiamo visto l'espressione *prendere parte*. Nelle frasi che seguono sostituite le parti in rosso con i modi di dire dati.**

prendere... le distanze una cotta per sul serio il toro per le corna con le mani nel sacco

1. La polizia ha sorpreso il ladro a rubare ed è stato subito processato.
2. Non potendo far fronte alle spese eccessive di sua moglie, Lucio ha deciso di affrontare la situazione in modo drastico: le ha nascosto le carte di credito!
3. Mauro si è innamorato di un'amica di sua sorella; l'unico problema è che lei è già fidanzata.
4. Quando ho visto che quei ragazzi si ubriacavano spesso, ho deciso di allontanarmi.
5. Siccome so che a Vito piace inventare storie, non ho considerato vera la sua versione.

E Riflettiamo sulla grammatica

1 Nel testo "Contradaioli si nasce" abbiamo trovato più volte la parola *che*: "Una corsa **che**, di regola..." (9), "il Palio di Siena è tutt'altro **che** una manifestazione medievale" (31). Quante e quali funzioni di *che* conoscete?

2 Inoltre, abbiamo incontrato la frase "...partecipa una **moltitudine** di figuranti (circa seicento) (16)". Ma se sono tanti, perché la parola è al singolare? Conoscete altri nomi collettivi?

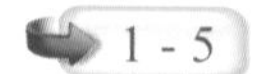
1 - 5

F Ascoltiamo

CD2

1 Ascoltate un'intervista sul Palio di Siena e completate le frasi (massimo 4 parole).

1. È qualcosa di più di una festa, o forse è festa nel .... termine, dove la festa è il giorno più importante dell'anno.
2. Mette in scena tutte le sue linee di frattura, cioè le rivalità fra le ...., fra i quartieri, fra i diversi luoghi della città.
3. Feste come il Palio di Siena poi sono diventati dei veri e propri ....
4. L'appartenenza alla contrada significa molto per me, è .... la mia identità.
5. È qualcosa che rimane esattamente come .... le cose che abbiamo da bambini.
6. Non è un caso che nel campo, nella piazza del Campo di Siena, la piazza che si chiama "il Campo" ....

2 Cosa avete imparato di nuovo sul Palio rispetto al testo di pagina 176?

G Parliamo e scriviamo

1 Nel vostro Paese si organizzano molte sagre? Ne conoscete alcune? In cosa consistono?

2 Secondo voi, sono importanti queste feste? Motivate le vostre risposte.

3 Scrivete una lettera ad un amico italiano il quale è molto interessato a tradizioni, feste (popolari o religiose) o usanze del vostro Paese. Ricordatevi di includere particolari che magari vi sembrano banali, ma che per uno straniero potrebbero risultare interessanti. *(220-250 parole)*

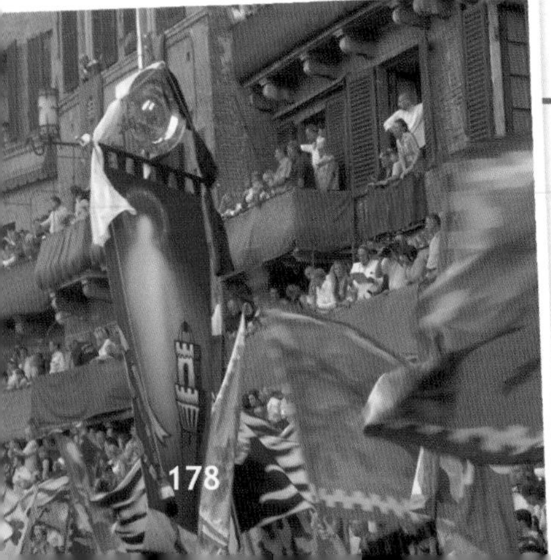

H Riflessioni linguistiche

Palium era per i Romani qualsiasi velo o coperta da indossare sopra la tunica (l'abito dei Romani). Durante il Medioevo era chiamato *palio* il prezioso "drappo" (tessuto pregiato) che veniva dato in premio al vincitore di uno spettacolare torneo. *Contrada* è formata da due parole latine: *cum* e *strata*, che significa la stessa strada o strade immediatamente vicine. In altre città d'Italia si usa la parola *rione* o semplicemente *quartiere*.

Montalbano

Per cominciare...

1 Al cinema e nella letteratura i poliziotti, i commissari e gli ispettori hanno spesso un carattere particolare. Quali caratteristiche vengono loro attribuite di solito?

....

....

2 Secondo voi, quanto sono realistici i personaggi cinematografici e letterari?

3 Vi piacciono i "gialli"? Motivate le vostre risposte.

A Lavoriamo sulla lingua

1 Completate il testo con le parole mancanti (una per ogni spazio).

Chi è il commissario Montalbano?

Solitario e introverso, ma allo stesso tempo generoso e grande estimatore dell'amicizia; refrattario alle regole (tanto da disobbedire spesso agli ....(1) che riceve dal Questore di turno), ma acerrimo ....(2) di ogni tipo di ingiustizia.

Luca Zingaretti, nei panni del commissario Montalbano, nella serie televisiva che ha riscosso un enorme successo.

E ancora: perennemente single, ma ....(3) da sempre di Livia, la sua compagna che vive al Nord, a molte centinaia di chilometri di ....(4) dalla bella Sicilia per cui Montalbano nutre un ....(5) altrettanto intenso e irrinunciabile. Ma non è ancora chiaro però se ....(6) solo per questo motivo che Salvo Montalbano non chiederà ....(7) trasferimento al Nord per raggiungere la sua

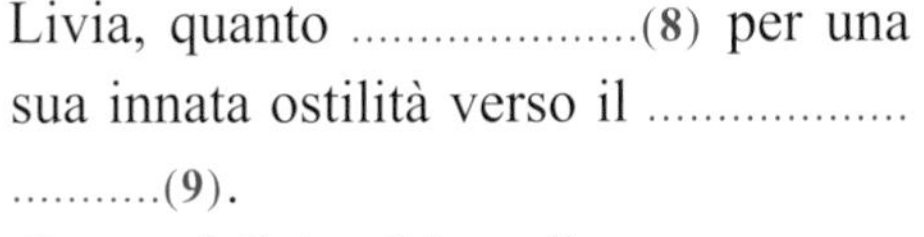

Livia, quanto ....(8) per una sua innata ostilità verso il ....(9).

Questo è Salvo Montalbano, personaggio uscito dalla penna di Andrea Camilleri negli ....(10) '90, per poi affermarsi come uno dei poliziotti della ....(11) italiana più amati dai lettori e non solo, visto che il ....(12) delle sue indagini è stato apprezzato a tal ....(13) da meritare una serie televisiva anch'essa di ....(14) successo (la passione degli italiani per Montalbano è ....(15) forte che anche le repliche delle puntate televisive hanno avuto ascolti ....(16)!).

Lo scrittore Andrea Camilleri

Di lui il suo creatore, Camilleri, dice: "Montalbano preferisce ....(**17**) da solo, ma è rispettato e ammirato dai ....(**18**) subalterni che ne sopportano le piccole manie e ....(**19**) ne discutono gli ordini, per quanto a ....(**20**) apparentemente stravaganti. È severo, ma umano, e talvolta prova anche simpatia per i suoi avversari. Un'altra sua caratteristica è la rabbia, l'impotenza scaturite dal fatto di non poter cambiare la società nella quale vive, nonostante il suo lavoro".

adattato da www.vigata.org

2 **Secondo voi, Montalbano assomiglia ai poliziotti che avete descritto in *Per cominciare 1*?**

B Comprensione del testo

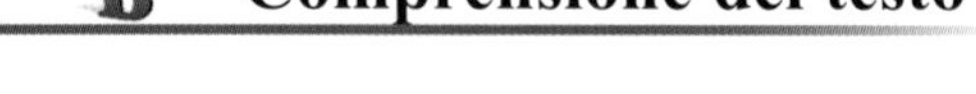

1 **Una delle caratteristiche dei libri di Camilleri è l'uso del dialetto siciliano. In coppia, fate delle ipotesi sul significato delle parole in blu del testo al punto 3 e completate la tabella.**

in siciliano	in italiano	in siciliano	in italiano
criato	*creato*		

2 **Leggete queste due righe. Secondo voi, a chi potrebbero essere indirizzate e perché?**

ANNIBALE VERRUSO HA SCOPERTO CHE SUA MOGLIE GLI METTE LE CORNA E VUOLE FARLA AMMAZZARE. SE LA COSA CÀPITA, LA RESPONSABILITÀ È VOSTRA!

3 **Leggete l'intero testo e indicate le sei informazioni presenti.**

La lettera anonima, scritta a stampatello, con una biro nìvura, era partita da Montelusa genericamente indirizzata al Commissariato di Pubblica Sicurezza di Vigàta. L'ispettore Fazio, che era addetto a smistare la posta in arrivo, l'aveva letta e immediatamente consegnata al suo superiore, il commissario Salvo Montalbano. Il quale, quella mattina, dato che tirava libeccio, era insitàto sull'agro, ce l'aveva a morte con se stesso e con l'universo criato.

«Chi minchia è questo Verruso?»

«Non lo saccio, dottore.»

«Cerca di saperlo e poi me lo vieni a raccontare.»

Due ore appresso Fazio s'appresentò nuovamente e, alla taliàta interrogativa di Montalbano, attaccò: «Verruso Annibale di Carlo e di Castelli Filomena, nato a Montaperto il 3-6-1960, impiegato al Consorzio Agrario di Montelusa ma residente a Vigàta in via Alcide De Gasperi, numero civico 22...»

Il grosso elenco telefonico di Palermo e provincia, che casualmente si trovava sul tavolo del commissario, si sollevò in aria, traversò tutta la càmara, andò a sbattere contro la parete di faccia facendo cadere il calannario gentilmente offerto dalla pasticceria "Pantano e Torregrossa". Fazio pativa di quello che il commissario chiamava "il complesso dell'anagrafe", una cosa che gli faceva venire il nirbùso macari col sereno, figurarsi quando tirava libeccio.

«Mi scusasse» fece Fazio andando a raccogliere l'elenco. «Lei mi faccia le domande e io le arrispondo.»

«Che tipo è?»

«Incensurato.»

«Montalbano agguantò minacciosamente l'elenco telefonico.»

«Fazio, te l'ho ripetuto cento volte. Incensurato non significa nenti di nenti. Ripeto: che tipo è?»

«Mi dicono un omo tranquillo, di scarsa parola e di poca amicizia.»

«Gioca? Beve? Fìmmine?»

«Non arrisulta.»

«Da quand'è che è maritato?»

«Da cinque anni. Con una di qua, Serena Peritore. Lei ha dieci anni meno di lu. Bella fimmina, mi dicono.»

«Gli mette le corna?»

«Boh.»

«Gliele mette sì o no?»

«Se gliele mette è brava a non farlo capire. C'è chi dice una cosa e chi un'altra.»

«Hanno figli?»

«Nonsi. Dicono che è lei che non li vuole.»

Il commissario lo taliò ammirato.

«Come hai fatto a sapere macari queste cose intime?»

«Parlando, dal barbiere» fece Fazio passandosi una mano darrè la nuca rasata di fresco.

A Vigàta dunque il Salone era ancora il Gran Luogo d'Incontro, come ai vecchi tempi.

«Che facciamo?» spiò Fazio.

«Aspettiamo che l'ammazza e vediamo» disse Montalbano grèvio, congedandolo.

Con Fazio aveva fatto l'antipatico e l'indifferente, mentre invece quella littra anonima l'aveva intrigato. A parte il fatto che da quando si trovava a Vigàta non era mai capitato un delitto cosiddetto d'onore, la facenna, a fiuto, a pelle, non lo persuadeva. Prima, rispondendo alla domanda di Fazio, aveva detto che bisognava aspettare che Verruso ammazzasse la mogliere. E aveva fatto un errore. Nella littra infatti si diceva che Verruso voleva *fare* ammazzare la traditora, vale a dire che aveva l'intinzioni di ricorrere ad un'altra persona per farsi smacchiare l'onore. E questo non era solito. In prìmisi, un marito al quale arrivano voci di tradimento, s'apposta, segue, spia, sorprende, spara. Tutto in prima persona, non spara il giorno appresso e tanto meno incarica uno stràneo di levargli il disturbo. E poi questo stràneo chi può essere? Un amico certo non si sarebbe messo. Un killer a pagamento? A Vigàta?! [...] In secùndis, chi era stato a scrivere la littra? La signora Serena per parare la botta? Ma se veramente sospettava che il marito l'avrebbe prima o poi fatta ammazzare, altro che perdere tempo a scrivere littre anonime! Avrebbe messo di mezzo il padre, la madre, il parroco, il vescovo, il cardinale, oppure avrebbe pigliato il fujuto col suo amante e chi s'è visto s'è visto.

tratto da *Un mese con Montalbano*, di Andrea Camilleri, Mondadori ed.

1. Il commissario Montalbano è proprio di cattivo umore.
2. Montalbano s'innervosisce perché Fazio gli dà informazioni inutili.
3. È la prima volta che Montalbano lancia l'elenco telefonico.
4. Annibale Verruso è una persona poco socievole.
5. Secondo quanto si dice in giro, Verruso è un donnaiolo.
6. Non si può dire con certezza se sua moglie l'abbia tradito.
7. Fazio ha dovuto tagliarsi i capelli per ottenere queste informazioni.
8. C'è qualcosa di strano nella storia della lettera anonima.
9. Montalbano crede che Verruso farà ammazzare sua moglie.
10. La moglie di Verruso ha cercato di fuggire insieme all'amante.

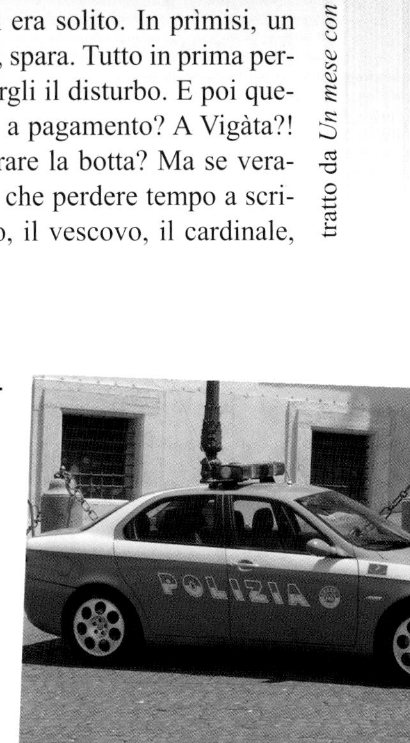

C Riflettiamo sul testo

1 **Senza consultare il testo, completate le frasi con le espressioni e le parole date.**

1. La lettera anonima, scritta ...., con una biro... (1)
2. ...che era .... smistare la posta in arrivo. (2)
3. ...ce l'aveva .... con se stesso e con l'universo... (4-5)
4. ...macari col sereno, ... quando tirava libeccio. (16)
5. ...sorprende, spara. Tutto ...., ... (48-49)
6. ...incarica uno stràneo di levargli .... (49)
7. Un killer .... (50)
8. ... . perdere tempo a scrivere littre anonime. (52)

altro che
addetto a
a morte
in prima persona
a pagamento
figurarsi
il disturbo
a stampatello

 2 **Verificate le vostre risposte alle righe indicate tra parentesi. In seguito, cercate di riformulare quattro delle espressioni precedenti. Lavorate in coppia.**

D Lavoriamo sul lessico

1 **Scrivete i sinonimi delle parole in blu e i contrari di quelle in rosso.**

voci superiore persuadere smacchiare ammazzare indifferente pigliare antipatico

....

2 **In ogni gruppo di parole c'è un intruso. Individuatelo, con l'aiuto del dizionario.**

delinquente pentito criminale	inquisito indagato innocente	furto rapina malavita
attentato omicidio assassinio	imputato carcerato detenuto	pena condanna tribunale

E Riflettiamo sulla grammatica

1 **Nel brano letto, compare la parola 'incensurato'. Il prefisso in- modifica il significato originario del termine. Come? Conoscete altri prefissi simili?**

2 **Nel suo brano Camilleri fa ampio uso del discorso diretto. Trasformate al discorso indiretto le righe 8, 17-18 e 24.**

1 - 4

F Ascoltiamo

1 **Cosa conoscete dei dialetti in Italia? Perché, secondo voi, è facile sentire delle battute in dialetto alla televisione italiana?**

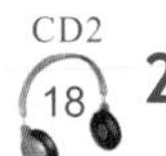

2 **Ascoltate un brano sui dialetti nei telefilm italiani e indicate le affermazioni corrette.**

1. Nella tv italiana è presente
a) solo il dialetto romanesco b) il dialetto in generale c) l'italiano standard

2. Il dialetto in tv dipende
a) dal tipo di programma
b) dal canale scelto
c) dalle annunciatrici

3. Il telefilm "La squadra" è in
a) dialetto napoletano
b) dialetto siciliano
c) dialetto romanesco

4. Il linguaggio della pubblicità
a) ha sue caratteristiche peculiari
b) è simile a quello dello spettacolo
c) ha precise origini geografiche

Riuscite a cogliere l'umorismo napoletano? (Foto di L. De Crescenzo)

3 Rispondete alle domande.

1. Il professore Menduni nella frase "...ma c'è anche dell'altro, c'è anche, non so, il siciliano di Camilleri, tanto per dirne una..." usa l'espressione in blu perché il siciliano di Camilleri è: ☐ a. l'unico dialetto usato in televisione, ☐ b. il dialetto più presente in TV, ☐ c. il primo esempio che gli viene in mente.

2. Nella frase "Per carità, smettiamola con il buon italiano, cerchiamo di imparare le lingue..." potremmo sostituire l'espressione in blu con: ☐ a. Per pietà, ☐ b. Per affetto, ☐ c. Per favore.

G Parliamo e scriviamo

1 Esistono dialetti nella vostra lingua? Rappresentano un problema o una ricchezza linguistica?
2 Nel testo di Camilleri si parla di un *delitto d'onore* (47-49). Che cosa ne pensate?

3 Rapine, omicidi, crimini vari e atti terroristici: la società moderna sta diventando sempre più violenta. Colpa dei mass media, del consumismo, della mancanza di valori, del fanatismo? Esprimete le vostre considerazioni in proposito. *(220-250 parole)*

H Riflessioni... dialettali

Chiudiamo con una celebre canzone napoletana. In coppia, osservate due strofe e cercate di abbinare i versi alla loro traduzione in italiano standard.

'O sole mio (napoletano)
1 Che bella cosa na jurnata 'e sole,
2 n'aria serena doppo na tempesta!
3 Pe' ll'aria fresca pare già na festa;
4 che bella cosa na jurnata 'e sole.

5 Ma n'atu sole
6 cchiù bello, oi nè,
7 'o sole mio
8 sta 'nfronte a te!

Il mio sole (italiano)
1 Che bella cosa una giornata di sole,
..... Ma un altro sole
..... è sulla tua fronte
..... un'aria serena dopo la tempesta!

..... Per l'aria fresca sembra già una festa;
..... che bella cosa una giornata di sole.
..... più bello, non c'è,
..... il mio sole

Forse non sapete che questa canzone è stata cantata in centinaia di versioni e in tante lingue. Perfino *It's now or never*, uno dei più grandi successi di Elvis Presley, è un adattamento di *'O sole mio*!

Autovalutazione

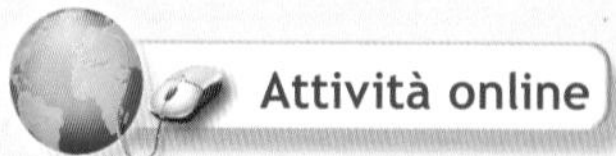

Cosa ricordate dell'unità 31?

Completate le frasi con le parole nascoste in orizzontale e in verticale nel crucipuzzle.

C	R	I	D	A	D	T	E	M	P	I
A	I	P	A	R	I	N	I	P	T	O
R	C	I	O	R	S	T	R	A	R	A
I	C	A	P	I	T	A	A	R	O	F
C	H	V	A	L	I	D	A	T	V	F
H	E	E	V	E	N	A	L	E	A	O
E	N	N	E	R	Z	O	N	A	I	N
I	D	E	N	T	I	F	I	C	A	D
M	A	G	G	I	O	R	A	N	Z	A
A	R	I	O	N	N	A	T	R	E	D
I	N	F	L	U	E	N	T	E	R	E

1. Ad accogliere il Presidente della Repubblica erano presenti tutte le alte .... del Cile.
2. Tutti i cittadini dovrebbero essere uguali davanti alla legge senza .... di sesso, di razza, di religione ecc.
3. Il carnevale di Ottana .... le sue radici nel mondo sardo arcaico.
4. Le origini di questa manifestazione si perdono nella notte dei ....
5. Signorina, se Le .... l'occasione, visiti Venezia durante il Carnevale: è un'esperienza unica!
6. La .... dei senesi si dedica anima e corpo al Palio.
7. È un personaggio molto ...., conosce politici, industriali...
8. Al concorso possono prendere .... solo i laureati in scienze umanistiche.
9. La quota di iscrizione è abbastanza alta, è .... a 150 euro.
10. La nuova serie televisiva ha molto successo perché quasi la totalità dei giovani si .... con i suoi personaggi.

Cosa ricordate dell'unità 32?

1. Scegliete la parola/le parole adatta/e per ogni frase.

1. Mi piace Stefano, è un ragazzo che a sensazione/pelle/chimica rimane subito molto simpatico.
2. Ci avevano detto che verranno/verrebbero/sarebbero venuti, invece non si sono fatti vedere.
3. Se non ti dispiace, preferirei dirglielo io in propria/prima/diretta persona.
4. Il suocero della vittima era stato condannato in primo grado, ma poi in secondo grado è stato assolto/incesurato/detenuto.

Piazza delle Erbe, Verona, Veneto

2. Completate gli spazi con le parole date, che sono di più!

refrattario tanto subalterno smista
congedare molto figurati disobbedire

1. Mio fratello non fa altro che .... ai nostri genitori.
2. Perché sono arrabbiata con te? .... per dirne una, quando organizzate qualcosa con gli altri non mi chiami mai!
3. Roberto è sempre stato .... al matrimonio, eppure si è sposato con una ragazza che conosceva da soli due mesi!
4. Non credo verrà: non ha voglia di uscire il sabato sera, ... di mercoledì!

Verificate le vostre risposte a pagina 185.

Prima di... cominciare

1. a.-1, b.-8, c.-6, d.-5, e.-3, f.-2, g.-7, h.-4
2. 1. inaugurò, 2. avere esagerato, 3. pensassero, 4. Viste, 5. mi dica, 6. potrete/possiate, 7. sono stati arrestati, 8. Credendo
3. - 4. - 5. - 8. *Risposta libera*
6. *Risposta suggerita.* **a.**: 1. Medicina, Lettere, Giurisprudenza; 2. dentista, operaio, avvocato, insegnante; 3. scaricare, salvare, installare; 4. calcio, ciclismo, nuoto, pallavolo; **b.** da sinistra a destra: 3, 11, 9, 12, 8, 6, 4, 10, 2, 1
7. 1. nessuno, 2. che/la quale, 3. cui/i quali, 4. Come, 5. me lo, 6. ne, 7. che, 8. ci, 9. ve ne, 10. ognuno, 11. Cosa, 12. alcuni

Unità 1
orizzontali: 1. distrazione, 7. commissione, 8. secchiona, 9. giudizi, 10. rovinare; *verticali*: 2. staccare, 3. ripassare, 4. ansia, 5. bocciati, 6. cardiologi

Unità 2
1. 1. testamento, asciutta; 2. cura; 3. coniglio; 4. sì
2. 1. ciotola; 2. Nonostante, frontale; 3. volante, assicurazione; 4. vizio

Unità 3
1. 1. rimorso, ferita; 2. prestito, meno; 3. corsa; 4. Finito
2. 1. fondo, 2. piromane, 3. antidepressivi, 4. inghiottito

Unità 4
orizzontale: telegiornale, volgare, documentari, tendenza, scadente, conduttore; *verticale*: strumento, telecomando, utente, antenna, passatempo, canale

Unità 5
orizzontali: 2. principessa, 4. spine, 5. dolere, 8. boschi, 9. inchino, 10. avercela, 11. morale; *verticali*: 1. misterioso, 2. prendersela, 3. castello, 6. libraio, 7. abbaiare

Unità 6
1. 1. niente; 2. rispetto; 3. innovazioni; 4. a, a
2. 1. cuscini, 2. contratto, 3. insonnia, 4. breve

Unità 7
1. 1. brontolare; 2. badano; 3. te ne, ti; 4. sua
2. 1. le, 2. quanto, 3. richiesta, 4. fronte

Unità 8
orizzontali: 1. praticantato, 3. mantenere, 5. armonia, 6. contro, 8. madre, 10. autonomia, 11. paghetta, 12. maggiorenne; *verticali*: 2. convivenza, 4. vorrei, 7. paciere, 9. andare

Unità 9
orizzontale: licenziare, disoccupato, salario, requisiti, impiego, precario, retribuzione, aumento; *verticale*: assumere, dirigente, capo, ferie, guadagno, colloquio

Unità 10
1. 1. capo, 2. bel problema, 3. insaputa, 4. vedevano
2. 1. balle, 2. alba, eri; 3. batteria, 4. grande

Unità 11
1. 1. insomma, 2. antidoto, 3. prendine, 4. raggiungesse
2. 1. gira, 2. farne, 3. ho letto, 4. propria

Unità 12
orizzontali: 1. colpa, 6. abbottonati, 8. dilettante, 9. scommesse, 10. posteggio, 11. medaglia, 12. alibi, 13. giusta; *verticali*: 2. pigro, 3. dalla, 4. tifo, 5. salto, 7. telecronaca, 11. muscoli

Unità 13
orizzontali: 1. superstizione, 6. risate, 8. mica, 9. ribadito/ripetuto, 10. illusione, 11. salvo, 12. anzi; *verticali*: 1. spasimante, 2. rotocalchi, 3. parodia, 4. pesci, 5. marziano, 7. ambizioso

Unità 14
1. 1. giudicare, 2. affanno, 3. portavoce, 4. chiamare
2. 1. medesime, 2. giunta, 3. eppure, 4. sta

Unità 15
1. pari, 2. gravidanza, 3. tilt, 4. assuma, 5. male, 6. contributi, 7. chiacchiera, 8. siano, 9. aspettativa, 10. avrebbero

Unità 16
1. 1. bollire, 2. conobbero, 3. sorprendente, 4. condire
2. 1. quanto, 2. presto, 3. artigianale, 4. fecero

Unità 17
orizzontali: 1. marciapiede, 4. contrario, 6. saresti, 7. tal, 10. tratto, 11. onori; *verticali*: 2. coscienza, 3. dovessi, 5. affari, 8. stuzzicare

Unità 18
1. 1. ciò, 2. pigiama, 3. pace, 4. meandri
2. 1. Il, 2. Duplicare, 3. chiamato, 4. ci

Unità 19
1. 1. ci si, 2. ambulanti, 3. costo, 4. vedremo
2. 1. terrò, 2. faceva, 3. classe, 4. tracce

Unità 20
orizzontale: atmosfera, riciclaggio, risorse, biodegradabile, energia, calore, inquinamento, smog; *verticale*: benzene, rifiuti, ozono, discariche, emissioni, deforestazione

Unità 21
orizzontali: 1. conservanti, 3. proveniente, 4. pirateria, 7. taroccati, 9. origine, 10. base, 11. lunga; *verticali*: 2. vegetariano, 5. scadenza, 6. gola, 8. vista

Unità 22
1. 1. indissolubile, 2. fatti, 3. prese, 4. Altro
2. 1. recuperare, 2. caccia, 3. guardando, 4. sintomo

Unità 23
orizzontali: 1. irriconoscente, 4. navigatore, 6. status, 7. incontro, 9. materie, 10. rasati, 12. superato; *verticali*: 2. consulente, 3. tasso, 5. arrogante, 8. pace, 11. mutuo

Unità 24
1. 1. videosorveglianza, 2. oppure, 3. dicerie, 4. frugare
2. 1. ognuno, 2. però, 3. conto, 4. anonimato

Unità 25
1. sufficienza, 2. usanze, 3. frequenta, 4. capitolare, 5. parte, 6. sbandierare, 7. andati, 8. grado, 9. gassata, 10. spartire

Unità 26
1. 1. ecografia, 2. curano, 3. pomata, 4. prognosi
2. 1. siringhe, 2. torno, 3. addormentata, 4. conseguito

Unità 27
1. 1. creda, 2. corrisposto, 3. nulla, 4. fede
2. 1. cervello, 2. paraggi, 3. aldilà, 4. dissuaso

Unità 28
orizzontali: 1. controverso, 5. monologo, 6. toccante, 7. adozione, 9. aequo, 10. sfondo, 11. premio, 12. ispirato; *verticali*: 1. comparse, 2. sono, 3. mostra, 4. proposito, 8. visione

Unità 29
orizzontali: 1. testimoni, 3. scena, 6. inesistente, 9. civile, 11. finta, 12. marziale, 13. schiavi; *verticali*: 2. ereditiere, 4. campagna, 5. abrogare, 7. nomignolo, 8. extremis, 10. reperti, 14. arancio

Unità 30
1. 1. fianchi, 2. unanimi, 3. generalità, 4. gara
2. 1. virtù, 2. gattaccio, 3. azzeccato, 4.vincite

Unità 31
1. cariche, 2. distinzione, 3. affonda, 4. tempi, 5. capita, 6. maggioranza, 7. influente, 8. parte, 9. pari, 10. identifica

Unità 32
1. 1. pelle, 2. sarebbero venuti, 3. prima, 4. assolto
2. 1. disobbedire, 2. tanto, 3. refrettario, 4. figurati

PO2: La Prova Orale 2
AA: Ascolto Avanzato

CD 1

Prima di... cominciare
Traccia **1**: 1a. (1, 2, 3, 4, 5, 6, 7, 8) [1'51"]

Unità 1
Traccia **2**: D2 [2'33"]

Unità 2
Traccia **3**: B2 [2'42"]

Unità 3
Traccia **4**: E2 [2'37"]

Unità 4
Traccia **5**: C1 [3'00"]

Unità 5
Traccia **6**: G2 [2'45"]

Unità 6
Traccia **7**: F2 [2'57"]

Unità 7
Traccia **8**: F2 [2'41"]

Unità 8
Traccia **9**: E2 [3'45"]

Unità 9
Traccia **10**: A1 [2'21"]

Unità 10
Traccia **11**: G1 [2'36"]

Unità 11
Traccia **12**: E2 [2'51"]

Unità 12
Traccia **13**: E2 [2'54"]

Unità 13
Traccia **14**: A1 [2'34"]

Unità 14
Traccia **15**: F2 [3'18"]

Unità 15
Traccia **16**: E3 [2'52"]

CD 2

Unità 16
Traccia **1**: F2 [2'25"]

Unità 17
Traccia **2**: E1 [2'25"]

Unità 18
Traccia **3**: E1 [2'31"]

Unità 19
Traccia **4**: A2 [1'30"]
Traccia **5**: B2 [1'27"]

Unità 20
Traccia **6**: A2 [2'21"]

Unità 21
Traccia **7**: G1 [2'36"]

Unità 22
Traccia **8**: E1 [3'13"]

Unità 23
Traccia **9**: G2 [2'29"]

Unità 24
Traccia **10**: A2 [2'28"]

Unità 25
Traccia **11**: H2 [2'39"]

Unità 26
Traccia **12**: D1 [2'36"]

Unità 27
Traccia **13**: E2 [3'07"]

Unità 28
Traccia **14**: E1 [2'06"]

Unità 29
Traccia **15**: A2 [3'16"]

Unità 30
Traccia **16**: E2 [4'32"]

Unità 31
Traccia **17**: F1 [2'45"]

Unità 32
Traccia **18**: F2 [2'48"]

Nuovo Progetto italiano 3 si può integrare con:

La Prova orale 2,
è il secondo volume di un moderno manuale di conversazione che aiuta gli studenti ad esprimersi in modo spontaneo e corretto, e li prepara ad affrontare con successo la prova orale delle certificazioni (Celi, Cils, Plida o altri diplomi).
La conversazione trae continuamente spunto da materiale autentico (fotografie, grafici, tabelle, articoli, testi, compiti comunicativi, massime da commentare) e da preziose domande che motivano e stimolano gli studenti.
Un glossario facilita gli studenti a prepararsi per la discussione.

ISBN 978-960-7706-25-6

Collana ***Primiracconti***, letture graduate per stranieri
Il sosia (C1-C2) è la storia di Onofrio Maneggioni, un importante uomo d'affari che viene rapito una mattina davanti alla sua villa. Almeno così dice la televisione, e così pensano tutti. In verità, dietro il rapimento si nasconde il passato dello stesso imprenditore, un passato che torna a bussare alla porta di Maneggioni per regolare alcuni conti in sospeso...
Il sosia, disponibile con o senza CD audio, contiene una sezione con stimolanti attività e le rispettive chiavi in appendice.

ISBN 978-960-693-003-4 (Libro+cd audio)
ISBN 978-960-6632-18-1 (Libro)

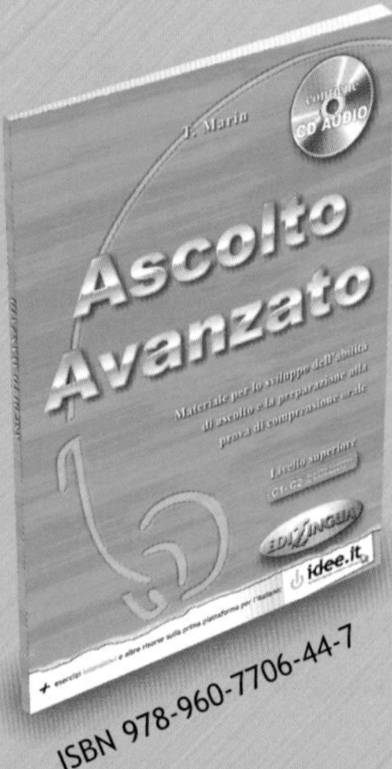

Ascolto Avanzato,
attraverso un apprendimento piacevole e stimolante, consente allo studente di migliorare la propria abilità di ascolto e di prepararsi alla prova di comprensione orale degli esami di certificazione. Il *Libro dello studente*, con CD audio allegato, contiene 30 testi, accuratamente selezionati da programmi televisivi e radiofonici, corredati da una vasta gamma di esercitazioni.

ISBN 978-960-7706-44-7

Collana l'Italia è cultura,
cinque fascicoli monografici (Storia, Letteratura, Geografia, Arte, Musica, cinema, teatro) che, attraverso un linguaggio semplice, esaustivo e tanto materiale fotografico, offrono allo studente straniero:
- ulteriori informazioni per interpretare e capire meglio l'Italia e gli italiani;
- attività e giochi linguistici;
- la possibilità di diventare protagonista di un viaggio attraverso la cultura e la civiltà italiana.

Storia ISBN 978-960-693-008-9
Letteratura ISBN 978-960-693-007-2
Geografia ISBN 978-960-693-006-5
Arte ISBN 978-960-693-001-0